Shilova

V vorokho chuvstv, ili;

ЮЛИЯ
ШИЛОВА

В ВОРОХЕ ЧУВСТВ,
или РАЗВЕДЕНА И ОЧЕНЬ ОПАСНА

a

Razvedena i oche [GEAT]
opasna;
http://shilova.ast.ru   b roman

АСТ
Москва

УДК 821.161.1
ББК 84 (2Рос=Рус)6-44
Ш59

Оформление переплета дизайн-студии «Дикобраз»

Ранее роман Юлии Шиловой
«В ворохе чувств, или Разведена и очень опасна»
издавался под названием
«Разведена и очень опасна, или Женщина, которой смотрят вслед»

Официальный сайт Юлии Шиловой http://shilova.ast.ru

Адрес для писем
129085, РФ, Москва, а/я 30

Подписано в печать с готовых диапозитивов заказчика 07.06.08.
Формат 84×108¹/₃₂. Бумага газетная. Печать высокая с ФПФ.
Усл. печ. л. 21,84. Тираж 15 000 экз. Заказ 1880.

Шилова, Ю.В.

Ш59   В ворохе чувств, или Разведена и очень опасна : [роман] /
Юлия Шилова. — Изд. перераб. и доп. — М.: АСТ: АСТ МОСКВА,
2008. — 410, [6] с.

ISBN 978-5-17-052785-4 (ООО «Изд-во АСТ»)
ISBN 987-5-9713-8660-5 (ООО «Изд-во АСТ МОСКВА»)

Таких, как Александра, называют «железная леди». После трагедии,
произошедшей с братом, Александра заняла его место, и ей пришлось
взвалить на свои хрупкие плечи тяжелый груз ответственности. Знала ли
она, волевая и решительная, что друзья окажутся предателями, что ее
ослепительная красота померкнет, что ей придется пройти через боль и
одиночество, а ее второй половинкой окажется тот мужчина, к которому
она совсем недавно испытывала лишь отвращение?..

УДК 821.161.1
ББК 84 (2Рос=Рус)6-44

ОТ АВТОРА

Дорогие мои друзья, я безумно рада встретиться с вами вновь!

По этой роскошной обложке нетрудно догадаться, что в моей жизни произошли сильнейшие изменения, настало время коренных перемен!

Я перешла в ДРУГОЕ ИЗДАТЕЛЬСТВО, а это значит, что у меня открылись грандиозные перспективы и новые возможности! Издательская группа АСТ дружелюбно распахнула мне свои объятия и разбудила такой аппетит к жизни, какого уже давно не было. Хочется жить, творить, писать, любить и обнимать целый мир!

А еще я сменила имидж и стала блондинкой.

Да здравствует НОВАЯ ЖИЗНЬ! НОВОЕ ИЗДАТЕЛЬСТВО! НОВЫЙ ИМИДЖ! НОВЫЙ САЙТ: WWW.SHILOVA.AST.RU! У меня все новое, даже почтовый ящик для ваших писем:

129085, Москва, абонентский ящик 30.

В письмах вы довольно часто задаете мне один вопрос: как отличить мои только что написанные книги от тех, которые уже выходили несколько лет назад, ведь теперь у всех романов двойные названия. Это очень просто. Пожалуйста, будьте внимательны и помните, что вы мне очень дороги и, поверьте, никто не хочет вас обмануть. На обложках новых книг есть слово «НОВИНКА». На книгах, написанных несколько лет назад: «НОВАЯ ЖИЗНЬ ЛЮБИМОЙ КНИГИ». Никаких хитростей и секретов нет.

Издательская группа АСТ сделала моим ранее написанным книгам настоящий подарок. Они выходят в новой, более яркой и красочной обложке. Признаюсь честно, у меня еще никогда не было таких красивых обложек. У книг новая редактура, а у меня появилась потрясающая возможность вносить дополнения, делиться размышлениями и, как прежде, общаться с вами на страницах своих романов. Теперь я могу отвечать на ваши письма и вопросы в конце книг, рассказывать, что происходит в моей творческой жизни, да и просто говорить о том, что у меня на душе.

Итак, я представляю на ваш суд свою книгу «В ворохе чувств, или Разведена и очень опасна».

Эта книга посвящена всем тем, кто пережил развод.

Поначалу мы все воспринимаем развод как настоящую катастрофу, как крах всей своей жизни, но со временем понимаем: это прекрасный шанс изменить нашу жизнь. Каждому, кто разводился, очень трудно выбраться из ловушки прошлого, реабилитироваться и не истязать свое сердце.

Моя героиня пережила развод и поняла, что жить нужно только ЗДЕСЬ и СЕЙЧАС. Она смогла побороть обиды и сожаления, а также насладиться свободой.

Самое главное — это не потерять надежду на то, что после развода жизнь не заканчивается. Не впасть в депрессию, не потерять интерес к окружающему миру и не бояться угнетающего одиночества. Банально, но время — лучший лекарь. Прошлое не изменить и не вернуть.

Нужно учиться находить позитивные моменты в настоящем. Никто не сможет сделать нас счастливыми, кроме нас же самих. Очень часто развод мы предрекаем сами, готовим своими же руками. Просто начинаем жить жизнью мужа, забываем о своей собственной, а ведь она не менее ценна. Ни одни отношения не могут нам гарантировать, что впереди не ждут какие-либо кризисы или расставание.

Самый надежный человек в нашей жизни — это мы сами.

Этот мир нельзя закрыть историей своих неудачных отношений. Он намного шире и интереснее. Любому, пережившему развод, необходимо взять себя в руки и найти в себе силы вырваться из ауры несчастья, которую мы создаем себе сами. В наших силах загубить свою жизнь и в наших же силах сделать ее более насыщенной и интересной. Не забывайте, что у всех нас есть право ЕЩЕ НА ОДНУ ЛЮБОВЬ.

Для кого-то из моих читательниц героиня этого романа стала близкой подругой, у них она вызывает настоящее восхищение. Кто-то, наоборот, испытывает к ней неприязнь и находит, что от нее исходят лишь негативные эмоции. Сколько людей, столько и мнений. Зато моя героиня не вызывает равнодушия, хоть она и не может быть положительной для всех подряд. Она никогда не разменивается по мелочам и всегда бьет по мужскому самолюбию, безошибочно находя в мужской психике наиболее слабые и уязвимые места. Она слишком непредсказуема и своевольна, несмотря на то что за своеволие ей приходится слишком дорого платить.

И все же моя героиня свободна и независима, как внутренне, так и внешне. Она назначила себе высокую цену и хорошо уяснила неоспоримый факт: мужчина не даст ни на грош больше того, во что ты сама себя оценила.

Это история молодой девушки, которая умела манипулировать людьми, незримо управлять их действиями и направлять ситуацию в нужное русло. Она просто не побоялась быть сильной, научилась блефовать и рисковать, а еще она научилась достойно проигрывать.

Спасибо за ваше понимание, за любовь к моему творчеству и за то, что вы согласны со мной: переиздания моих книг представляют ничуть не меньшую ценность, чем новые романы, только что вышедшие из-под моего пера. Спасибо за то, что вы помогли мне подарить роману новую жизнь. Если вы взяли в руки эту книгу, значит, вы поддерживаете меня во всех моих начинаниях. Мне сейчас, как никогда, необходима ваша поддержка...

До встречи в следующей книге!

Любящий вас автор,
Юля Шилова.

Пролог

Я никогда не любила зиму, потому что на дух не переношу холод, а сегодня весь день сыплет снег. В такую погоду я чувствую себя неуютно и стараюсь не выходить без особой надобности из дома. Я подхожу к окну, смотрю на эту суровую погоду, прислушиваюсь к сильному ветру, разбушевавшемуся за окном, и с сожалением смотрю на буксующие машины, которые не могут выехать с нашего двора. Я не люблю зиму, но я очень люблю красивые меха. Наверно, это какое-то природное недоразумение. Если бы не эти дурацкие условности, я бы с удовольствием надела полушубок из рыси летом и не обращала внимания на реплики у меня за спиной, что я сумасшедшая. Я закрываю глаза и думаю о том, что было бы неплохо сесть в самолет и рвануть в какую-нибудь теплую страну, чтобы поваляться под жарким солнышком и понежиться в теплом море. Забыть обо всем на свете и наслаждаться шумом моря и покоем. Но не могу себе это позволить, потому что есть целая масса дел, с которыми я должна оперативно разобраться. А как только я с ними разберусь, то, не раздумывая, куда-нибудь махну.

Отойдя от окна, я подхожу к столу, заставленному живыми цветами, и внимательно смотрю на букеты. Совсем недавно я справила свой день рождения и, как и положено в этот день, получила много цветов. Хотя... Я никогда не любила живые цветы. Они слишком быстро вянут, осыпаются и чересчур быстро теряют свою привлекательность. Зато в моем доме всегда много искусственных цветов, и в них есть своя прелесть. За ними не нужно ухаживать, подрезать стебли, менять воду, и они стоят вечно. В последнее время вся моя жизнь стала какой-то искусственной, словно я живу по написанному для меня сценарию и играю определенную роль.

Однажды в мою квартиру приехала моя подруга и сказала, что квартира похожа на склеп, потому что в ней слишком темно, много странных вещей, чучел животных и каких-то мертвых картин. А мои многочисленные букеты с искусственными цветами напомнили ей самое настоящее кладбище. Может быть, но это не мои, это ее ассоциации, и мне они безразличны. Просто мы с ней слишком разные. Она любит дневной свет. Мне кажется, что в ее маленькой квартирке слишком много солнечного света. Ярко-желтые шторы, белоснежный тюль... А я вообще не люблю шторы. Темные жалюзи, темная мебель, темные стены... Это мой стиль. Мне так нравится. Может, это оттого, что легче всего мне дышится в темноте...

Я не люблю живые цветы, но я люблю драгоценные камни. Они никогда не тускнеют. Я люблю держать их на ладони, могу рассматривать их часами. Особенно когда эти камни вставлены в красивую золотую оправу. И еще я люблю часы. Часы, усыпанные дорогими камнями. Чем больше камней, тем часы дороже и тем больше они мне нравятся. Я могу надеть такие часы на руку и любоваться ими подолгу, забывая обо всех других делах на свете. Моя любовь к драгоценным камням тянется с самого детства. Моя мама старалась обходить ювелирные салоны стороной, как можно дальше, потому что знала об этих моих слабостях. Иногда она сажала меня к себе на колени, гладила по волосам и говорила о том, что мы не можем заходить в ювелирные салоны, потому что у нас нет денег, чтобы что-то купить. Что в таких магазинах она неуютно себя чувствует, потому что мы слишком бедно одеты, а продавщицы оглядывают нас оценивающими взглядами и начинают расспрашивать, что именно нас интересует, что бы мы хотели купить и на какую сумму можем рассчитывать. Я пыталась объяснить маме, что все это я понимаю, но я не виновата в том, что очень хорошо чувствую себя в подобных салонах и мне совершенно наплевать на то, что думают обо мне продавщицы, — мне просто там хорошо дышится, мне там комфортно и спокойно, а сила притяжения драгоценных камней совершенно не зависит от наличия денег у того, кто на них смотрит. После таких слов мама смеялась и говорила мне, что, когда я вырасту, я обязательно буду художником-ювелиром.

Но в жизни все получилось совсем по-другому. Я выросла и не стала художником-ювелиром, хотя я по-прежнему любила драгоценные камни и могла часами проводить время в ювелирных салонах. Теперь у меня есть деньги для того, чтобы купить понравившуюся мне вещь, и я позволяю себе мучить продавцов многочисленными примерками.

Просто я слишком щепетильна в выборе подобных вещей, я фанатка. Настоящая фанатка драгоценных камней. Кто-то может фанатеть от любимых песен, кто-то — от любимых рассказов, а я могу бесконечно долго любоваться необычайным зрелищем — игрой дорогих камней. Беру лупу, включаю свет и ухожу в сказочный мир редких камешков. А та хрупкая девочка, которая заходила в ювелирные магазины, на дрожащих ногах подходила к толстым стеклам, под которыми лежали украшения, и старалась не встречаться взглядом с недоумевающими продавцами, докучавшими ей вопросами: «Девочка, а где твои родители? Почему ты одна?» От той девочки не осталось даже следа. Даже следа...

И все же, несмотря на то что я люблю все искусственное и неживое, мне нравится, когда приходит весна, а жуткая зима уходит и на улицах начинают бежать ручьи, потом лопаются почки на деревьях, а солнышко пригревает все сильнее. Мне нравится наблюдать, как тает снег и люди снимают теплую одежду, как улицы устилает тополиный пух и люди заметно добреют и начинают говорить друг другу ласковые слова... Мне нравится подъезжать к реке, стелить рядом со своей машиной полотенце, садиться, вытянув вперед свои длинные ноги, и совершенно бездумно кидать в воду камни... Мне нравится наблюдать за отдыхающими у реки людьми, особенно за семейными парами и за их взаимоотношениями... За тем, как они ссорятся, не разговаривают вообще или вдруг начинают громко выяснять отношения, а потом мирятся... Мне нравится осень, когда падают листья, когда можно любоваться разноцветной листвой и собирать из ярких, разноцветных опавших листьев целые букеты... Мне нравится сесть на лавочку, положить на колени букет из листьев и наблюдать за тем, как посторонние люди выгуливают своих домашних любимцев. Я начинаю думать о том, что можно привязаться не только к человеку, но и к собаке, и эта привязанность будет сильной, чистой и честной, и в этой привязанности не будет предательства.

Больше всего я люблю осень в Париже. Мне нравится устроиться в кафе на одной из парижских улочек, взять чашечку кофе и наблюдать за молодыми парочками. Признаться честно, иногда я завидую их порыву, их страсти, их неопытности, необузданности и самоотдаче. Я пью кофе, улыбаюсь, стараюсь не показывать свои слезы и пытаюсь понять, что же такое — эта загадочная и непостижимая любовь? А вечером я люблю проводить время в гостиничном холле, где все поют под караоке, и чувствовать себя почти счастливой оттого, что я прилетела в свою любимую страну, ни о чем не думаю, ни о чем не беспокоюсь, а просто отдыхаю и сижу за одним столиком с интересной французской парой. Они прожили в браке целых пятьдесят лет и сейчас сидят, обнявшись, будто демонстрируют то, что у них по-прежнему есть любовь, что они нашли друг друга и им чертовски хорошо вместе, и что эти пятьдесят лет пролетели, как один миг... Они улыбаются мне, и я улыбаюсь им в ответ, но ищу при этом фальшь, потому что не верю в силу вечной любви и вечной привязанности. Я подозреваю фальшь. Но вот пожилой француз берет микрофон и начинает петь для своей любимой, встает перед ней на колени, а я смотрю на зал, который громко хлопает и вытирает выступившие слезы, и понимаю, что в этом никакой фальши нет, наверное, это просто исключение. Исключение из обычных правил... Просто они смогли встретиться... Они встретились не для того, чтобы ссориться, выяснять отношения, припоминать друг другу обиды, ревновать и изводить друг друга своей ревностью. Они встретились совсем не для этого. Они встретились для того, чтобы прожить вместе долгую и счастливую жизнь, а быть может, и умереть в один день, как бы это ни было банально... Они сами смогли превратить свою жизнь в сказку. А может, им это было дано?

Что касается меня, то я уже давно отреклась от надежд на подобные чувства! Я отреклась от них тогда, когда в моей жизни случился развод. И это недоверие слишком затянулось, даже чересчур. Хотя и говорят, что наваждение рассеивается перед большой любовью, но я не была виновата в том, что не верила в любовь. Я просто в нее не верила... Где-то там, совсем в другой жизни остались мои фотографии, где я иду в свадебном платье, которое развевается при каждом шаге... Поздравления родственников и знакомых... Крики «Горько!» и страстные поцелуи моего супруга... А затем, как гром среди ясного неба, развод. Господи, какое же это страшное слово — развод... Когда я его произношу, у меня и теперь начинает сильно стучать сердце и мне не хватает воздуха. Я даже помню то лето, когда все девушки ходили в ярких платьях, цветных босоножках, носили модные косынки, а я постоянно была в черном.

Прохожие оглядывались на меня и, по всей вероятности, думали, что я только что ушла с поминок. А когда незнакомые люди спрашивали, кто же все-таки у меня умер, я отвечала, что у меня умерла любовь...

В те страшные для меня дни я была похожа на настоящую старуху. Такая же сгорбленная, словно на меня давил груз прожитых лет... Такая же бесформенно одетая, рассеянная и даже, если хотите, злая. Я долго пыталась понять, почему же я разлюбила, и пришла к выводу, что я, наверное, просто не умею любить да и меня никогда по-настоящему не любили. Я слишком упрямая, слишком амбициозная, слишком бессердечная, слишком черствая, требовательная, нахрапистая и чересчур эмоциональная. Разве такую можно полюбить?!

В последнее время я приняла совсем другую тактику — научилась мужчин не любить, а дружить с ними. Дружба с мужчинами намного выгоднее, чем любовь. Не идет голова кругом, нормально работают мозги, трезвый рассудок... Мужчина-любовник доставляет слишком много хлопот и приносит слишком много страданий, а мужчина друг, наоборот, всегда рад тебя видеть и готов в любую минуту протянуть руку помощи. Но и в этом есть одно неудобство. Зачастую мужчина-друг хочет перейти из разряда друзей в разряд любовников и терпеливо ждет своего звездного часа. Самое главное — закрывать на это глаза и гнуть свою линию. Делать вид, что ты не видишь, что он устал от дружбы, а ищет любовь и хочет, чтобы ты одарила его собой хотя бы из-за дружбы, которая затянулась на годы...

После своего развода я никогда не чувствовала себя брошенной женщиной. Я просто почувствовала себя свободной. Мои ежедневные супружеские обязанности закончились, и я начала жить сама для себя. Мои слезы тоже закончились. Все осталось далеко позади. Я уже давно начала новую жизнь, от которой испытываю особое удовольствие. И я не люблю вспоминать о человеке, который так и не смог избавить меня от одиночества и дать мне то, что называется счастьем. От счастливой замужней женщины не осталось даже следа. Видимо, моему браку не хватало доверия и любви, а узы, которые соединили меня с мужем, были изначально недостаточно крепкими. Я просто не могла жить во лжи. Наше расставание было тяжелым. Мой бывший муж упрекал меня в том, что, даже живя с ним под одной крышей, я всегда мечтала о рыцаре на белом коне, а он совсем не тот рыцарь, и вообще меня ничего не волнует, кроме собственной персоны. Возможно, он был по-своему прав. Возможно... К тому же я просто устала жить в нищете и внимать советам телепередачи по поводу того, как поднять мужа с дивана. В передачах я не услышала ничего толкового; пришлось самой понять, что мужчину, постоянно лежащего на диване, поднять с него можно одним-единственным способом: пинками и вышвыриванием за дверь.

Я уже давно разведенная женщина, и я, как никто другой, знаю о том, что разведенная женщина — это не та женщина, у которой не удался брак, а женщина, которая не захотела мириться с неудачным браком и решила по-новому построить свою жизнь. Лучше жить одной, чем терпеть тяжелые и изнуряющие отношения в браке. После развода я совсем недолго испытывала это ощущение брошенности, о котором говорят все, кто пережил развод. Я поняла, что у меня появилась возможность построить свою жизнь так, как я сама хочу и как считаю нужным. Я обратилась за помощью к своему брату, и это он помог мне построить мою жизнь в том русле, в котором она и должна была протекать. Я поняла, что счастье не в семейном благополучии, счастье должно быть внутри меня и оно не должно зависеть от внешних факторов. Я должна жить в гармонии с собой и только в этом случае смогу жить в гармонии с окружающим миром.

И все же только после развода я смогла по-настоящему понять то, что счастье не надо где-то искать, оно находится внутри нас. Именно после развода я осознала, что в жизни очень много интересного, что красивые цветы очень хорошо пахнут, что плывущие по небу облака бывают удивительно забавными, что пение птиц может завораживать намного больше даже самой дивной музыки. Что, оказывается, дождливая погода совсем не такая ужасная, как я думала раньше, потому что в дождливую погоду можно включить музыку, например джаз, выпить бокал красного вина... и танцевать... Оказывается, совсем необязательно радоваться только успехам и достижениям, можно просто радоваться жизни и получать удовольствие от того, что ты есть. Оказывается, совсем необязательно жить для мужчины, можно жить и для себя самой.

...Я подошла к зеркалу и посмотрела на свое отражение. У меня броская внешность и очень красивая улыбка. Правда, некоторых она раздражает, потому что я слишком часто улыбаюсь, может быть, даже слишком часто, ведь я улыбаюсь даже тогда, когда по всем законам природы должна была бы плакать. Я смотрю на себя в зеркало и убеждаю себя в том, что во мне нет ни единого изъяна. Вернее, у меня их полно, просто я научилась их не замечать. Я вообще стараюсь ничего не замечать. Ничего, кроме своих достоинств. Именно после развода я научилась быть ЖЕНЩИНОЙ, КОТОРОЙ СМОТРЯТ ВСЛЕД. Я научилась быть женщиной, на которую все смотрят.

Хотите знать, как я это сделала? Очень просто. В один из самых обычных дней я сжала кулаки и сказала сама себе несколько слов, которые и стали девизом всей моей дальнейшей жизни. Я УНИКАЛЬНАЯ, НЕПОВТОРИМАЯ, ЕДИНСТВЕННАЯ. Я ЛУЧШЕ ВСЕХ, И Я ВСЕГДА ПРАВА. ТАКИЕ, КАК Я, РОЖДАЮТСЯ РАЗ В ТЫСЯЧЕЛЕТИЕ. ПРИРОДА СОБРАЛА ВО МНЕ ВСЕ САМОЕ ЛУЧШЕЕ, ЧТО ТОЛЬКО МОЖНО СОБРАТЬ. Вот и весь рецепт. Я просто полюбила себя. Полюбила так, как не любила никого на свете. Вы не представляете, как после этого потекла моя жизнь... Для женщины самое главное обрести свое внутреннее «я», а уж потом уделить внимание своей внешности, потому что без внутренней красоты внешняя быстро тускнеет и ее перестают замечать. Даже если я просто сижу, то я сижу так, словно я кому-то позирую. Если я просто иду, то я иду так, будто я иду по подиуму и на меня смотрят сотни мужчин. Если я просто разговариваю, я делаю это так, словно в этот момент меня снимают в кино и сейчас я услышу бурю аплодисментов.

И все это я почувствовала только после развода. Словно я раньше крепко спала, а потом внезапно проснулась и увидела себя со стороны. И я вдруг увидела, что мир полон мужчин и что многие мужчины смотрят на меня как на объект их желаний. Я стала жить совсем по-другому... Жить, дышать, думать, мечтать... Я стала требовательной, научилась не удовлетворяться мелкими победами и всегда высоко держать планку. Я научилась при любых обстоятельствах мгновенно брать себя в руки, всегда владеть ситуацией и прислушиваться не к голосу своего сердца, а к голосу своего рассудка. Я больше не гналась за любовью и твердо решила, что если любовь есть, то пусть не я, а она гонится за мной. Я не хочу кого-то искать. Пусть ищут меня. Я больше не хочу быть птицей, которая ищет и не находит гнезда.

Интересно, на кого я похожа? На фотомодель? Нет, немного старовата и полновата. На женщину из мира шоу-бизнеса? Вполне может быть. На бизнесвумен? А почему бы и нет? Все думают по-разному, и каждый имеет на этот счет свое мнение. На людях я всегда приятная и доброжелательная собеседница. А в жизни... В жизни от моей деловой хватки страдают многие. Особенно в криминальном мире. В моем криминальном мире. В этом мире нет ничего, чего бы я не знала и где бы я не принимала участие. И в этот мир я попала тоже после своего развода. Туда привел меня брат. Только не подумайте, что я занимаюсь мошенничеством и обманом. Совсем нет. Это слишком мелко для такой роскошной женщины, как я. Конечно, в моей жизни были кое-какие аферы, но все они остались в моем прошлом. К тому же я всегда делала все осторожно. Это были незаконные валютные операции. Правда, меня на них чуть не поймали. Но поймать меня невозможно. Это все равно как на охоте: охотник вскинул ружье и даже еще не успел прицелиться, а лисы уже и след простыл.

Сейчас по документам я директор фирмы, которая занимается охранными услугами, но это только по документам. Моя фирма и в самом деле оказывает услуги, но только услуги совсем другого рода и из другой области. По документам я руковожу фирмой, а на деле я возглавляю бригаду и заправляю делами, которые имеют самый настоящий криминальный оттенок. Я лидер этой бригады и ее основное лицо. И это при росте 177 сантиметров, при талии в 72 сантиметра, при груди второго размера и при весе в 60 килограмм. У меня, как и положено, есть собственный офис, только в этот офис заходят совсем другие клиенты, а те, которым действительно нужны охранные услуги, туда просто побоятся зайти.

Но не думайте обо мне плохо. Каждый стремится найти себе применение в той области, где у него лучше всего получается. Но, несмотря на мое положение, я прежде всего женщина. А женщина во мне намного сильнее всего того, кем я могу быть... Иногда по ночам я закрываю глаза и думаю о ЛЮБВИ... Я думаю: может быть, я не права?.. Может быть, она есть?.. Какая она? И почему мне так и не довелось ее увидеть? Я начинаю представлять своего принца и как он обязательно за мной приедет и увезет меня в сказочную страну под названием ЛЮБОВЬ. Тогда я оставлю этот криминальный мир, он мне будет совсем ни к чему. От этой мысли мне хочется плясать танец диких.

Я вновь смотрю на себя в зеркало. Улыбаюсь, подмигиваю своему отражению и чувствую, как мне все больше и больше ХОЧЕТСЯ ТАНЦЕВАТЬ ТАНЕЦ ДИКИХ...

———

Глава 1

— Привет... — Я улыбнулась своей открытой улыбкой и поцеловала брата в щеку. — Сегодня ты не очень-то хорошо выглядишь. Наверно, пил и гулял всю ночь. О, тебя прекрасно постригли. К тебе когда приезжал парикмахер?

— Вчера.

— Он отлично выполнил свою работу. Мне нравится, как тебя постригли.

— Лучше скажи, оболванили. — Брат достал свою неизменную трубку и закурил.

— Не оболванили, а постригли.

— Ты считаешь, что для парализованного сгодится?

— Эта стрижка тебе просто идет, а парализованный ты или нет, не имеет никакого значения. Что на тебя нашло сегодня? В последнее время ты об этом не вспоминал. Ни один здоровый так не живет, как ты — парализованный. Я смотрю, у тебя вчера опять сабантуй был... — Я не могла скрыть своего раздражения.

— С чего ты взяла?

— С того, что прямо у твоей двери валялись женские трусики. Это уже вообще ни в какие ворота не лезет! А если бы кто-то из знакомых приехал?!

24

Позор! — Я раздула ноздри и почувствовала, что меня понесло.

— Что за позор? — перебил меня невыспавшийся брат. — Трусики, что ли, позорные? Да я вроде вчера самых дорогих девчонок заказал. У них нижнее белье всегда дорогое. Они все деньги только на белье и тратят, это ж их основная спецодежда. Они все в «Дикой орхидее» отовариваются. Сейчас это вроде престижно.

— Не трусики позорные, а ужасно то, что они валяются у порога дома! Они от тебя что, голяком убегали?!

— Да я так, почудил немножко... Подурачился самую малость.

— Почудил! Башка седая, а ты все чудишь.

Брат нахмурил брови, выпустил несколько ровных колечек дыма и подкатил ко мне свое инвалидное кресло.

— Санька, ты чё?

— Ничё! — передразнила его я.

— Не с той ноги встала?!

Я посмотрела на мрачного Женьку и произнесла уже более спокойным голосом:

— Просто я беспредел не люблю. Хоть бы меня постеснялся. Я, в конце концов, твоя сестра. Я не заслуживаю к себе хоть какого-нибудь уважения? Почему я должна подбирать чужие трусы у твоего порога и спотыкаться о пустые бутылки?!

Брат перестал курить трубку и взял меня за руку.

— Санька, ты мне больше таких вещей никогда не говори.

— Каких?!

— Ну, что я тебя не уважаю. Дай Бог, чтобы тебя еще так кто-нибудь уважал, как я. Ты моя сестра и прекрасно знаешь, что, если что произойдет, я не раздумывая за тебя костьми лягу и жизнь отдам. А стесняться мне тебя нечего. Мы с тобой кровные родственники. Ближе тебя у меня никого нет. Почему я должен тебя стесняться? А то, что я вчера покуролесил немного, так ничего в этом страшного нет. Я ж мужик. Имею на это полное право. Ты уж мужика во мне не убивай. Если я три года в инвалидном кресле сижу, это еще не значит, что я уже умер. Саня, я жив, и ты прекрасно знаешь, что я еще жив. А если я жив, значит, я нормально функционирую. А если ты решила похоронить меня заживо, то знай, что у тебя ни черта не получится.

— Я и не думала похоронить тебя заживо, — тут же смутилась я. — Просто я бы не хотела находить женские трусы у твоего порога.

— Ты так говоришь, как будто собираешь их каждый день. Это было всего лишь раз. Один-единственный раз.

Я сжала руку брата и сказала извиняюще:

— Просто я беспокоюсь о твоем здоровье.

— О моем здоровье?! — Брат изменился в лице и оттолкнул мою руку. — Ты считаешь меня инвалидом?! Ты и вправду так считаешь? Если я инвалид по документам, это совсем не значит, что я инвалид в душе и инвалид по жизни! Ты не смотри, что я в инвалидной коляске! Не смотри! Я к ней так привык, что порой мне кажется, что я не на колесах, а хожу ногами! Понимаешь, ногами?! — У брата задрожал кадык, а в глазах появились слезы. —

Саня, я так тебе верил! Всегда! Уж я-то знал, что даже если бы у меня совсем не было ни рук, ни ног, ты бы никогда не назвала меня инвалидом! Кто угодно, но только не ты! Не ты!!! Знаешь, как противно, когда тебе напоминают о здоровье! Просто противно, и все!!! И никогда не смей больше говорить об этом! Я сам позабочусь о себе!

От этих слов мне стало совсем плохо. Я наклонилась к брату, поцеловала его глаза.

— Ну прости меня, пожалуйста. Прости... Я была не права. Не права... Я идиотка! Я дура! Я сволочь! Я гадина! Я самая ужасная и скверная девчонка в этом мире! Я не достойна иметь такого брата, как ты! Слышишь, не достойна!

Я стала сама себя хлестать по щекам и ругать на чем свет стоит. Брат не выдержал, громко рассмеялся, вытер выступившие слезы и притянул меня к себе.

— Ты сумасшедшая!

Поняв, что меня уже простили, я наклонилась к нему совсем близко и промурлыкала, как добродушная кошечка:

— Жень, ты меня простил?

— Конечно, разве тебя можно не простить?

— Значит, простил, — торжественно похлопала я себя по груди. — Сама не понимаю, почему я завелась. Пусть женские трусики у твоих дверей хоть целыми днями валяются. Я готова их пачками собирать. У меня брат — всем братьям брат! Ходячие мужики не могут того, что ты вытворяешь на инвалидной коляске. От тебя девки голяком, без трусов ломятся! Молодец, братишка, так держать! Даешь им жару!

— Да замолчи!!! — засмеялся брат и снова потянулся ко мне. — Господи, и почему мне так повезло?! Ты самая лучшая сестра!

— А ты самый лучший брат. Пойдем погуляем?

— Пойдем. Вернее, поедем. — Женька хлопнул рукой по колесу инвалидной коляски и посмотрел на меня заметно погрустневшими глазами. — Ходить уже никогда не смогу, а только ездить... Да и то на инвалидной коляске...

Я улыбнулась, надела на брата дубленку и, закутав ноги в теплый плед, вывезла его в сад.

— Жень, тебе не холодно? — Я натянула на голову брата шапку.

— Ты закутала меня, словно ребенка, — проворчал он.

— А ты и есть для меня ребенок.

— Это кто ребенок? Младшая сестра ты.

— Была раньше. А теперь я стала старшенькой.

— Так уж и старшенькой?!

— Я тебе говорю, старшенькой...

Я запахнула полы своей норковой шубки и с неприязнью посмотрела на падающий снег.

— Сил нет. Опять метет. Непонятно, когда только это кончится. Ненавижу зиму!

— Тебе надоела зима?

— До чертиков! Ты же знаешь, что я девушка солнцелюбивая.

— Знаю. Когда была маленькой, если шел снег, ты вообще отказывалась выходить из дома. Даже в детский садик не шла. Что только с тобой ни делали, все бесполезно. Мать ругалась, а ты плакала и оправдывалась, что обязательно пойдешь в детский сад, но только после того, как снег растает и на улице будет светить солнышко.

— Ты и это помнишь?

— Я все помню.

Я остановила инвалидную коляску рядом с заснеженной березой, наклонилась и запустила в брата снежком. Он засмеялся, закрыл лицо руками, потом наклонился и ответил мне тем же.

— Ах ты, непослушная девчонка! Держись!

Конечно, я решила поддаться брату и, упав в снег, позволила ему закидать меня так, чтобы он насладился победой. Закрыв глаза, я притворилась окончательно «убитой» и замерла без движения.

— Саня, ты чё?! Саня?! — всполошился Женька. — Вставай, заканчивай дурить. Саня! Дуреха, простынешь! Ты же к снегу не приучена, каждую зиму в жаркие страны летаешь. Вставай, кому говорю! Вставай, а то будешь потом, как наша мать, всю жизнь своими женскими делами мучиться!

Но я не двигалась. Я лежала, засыпанная снегом, и наслаждалась его испугом. Он опекал меня с самого детства, потому что у него никого нет дороже меня. Я его мысли, его душа, его чувства, его эмоции, его мозги и, если хотите, его ноги. Я — это он. А по-другому не могло быть.

Когда-то я была обычной девчонкой, а мой старший брат обычным дворовым пацаном. По вечерам я играла в куклы, гуляла с подружками и слушала сетования матери на то, что Женька связался с компанией неблагополучных ребят и неизвестно, куда это заведет. Он рано начал курить, выпивать и гулять с девчонками. Когда из неброской девчонки с неимоверно тощими коленками я стала превращаться в девушку с аппетитными формами, брат стал окончательно взрослым и уже редко появлялся в нашем доме, но звонил почти каждый день. В один из обычных дней брат приехал на дорогой иномарке, накрыл шикарный стол, подарил мне золотой браслет и дал матери денег. Мама — в слезы, стала выспрашивать, чем занимается брат. Женька приобнял меня и принялся рассказывать, что устроился в крутую фирму, где ему платят приличные деньги, и скоро у него будет большая квартира в центре, куда он обязательно нас пригласит. Я верила каждому его слову, но мама продолжала смотреть на него подозрительно. Когда Женька уехал, она обхватила голову руками и тихонько заплакала. Я принялась ее успокаивать. Зачем плакать, ведь радоваться нужно! Мать подняла голову, посмотрела на меня странными стеклянными глазами и будто в забытьи тихо произнесла: «Твой брат не работает в коммерческой фирме. Он убивает людей. И все же я взяла у него деньги, потому что нам нужно есть». Я пережила настоящий шок, но, взяв себя в руки, стала говорить маме, что она должна верить сыну, но мать только покачала головой и больше никогда не говорила об этом. Я пронесла это воспоминание сквозь годы.

А дальше жизнь потекла своим чередом. Брат приезжал все реже, но каждый его приезд был для меня настоящим праздником. Он привозил всякие вкусности, деньги и баловал меня моими любимыми драгоценными камешками. Мать всегда брала деньги, но старалась не встречаться с братом глазами и при любой возможности уходила на кухню.

Несмотря на странное поведение матери, мы наслаждались долгожданной встречей. Брат выходил вместе со мной на балкон, курил и с гордостью показывал мне очередную, еще более дорогую машину. Я хлопала глазами, любовалась машиной, которую я могла раньше видеть разве только на картинках, и просила показать мне его новую квартиру в центре, которую, по его словам, он уже давным-давно себе прикупил. Брат отговаривался тем, что теперь в ней идет капитальный ремонт, но при первой возможности он обязательно мне ее покажет. А затем он надолго исчез. Ни звонков, ни долгожданных приездов. Мать заметно постарела и подолгу грустно смотрела в окно. Когда я спрашивала ее, где же может быть наш Женька, и предлагала ей подать в розыск, мать отрицательно качала головой и говорила, что на таких людей в розыск не подают, что если он жив, то этим мы можем только навредить ему. Контактировать с правоохранительными органами нам ни к чему. После таких слов мне становилось совсем плохо, и я начинала трясти мать за плечи и требовала сказать, что с ним могло случиться. Мать всегда уходила от ответа и переводила разговор на другую тему. Правда, один раз она сказала мне, что мой брат или в тюрьме, или убит И все. Больше я ничего не могла от нее добиться.

Я быстро взрослела и вскоре выскочила замуж. Правда, моего брата не было на моей свадьбе. У меня была не самая лучшая свадьба и не самая лучшая семейная жизнь. Наверно, именно поэтому с самого первого дня своей семейной жизни я уже была готова к разводу. В общем, у меня все было плохо. И именно в тот самый момент, когда мне было плохо, я и встретилась с братом. После долгой разлуки, причины которой мне так и остались неизвестны, он буквально ворвался в мою жизнь и засыпал ее розами. Такой родной, усталый, возмужавший, немного постаревший и опьяненный радостью от нашей встречи. Он посмотрел на мою неудавшуюся семейную жизнь и сразу же заметил, что я как-то погрустнела, потускнела и что во мне окончательно пропал тот кураж, который он больше всего во мне любил. Я сильно плакала, бросалась к нему на шею и спрашивала, почему его так долго не было и где же он был... Брат не отвечал на мой вопрос. Он так никогда на него и не ответил. Он просто целовал мои волосы и радовался тому, что мы вновь можем быть вместе, а вместе нам всегда хорошо.

После моего развода брат взял меня под свою опеку и вместо квартиры в центре показал мне свой дом, который был больше похож на сказочный замок. А потом... Потом мне понравилась та жизнь, которой жил мой брат. Я вдруг увидела его совсем с другой стороны. Он был очень волевой, упрямый, напористый, а больше всего мне понравилось то, что он лидер. Настоящий, стопроцентный лидер, которого все боятся и слушаются. Тогда-то я и узнала, что же такое криминальный мир. Я любила приезжать к брату, смотреть, как в его доме появляются солидные люди, подслушивать из другой комнаты, о чем они говорят, и вдыхать дым их дорогих сигарет. Я часто приносила им кофе или чай и по-прежнему не сводила со своего брата восхищенного взгляда. Он баловал меня драгоценными камешками и, так как у него никого не было ближе меня, потихоньку посвящал в свои дела и делился своими проблемами. Постепенно содержанием моей собственной жизни стала жизнь брата. А затем... Затем случилось страшное.

Я помню плохо, как же произошло это самое страшное... Я сидела у мамы, любовалась своими дорогими часами последней модели и смотрела телевизор. В какой-то сводке криминальных новостей показали взорванную машину, груды искореженного металла и человека, которого медики несли на носилках в машину «скорой помощи». Я не могла рассмотреть этого человека, но каким-то внутренним чутьем почувствовала беду. А затем эти страшные слова диктора о том, что сегодня вечером при входе в казино была взорвана машина известного криминального авторитета Евгения Топильского. По телевизору не сказали, остался ли он жив или скончался от мощного взрыва. В тот момент я плохо соображала, я просто не помнила себя. Мне казалось, что я не помню, кто я, сколько мне лет и где я живу... Я слышала только родное имя. За мной приехали его ребята, и я провела эти чудовищно долгие часы в коридоре больницы... Я никогда не забуду эти долгие изнурительные часы. Его сшивали буквально по кускам и возвращали к жизни с большими усилиями. Я сидела рядом с операционной, прижимала к сердцу иконку и на протяжении всех этих долгих часов шептала молитву. И все же мой брат выжил, хотя и говорят, что чудом. Наверно, именно после его возвращения с того света я и стала верить в настоящее чудо. Он выжил, несмотря на то что это был довольно сильный взрыв. Может, потому, что его крепкий организм отчаянно боролся за жизнь... Может, потому, что я часами стояла на коленях перед иконой и молилась... А может, потому, что друзья моего брата в буквальном смысле этого слова озолотили врачей и предупредили, что, если он не выживет, они перестреляют весь медицинский персонал, который присутствовал при операции. Но мой брат выжил! Выжил всем смертям назло и на огромнейшую радость мне.

Выхаживала я его сама. Мыла, кормила с ложечки, рассказывала о том, что творится за окнами больницы. А когда Женька стал все больше и больше приходить в себя, к нему в палату начали приезжать его друзья и решать какие-то вопросы. При этом Женька уже не выпроваживал меня за дверь, а разрешал мне слушать эти их разговоры и даже принимать в них кое-какое участие. А однажды... Однажды он попросил меня сесть рядом с ним на кровать, взял меня за руку, как-то по-особому посмотрел мне в глаза и сказал, что для него я самый близкий и дорогой человек на свете, что у него никого нет дороже меня, что мы с ним одной крови и что он может доверять полностью только мне. А еще он сказал, что у меня замечательное имя Александра, а проще — Саня... Имя, как у настоящего отличного мужика. Ну просто красивое мужское имя... Тогда я не сразу поняла, к чему именно он клонит, но немного позже он сказал то, с чем ему было так трудно смириться. Выжить-то он выжил, но теперь он инвалид. Инвалидная коляска, многочисленные ожоги и изувеченное лицо — это не самый лучший набор для человека, который собрался не умирать, а жить дальше. Мой брат сказал мне, что он делает какое-то очень важное дело и готов передать это дело только мне, потому что я единственный человек на этой земле, которому он доверяет. Тогда я еще не знала, что это за дело, хотя, конечно же, догадывалась... Иначе и не могло быть.

А дальше... Дальше череда пластических операций и передача мне так называемых дел. Конечно, Женьке было довольно трудно убедить своих товарищей в том, что я — это он и что теперь все функции, которые исполнял мой брат, отныне и навсегда будет исполнять женщина. Это был долгий процесс, и на это понадобилось немалое время. Время на то, чтобы мне поверили, меня начали слушать и я завоевала авторитет и уважение. Меня приняли, а те, кто уперся, что никогда в жизни не подчинится женщине, ушли из нашей команды или отошли в мир иной. Мы с братом стали одним целым. Он поселился в своем особняке, а я приступила к делам, которые не терпели отлагательства. Теперь я стала его правой рукой, а он моим мозговым центром. Когда мне требовался совет или что-то не получалось, я тут же звонила ему, и он всегда помогал найти выход. Вот так мы и стали жить. Вот так мы и теперь живем... Я привыкла к этой жизни и никакой другой уже не хочу. Я привыкла носить брюки, ездить на дорогой машине, заходить в кафе или в магазины вместе со своими стрижеными охранниками... Я привыкла к тому, что на меня везде обращают внимание. Везде, где бы я ни была и что бы я ни делала... На меня всегда смотрят, разве что не показывают пальцем. Именно такой я и мечтала стать. Высокой, стильной, красивой, окруженной сильными, уверенными мужчинами, которые преданно смотрят мне в глаза и готовы в любую минуту исполнить любую мою прихоть. Именно так я превратилась из совершенно обыкновенной девушки в уверенную в себе женщину. Именно так...

— Санька, да вставай же ты наконец! Саня, тебе что, и в самом деле плохо?! Что случилось, Саня?!! — кричал брат, с отчаянием глядя на меня, распростертую на снегу.

Я прервалась от своих размышлений, подняла голову и посмотрела на испуганного брата:

— Жень, ты и в самом деле испугался?

Я тут же встала и принялась стряхивать с себя снег.

— Испугался. Разве не видно?! Ты давай больше так не шути. Я ведь не железный. Я подумал, что с тобой что-то случилось...

— А что со мной могло случиться?

— Не знаю. Просто я увидел, что ты лежишь без движения... А у меня по этой части психика нарушена, я ведь столько друзей похоронил.

— Меня тебе хоронить не придется. Я жуть какая живучая... — Я посмотрела на брата и постаралась выдавить из себя улыбку.

— Это черный юмор, — сухо сказал брат и поправил сползавший плед.

— Ладно, не злись. Давай свою пятерню... — Я быстро подошла к брату и протянула ему руку.

— Зачем?

— Затем, что будем мириться.

— А мы с тобой ссорились?

— Тем не менее мириться будем.

Брат засмеялся и протянул мне свою руку. Я старательно, по-мужски пожала ее и глазами попросила у Жени прощения.

— Ну сестренка, ты у меня просто настоящий Саня. Настоящий мужик!

— Прекрати, какой я тебе мужик. Я всего лишь слабая женщина.

— Еще скажи, что ты беззащитная, — громко рассмеялся брат.

— Не такая уж я беззащитная. За меня есть кому постоять.

— Это точно. Обижать тебя никому бы не посоветовал.

— Пойдем посидим в стеклянной беседке, а то у меня вся шуба мокрая, — предложила я Женьке.

— А может, лучше вернемся в дом, а то простынешь еще? — забеспокоился брат. — Ты всю шубу в снегу изваляла. Женщинам на снегу лежать не рекомендуется.

— А я женщина, которая никогда в жизни не жила по рекомендациям.

— Женские дела беречь нужно. У меня до сих пор наша мать перед глазами стоит. Сколько она, бедная, намучилась. Сколько «скорых» мы вызывали, в скольких больницах она лежала... А ведь с чего все началось? На отдыхе посидела у костра на холодной земле. Посидела всего один раз, а страдала всю свою жизнь.

— Будем надеяться, что эта беда меня обойдет.

— Будем надеяться.

Уходить в дом не хотелось, и я предложила:

— Давай еще подышим свежим воздухом, хотя бы десять минут.

— Как скажешь. — Брат достал свою трубку и закурил. — Люблю покурить на свежем воздухе.

— Вот именно, тем более ты весь дом уже прокурил.

Закатив его коляску в застекленную беседку, я стряхнула снег с шубы и только тут заметила, что она очень мокрая. Как бы и в самом деле не простыть.

Я плохо поняла то, что произошло в следующий момент. Женька посмотрел куда-то в сторону деревьев, и в его глазах мелькнула ярость.

— Ложись, — крикнул он мне и взмахнул рукой.

— Что? — Я не успела сообразить.

— Ложись!

— Зачем? — совсем растерялась я.

— Ложись, я сказал! На пол! Быстро на пол!

Раздался какой-то глухой хлопок. Брат вскрикнул и опустил голову. Затем послышался еще один хлопок и еще...

— Женька, что это?! Женя?! — Но брат молчал.

Не долго раздумывая, я выкатила инвалидную коляску из беседки и бегом покатила к дому.

— Женя, что это?! Женя, да что происходит?!

Я не знаю, сколько времени я ее везла, но после очередного глухого хлопка я вскрикнула и с ужасом увидела, что пули изрешетили подол моей норковой шубы и чудом не попали в меня. Просто чудом... Они летели в нескольких миллиметрах от моей ноги.

Закатив инвалидную коляску на веранду дома, я посмотрела на истекающего кровью брата и не смогла сдержать крик:

— Бог мой! — Затем стащила с него плед, достала из кармана мобильник и принялась вызывать «скорую». После того как диспетчер «Скорой помощи» пообещал мне с минуты на минуту прислать машину, я забежала в дом и начала кричать что было сил: — Вован, Лось, где вы?! Где вас всех черти носят?!

На мои крики сбежались наши ребята, которых я, по всей вероятности, оторвала от игры в карты:

— Саня, ты что тут кипиш устроила?! Что случилось?! На тебе лица нет.

— А откуда ему взяться?! Моего брата застрелили!

— Что? — Обычно очень расторопные, ребята включились не сразу.

— Женьку застрелили! Бинты! Дайте мне кто-нибудь бинты, он же кровь теряет! — кричала я как ошпаренная и носилась по огромному залу. Добежав до аптечки, я схватила пачку бинтов и бросилась на веранду к брату. Схватила Женьку за руку, попыталась нащупать пульс и, услышав, что он хоть и слабо, но все же бьется, заплакала от счастья...

———

Глава 2

К счастью, Женька в очередной раз остался жив и сейчас находился в реанимационном отделении одной из частных клиник. Я стояла во главе стола и смотрела на собравшихся парней, которые внимательно меня слушали и нервно курили. Я остановила свой взгляд на Воване, который меня недолюбливал и вообще считал большим грехом для мужчины, открыв рот, слушать женщину. В глубине души я всегда хотела, чтобы настал момент, когда без лишнего шума Вован покинул бы этот мир, захватив бы с собой и людей из своего окружения. Я бы прекрасно без них обошлась. Взяв со стола кружку с черным кофе без сахара, я жадно сделала большой глоток.

— То, что случилось вчера, перешло все мыслимые и немыслимые границы. Евгений получил пулю в саду собственного дома, который просто напичкан видеокамерами и охраняется по последнему слову техники. Это полнейший беспредел, — продолжила я свою речь, — а любой беспредел наказуем. Мы все знаем, откуда дует ветер, и подозреваем одного и того же человека. Я уверена на все двести, что моего брата заказал Колесник. Больше он никому не мешал.

— Если бы Колесник кого и заказал, то заказал бы тебя, а не твоего брата, — задумчиво сказал Лось и глубоко затянулся. — На сегодняшний день основное действующее лицо в этом спектакле ты, а не твой брат, разъезжающий по саду в инвалидной коляске. Непонятно, почему решили начать именно с Женьки?! Да и вообще это неслыханное хамство — влезть в чужой сад и завалить калеку. Я бы любого замочил, но на калеку у меня рука не поднимется.

— Мой брат не калека... — В моем голосе послышался вызов, от которого Лось моментально сник и, похоже, сам пожалел о том, что сказал. — Никто и никогда не смеет назвать его подобным словом! Оно не подходит для такого человека, как Евгений. И если я еще хотя бы раз его услышу, то гарантирую большие проблемы, которые могут закончиться пулей в лоб! Повторяю в последний раз! — Я и сама не заметила, как меня слегка затрясло и я перешла на крик. — Мой брат не инвалид и не калека! Он человек, который в силу понятных причин просто отошел от дел и доверил эти дела мне! Он — это я, а я — это он. Если кто-то называет калекой моего брата, то это значит, что он называет этим словом меня, а я не потерплю подобного к себе отношения, и вам всем это хорошо известно!

После моих слов ненавистный мне Вован усмехнулся, раздул свои и без того большие ноздри и процедил сквозь зубы:

— Лично я придерживаюсь другого мнения, чем Лось. Если это и был Колесник, то он знал бы, кого нужно заказывать. Сашка — лишь исполнитель воли своего брата. Без него она не представляет опасности, а значит, ее незачем убирать. Мы все подчинились воле женщины только по той причине, что в этом нас убедил человек, который кое-что значит в нашем мире. А если разобраться, кто такая Сашка? Обыкновенная баба со всеми вытекающими отсюда последствиями. Я думаю, Колесник сообразил, что баба тут вовсе не при делах и что здоровые мужики никогда не будут ее слушаться — обыкновенную глупую бабу, что это просто мишура, за которой скрывается настоящая мишень.

Ненавистный мне Вован произносил все это с особым наслаждением и внимательно наблюдал за моей реакцией.

Я покраснела и сжала кулаки, одарив Вована не самым любезным взглядом.

— Ты хочешь сказать, что я ничто?!

От удивления Вован открыл рот и, по всей видимости, не нашел, что ответить.

— Ты хочешь сказать, что я ничто?! — Я ударила кулаком по столу и свирепо уставилась на своего обидчика. — Я ничто?! Так скажи это прямо, что ты ходишь вокруг да около? Скажи мне это прямо в глаза!

Вован окончательно растерялся, заерзал на стуле и примирительно забормотал:

— Саня, да ладно тебе кипишевать. Я просто попытался объяснить ситуацию, и все. Что ты завелась? Я ничего такого не сделал, имею я право высказать свое мнение...

— Засунь свое мнение себе в задницу! — неожиданно вырвались у меня слова, которые прозвучали для Вована словно звонкая пощечина. — Это не я глупая баба, а ты глупый мужик, который слишком много плетет своим гнилым языком.

Вован вскочил и пулей вылетел из комнаты.

— Вот так-то лучше... — Я постаралась немного успокоиться и продолжила разговор: — Я сегодня поеду на разговор к Колеснику. Сопровождать меня будут две машины.

— Саня, я против, чтобы ты куда-то ехала... — Лось почесал затылок и отрицательно покачал головой. — Нет, нет и нет. Мы не можем тобой рисковать. Он просто шлепнет тебя. А что мы скажем Женьке?! Что мы не смогли тебя уберечь и остановить?! Как мы посмотрим ему в глаза? Если бы только Женька знал, куда ты собралась...

Другие ребята попробовали поддержать Лося, но меня уже нельзя было остановить.

— Я повторяю еще раз. Сегодня в семь часов вечера я встречаюсь с Колесником и хочу, чтобы меня сопровождали две машины.

— А может, лучше сразу объявить Колеснику войну, и все? — продолжал настаивать Лось. — Какого черта нужно с ним встречаться? Шлепнем пару его людей, чтобы он хоть немного побыл в подвешенном состоянии, а затем доберемся до него самого. Твоя поездка к Колеснику — совершенно неоправданный и ненужный риск... — Лось переживал больше других парней, в его глазах читался испуг. — Саня, сейчас не тот момент, чтобы показывать свой характер и идти напролом. При любом раскладе нужно все хорошо обдумать.

Я закипела:

— У меня брата чуть не убили, а ты говоришь, что сейчас не тот момент, чтобы идти напролом!.. А когда я должна идти напролом? Когда его убьют?! Тогда?! Я своих решений не меняю. Лось, ты едешь вместе со мной. А теперь все свободны. До моей встречи с Колесником три часа. Можете заниматься своими делами.

Ребята встали и вышли. Остался только Лось. Я смотрела в его внимательные глаза и чувствовала, как по моей коже пробежали мурашки. Несмотря на внешнее спокойствие, он, судя по всему, кипел от злости.

— Ты делаешь опрометчивый шаг.

— Я знаю, что делаю.

Когда Лось взял меня за руку, я слегка вздрогнула, но руки не убрала. Я всегда помнила, что мы с Лосем были близки. Когда я еще не была тем, кем я стала, и мой брат еще не ездил на инвалидной коляске, мы с Лосем тайно встречались, а затем произошла какая-то размолвка, и мы разошлись. Об этом так и не узнал мой брат — наши отношения мы держали в секрете. Тогда Лось покинул меня с разбитым сердцем и ушел от меня совершенно потерянным, считая меня редкостной стервой, которая использовала его, чтобы пережить свой развод. Позже Лось несколько раз пытался возобновить наши отношения и даже прилагал к этому немалые усилия, но я была неприступна и дала понять Лосю, что возвращаться к прошлому не намерена. Тогда я и себе и другим демонстрировала, что хочу построить новую жизнь и в этой жизни у меня не будет близости с мужчиной из моего окружения.

— Санька, я понимаю, как тебе сейчас тяжело, — тихо сказал Лось. — Ты же сама знаешь, как я отношусь к Евгению. Я хочу, чтобы ты знала, что всегда можешь на меня рассчитывать.

— Если бы я не могла на тебя рассчитывать, Лось, тебя бы не было рядом, — ответила я.

— Да я не в том смысле.

— А в каком?

— Я где-то затронул и личную сферу... Саша, ты же прекрасно понимаешь, что именно я имею в виду.

— А, ты о прошлом. — Я махнула рукой и отвернулась. — Что было, то прошло, а я не люблю вспоминать о прошлом и тебе не советую. Лось, я не пойму, что сегодня с тобой творится? Тебя на лирику, что ли, потянуло? Нашел время и место...

— Меня зовут Игорь.

— Что? — Я резко повернула голову к сидящему рядом Лосю. — Что ты сказал? — удивилась я.

— Я говорю, что меня зовут Игорь. Помнишь, когда мы были вместе, ты называла меня Игорем?!

— Не помню... — Я судорожно замотала головой. — Я вообще не помню, когда мы были вместе. Это было давно и неправда. Понимаешь, неправда! А что касается твоего имени, то, мне кажется, из наших пацанов никто даже и не вспомнит, как именно тебя зовут. Все привыкли называть тебя Лосем.

— А ты зря говоришь за всех. Мое имя забыла только ты. А по поводу того, что меня потянуло на лирику... Может быть... Если ты помнишь, то меня и раньше на нее тянуло. Просто ты очень изменилась после того, как встала на Женькино место. Ты хоть помнишь, когда в последний раз надевала юбку?

— Что? — Я не ожидала такого поворота.

— Я говорю, что уже тысячу лет не видел тебя в юбке. Еще немного, и ты будешь совсем похожа на парня. К тебе уже и так никто не относится как к женщине. Исключая Вована, конечно.

— Я разговариваю с тобой не как женщина!

— А как кто?

— Как лидер так называемой преступной группировки... — Я и не думала смущаться.

— Послушай меня, лидер преступной группировки, ты прежде всего женщина и, пожалуйста, никогда не забывай об этом. Эта роль тебе идет намного больше, чем все твои другие роли. Когда я с тобой познакомился, то я познакомился с очень красивой женщиной, с сестрой человека, которого я сильно уважаю. В тебе было такое сильное женское начало... Ты была женщиной до мозга костей, до кончиков пальцев. А теперь... В кого ты превратилась теперь? Саня... Саня-мужик...

— Ты все сказал?

— Все.

— А теперь уходи...

Лось не двинулся с места и продолжал пристально смотреть мне в глаза.

— Я сказала, уходи! — Я встала, подошла к двери и, широко ее распахнув, дала Лосю понять, что больше ему тут делать нечего.

— Как скажешь. — Он быстро вышел.

Как только за Лосем громко хлопнула дверь, я в изнеможении прислонилась к стене и закрыла глаза. Как я могла такое допустить? Остаться работать с человеком, с которым когда-то была близка. Этот человек всегда считал меня всего-навсего слабой женщиной и даже руководил и диктовал правила моего поведения в постели. А теперь... Он никогда не воспримет меня как равного... Даже не равного, а товарища, который стоит на ступеньку выше и теперь диктует свои условия, только уже не в постели, а в жизни. Конечно, в словах Лося была правота, и от этого мне было еще хуже. Мне действительно было не до романтики... Еще несколько секунд назад, когда Лось держал меня за руку, я чувствовала себя невообразимо уязвленной и беспомощной. Я так отвыкла от обычных волнующих слов и даже забыла настоящее имя Лося... Какое-то щемящее чувство жгло меня, вспомнилось, что время, когда я была с Игорем, было удивительно хорошим и от него остались самые приятные и неизгладимые впечатления. В то время за мной ухаживали, меня любили, меня боготворили и связывали со мной свои надежды на будущее. Но я резко все оборвала, я не приняла этого дара, а просто вырыла глубокую яму и закопала все туда. Похоронила и даже не стала оплакивать. Сейчас, когда я подумала о том, что от отношений с Лосем не осталось ничего, кроме болезненных воспоминаний и неловкости от того, что этот мужчина видел мои слабости, мне стало окончательно плохо, но я постаралась успокоить себя. Мое прошлое не имеет никакого отношения к настоящему, прошлое должно жить в прошлом, а я должна жить дальше и думать о своем будущем.

Видимо, Лосю не удалось окончательно испортить мне настроение, и я принялась тщательно осматривать свой гардероб — пора было ехать на разговор к Колеснику. Остановившись на элегантном черном платье, я тут же его примерила и покрутилась около зеркала. Оно и в самом деле мне очень шло и подчеркивало все достоинства моей неплохой фигуры. Последний мимолетный взгляд в зеркало подтвердил, что глубокий вырез делает свое дело, открывая любопытным взорам верхнюю часть груди и призывая заглянуть внутрь, дает надежду увидеть нечто такое, что может надолго врезаться в память. Повинуясь какому-то странному импульсу, я собрала волосы в хвост и на случай непогоды хорошенько попрыскала их лаком.

Когда я села к Лосю в машину, тот посмотрел на меня крайне удивленным взглядом — платье отчетливо виднелось из распахнутой шубы — и тихо спросил:

— Ты так оделась потому, что хочешь сразить Колесника наповал, или потому, что прислушалась к моим словам?

— Я так оделась потому, что этого хочется мне, и потому, что у меня сейчас именно такое состояние души и оно соответствует этой одежде, — сухо произнесла я и, закинув ногу на ногу, посмотрела по сторонам. — С нами в машине больше никто не поедет?

— А тебе меня недостаточно? Все наши ребята уместились в двух машинах, не хотели беспокоить тебя своим присутствием, оставили побольше свежего воздуха в машине.

— Надо же, какие вы у меня все заботливые! Прямо о свежем воздухе подумали. Для этого в машине есть кондиционер. Мне кажется, что это только твоя идея.

— Тебе действительно кажется, — задумчиво сказал Лось и завел мотор.

Встреча с Колесником была назначена в одном из небольших центральных московских ресторанчиков, который по случаю нашей встречи был закрыт для посетителей. Когда мы подъехали, я внимательно оглядела припаркованные у входа в ресторан машины.

— Колесник уже здесь.

— Вижу... — Лось нервно курил сигарету и остановил машину недалеко от машин свиты, сопровождающей Колесника.

Достав из сумочки пудреницу, я слегка припудрила нос и посмотрела на себя в зеркало. Затем достала мобильный телефон и набрала номер Колесника.

— Я подъехала. Ты внутри?

— Я уже ужинаю. Надеюсь, ты без оружия. Оставь своих головорезов на улице и заходи. Надеюсь, ты помнишь мое условие? Я встречаюсь с тобой только в том случае, если ты будешь одна.

— А ты один?

— Александра, я играю по честным правилам. Я тебе об этом говорил и могу повторить. Я жду тебя один, не считая, конечно, сотрудников ресторана. Все мои люди ждут меня у входа. Ты этого не видишь? Кстати, ты опаздываешь на пятнадцать минут. Уже шашлык стынет. Давай быстрее.

Как только на том конце провода послышались короткие гудки, я сунула мобильный в сумочку и перевела дыхание.

— Я пошла...

— Я с тобой, — тут же заглушил мотор Лось.

Я посмотрела на Лося удивленно и холодно произнесла, как отрезала:

— Нет, я пойду одна.

— Но почему?

— Потому, что Колесник тоже будет один, таково условие.

— Ты уверена?

— В чем?

49

— В том, что Колесник ждет тебя один, — как-то судорожно усмехнулся Лось.

— Я всегда уверена в том, что говорю.

Я хотела выйти из машины, но Лось взял меня за руку и остановил.

— Саша, ты не можешь доверять Колеснику. Ты не должна этого делать. Он обведет тебя вокруг пальца, потому что никогда не говорит правды. И не может быть там один, он обязательно кого-нибудь с собой взял. Все, что ты собираешься сделать, очень опасно. Позвони Колеснику и скажи, что ты не можешь появиться одна. Ты должна пойти со мной.

— Я никому ничего не должна... — Я встретилась с испытующим взглядом Лося и отвернулась. — Колесник поставил мне условие. Он требует, чтобы я пришла одна. По-другому он просто откажется от встречи. Он твердо пообещал мне, что тоже будет один.

— Ну, обещаниям Колесника верить нельзя. Ты сама это очень хорошо знаешь. Он слишком хитер и слишком нечестен. Несмотря на все его условия, мы должны пойти на эту встречу вместе. Ты очень сильно рискуешь, и это самый неоправданный риск. Поверь мне.

— Я иду одна.

— Мы пойдем вместе.

Я начинала терять терпение, пришлось сделать удивленное лицо.

— Лось, я что-то не пойму. Кто здесь главный, ты или я? Кто кого должен слушаться? Я тебя или ты меня?

— А я никогда тебя и не слушался, — буквально на глазах начал багроветь Лось. — Я вообще никогда не слушался женщин и подкаблучником никогда не был. А если ты подчеркиваешь свое положение, то и в этом случае я к тебе прислушиваюсь, но не слушаюсь. А это совсем разные вещи.

Я не стала развивать малоприятную тему и посмотрела на часы.

— Мне пора, — сказала я и вышла из машины.

Лось вышел следом и не сводил с меня глаз.

— Я волнуюсь за тебя, — быстро проговорил он и прикусил нижнюю губу.

— Спасибо. За меня тысячу лет никто не волновался, кроме брата, конечно.

— Я всегда за тебя волнуюсь. — Мне показалось, что голос его дрогнул, но я осталась тверда.

— Спасибо.

Когда из двух припарковавшихся рядом с нами машин высыпали мои ребята, я взмахом руки показала им, что они свободны, и направилась к главному входу.

— Саня, ты что, одна? — послышались сзади меня голоса. — Саня, мы так не договаривались. Это опасно.

— Я иду одна.

У самого входа в ресторан стоял один из людей Колесника и внимательно наблюдал за мной. Как только я поднялась по ступенькам, меня снова догнал Лось и, взяв за руку, решительно произнес:

— Я иду вместе с тобой.

В этот момент из машины Колесника высыпали несколько бритоголовых молодчиков, один из них наставил пистолет на Лося и крикнул, четко выговаривая каждое слово:

— Колесник будет встречаться один на один! Кроме женщины, никто в здание не войдет!

Лось потянулся было за своим пистолетом, но остановился и, все еще сжимая мою руку, потребовал:

— Нам нужны гарантии, что Колесник в ресторане один.

— Колесник один, и в здание войдет только женщина.

— А гарантии?

— Гарантии — это наши слова. Пусть женщина войдет без вас. И вы, и мы будем ждать у своих машин.

— Нас это не устраивает, — попробовал возмутиться Лось.

— Тогда встреча не состоится. Решайте сами.

Спор пора было прекращать.

— Эта встреча нужна мне. Жди меня с ребятами у своих машин. — Я одернула руку Лося и зашла внутрь.

Прямо на входе меня встретила служба безопасности ресторана. Они проверили, нет ли у меня оружия. Отдав шубу гардеробщику, я придирчиво оглядела свое отражение в зеркале и, не найдя ни единого изъяна, вошла в зал. Здесь царил полумрак. Я тут же отметила про себя красивую старинную мебель и увидела, что в совершенно пустом зале, за самым дальним столиком в углу сидит Колесник. На его столике стояли старинные свечи, мне показалось, что в этом есть что-то недоброе и даже зловещее. Официант довел меня до столика, отодвинул стул, чтобы я села на место, и, ни о чем не спрашивая, удалился. Я оглядела́сь — мы действительно были в зале совершенно одни.

— Привет! — Колесник поцеловал мне руку и продемонстрировал: — Я тут уже всего назаказывал. И похавать, и выпивки. Это для того, чтобы лишний раз нас официанты не доставали. Так что с голоду не помрем.

— Здравствуй.

Я остановила взгляд на бутылке красного французского вина и подумала о том, что оно бы мне сейчас совсем не помешало.

— Вина? — тут же уловил мой взгляд Колесник.

— Если можно.

— Это не вопрос. Хочешь — вина, хочешь — шампанского, а может, лучше водочки? Тут всегда сервировочка на высшем уровне. И не просто все, а ультра, все включено. Я поляну накрыл — закачаешься. Ты только посмотри, какой аппетитный шашлык. Лично для нас с тобой готовили. Шеф-повар сам постарался. За что люблю этот ресторан, так это за кухню. Кухня тут и в самом деле отменная. Так чего выпьешь — вина?

— Вина, — утвердительно кивнула я.

— А может, что-нибудь покрепче?

— Я же сказала, что я хочу вина.

Колесник взял бутылку и налил мне полный бокал вина, а себе рюмку водки. Подняв свою рюмку, он игриво мне подмигнул и снова просверлил взглядом.

— Ты что так на меня смотришь? — спросил он как-то задумчиво.

— Как?

— Тебя удивляет, что я на разливе? Воспринимай это нормально. Я велел официантам нас не тревожить. Все сделаем сами — и нальем, и похаваем, и поговорим. Ну что, давай выпьем. За встречу. Черт знает сколько не виделись. Я и не думал, что ты будешь так выглядеть.

— Как?

— Слишком хорошо, я теперь даже не знаю, с кем именно мне предстоит говорить, с потрясающей женщиной или с моим противником.

— А с чего ты взял, что я твой противник?

— Сначала твой брат, а затем ты... Не помню, чтобы когда-нибудь у нас получалось жить в мире. Ладно, давай не будем о плохом. Я думаю, мы больше не будем противниками. Я хочу выпить за нашу встречу. Мы с тобой не так часто видимся.

— За встречу. — Я сделала несколько глотков моего любимого красного терпкого вина и поставила бокал на стол. Откинувшись на спинку стула, я обвела глазами чересчур шикарный стол и отметила про себя шаловливую искорку в глазах Колесника. Наверно, он хорошенько выпил, пока ждал моего приезда. — У меня брата чуть было не убили, — произнесла я каким-то глухим голосом и допила вино.

— Я слышал про это.

— Он сейчас в реанимации, но прогноз врачей хороший. Сказали, что родился в рубашке. В очередной раз.

Короткие быстрые взгляды Колесника в мою сторону выдавали его. По всей вероятности, моя сексапильная внешность впечатлила его куда больше, чем то, что я сообщила о брате, да и выпитая водка дала о себе знать — мысли Колесника были направлены в совершенно другую сторону. Он смотрел на меня так, словно уже сунул руку под платье и его рука уверенно там себя чувствовала.

— Ты слышишь, что я тебе говорю? — Я попыталась вернуть его к интересовавшей меня теме.

— Слышу. Ты мне так говоришь о своем брате, словно открываешь Америку. Я знаю, что в него стреляли и раньше. Насколько я помню, его взорвали в собственном джипе несколько лет назад. Он чудом остался жив. А после джипа он пересел на инвалидную коляску и передал все дела тебе.

— После этого прошло несколько лет. В него стреляли опять.

— Непонятно, кому он нужен...

— Как это? — опешила я.

— Я говорю, кому нужно в него стрелять, если он отошел от дел. Уж если кому-то твой клан и стоит поперек горла, то этот кто-то должен стрелять в тебя. А зачем убивать твоего брата, я понять не могу. Ведь он же теперь инвалид. Я Евгения уже давно не видел. Последний раз, когда он ходил на своих ногах и прекрасно себя чувствовал. А вообще я его уважаю. Чисто по-мужски уважаю. Сел в инвалидную коляску и не захотел, чтобы пацаны его жалели в новом обличье, поэтому передал все дела тебе. Это достойно уважения. Так что если ты хочешь у меня спросить, кто в него стрелял, я сразу могу ответить — не знаю, и не просто не знаю, я даже не могу себе представить. Не понимаю, и все тут! Кто его мог заказать, если он никому не мешает?! Уж если кто сейчас всем и заправляет, то только ты. Может, он с каким-нибудь инвалидом поругался и тот захотел ему отомстить?

55

— Что? — удивилась я.

— Я говорю, может, он с каким инвалидом поругался и тот решил ему отомстить? Я имею в виду, что, может, это просто бытовуха? Два равноценных что-то между собой не поделили, и один решил другого шлепнуть?

Это уже была издевка. Я спокойно поднялась со своего места и отвесила Колеснику пощечину. Затем так же спокойно села, взяла бутылку вина и налила себе полный бокал.

— Никогда не смей называть Женьку инвалидом! Понял? Никогда! Называй этим словом кого угодно, но только не моего брата!!!

Я попыталась взять себя в руки и хоть как-то успокоиться. Колесник мрачно улыбнулся и одарил меня все тем же надменным взглядом.

— На первый раз прощаю, — злобно произнес он, достал из кармана стодолларовую купюру, свернул ее трубочкой и принялся нюхать кокаин. — Но это на первый раз. Если ты еще раз позволишь себе такое, останешься без руки. Кокса хочешь?

— Не увлекаюсь.

— А зря. Хорошая привычка. Если ты думаешь, что я этим увлекаюсь, то это напрасно. Я не увлекаюсь. Я просто балуюсь.

— Все начинается с баловства, а заканчивается понятно чем.

— У кого-то этим заканчивается, а у кого-то все только начинается.

Неожиданно Колесник сузил глаза и резко изменил тон:

— Ладно, хорош ходить вокруг да около. Я хочу знать, для чего мы здесь собрались. Ты сказала, что нам необходимо встретиться, что встречу нельзя переносить. Я согласился. Не могу же я отказать красивой женщине. Теперь ты говори, для чего мы здесь собрались.

— Хорошо... — Я перевела дыхание. — Хорошо... Я приехала сюда, чтобы сказать тебе о том, что я хорошо знаю, кто пытался на этот раз убить моего брата.

— Ну и молодец, а я здесь при чем?

— При том, что это был ты.

— Что?

— Человек, который заказал смерть моего брата, это ты!!!

_____

Глава 3

Мои слова произвели на Колесника именно то впечатление, на которое я и рассчитывала. Он нервно ухмыльнулся и чуть не уронил на пол вилку.

— Ты за свои слова отвечаешь?

— Отвечаю.

— Если ты приехала сюда для того, чтобы я слушал твои наезды, то ты зря это сделала. К покушению на твоего брата я не имею никакого отношения. Я уже говорил тебе о том, что я в калек не стреляю. Калеки — уже и так обиженные жизнью люди. Они по жизни несчастны. Зачем же их еще наказывать?!

При слове «калека» мое лицо исказилось болью, но на этот раз я не подняла на Колесника руку. Он уловил мое потаенное желание и был готов к тому, чтобы дать мне отпор. Я это увидела по тому, как напряглось его лицо.

— Если мы столько времени находимся в плохих отношениях, это не значит, что мы должны друг в друга стрелять, — сдержанно сказал он. — Мне кажется, что прежде чем устроить пальбу со всеми вытекающими отсюда последствиями, нужно попытаться договориться мирным путем. Ищи убийцу в другом месте. Проследи все связи своего брата и

58

подумай о том, кому он мог перейти дорогу. Сама хорошенько подумай.

— Мой брат не мог перейти кому-то дорогу, — произнесла я ледяным голосом. — Он не мог этого сделать по той причине, что он не может ходить. Он ездит на инвалидной коляске. Когда он умел ходить, он и в самом деле перешел дорогу одному человеку, и этим человеком был ты. Уже много лет мы с тобой не можем поделить некоторые сферы влияния и договориться по-хорошему, как говорится, найти компромисс.

— Оно и понятно. Даже страны между собою воюют, так где ж тогда взяться перемирию двух криминальных группировок?! Увы! Вечного мира нет и никогда не было. Везде разгораются какие-нибудь конфликты, и от этого никуда не денешься. А что касается сфер влияния, то их и в самом деле довольно трудно поделить. Каждый из нас хочет отхватить себе кусок пожирнее да побольше. Я не виноват в том, что твой брат отличался довольно большим аппетитом и точно такого же размера жадностью. Теперь точно таким же аппетитом отличаешься и ты. Но ты баба. А баба всегда хочет намного больше, чем мужик. Бабы по жизни раскрывают рот на чужой каравай и норовят оторвать себе кусок побольше. У вас с братом прямо эстафета семейная. Так вот, про торговый комплекс на «Сходненской» вообще забудь.

— Как это забудь?! В этом комплексе есть и моя доля.

— Это не твой комплекс, и убери от него свои загребущие руки... — В глазах Колесника появилась ненависть. — А руки и в самом деле у тебя черес-

59

чур загребущие. Ты не представляешь, как мне хочется дать тебе по рукам. Не забывай о том, что придет время и я просто могу не сдержаться.

— Я приехала сюда не для того, чтобы говорить про комплекс. Но я не хочу про него забывать, потому что к нему приставлены мои люди.

— Так вот, убери своих людей от греха подальше. Они уже получили последнее серьезное предупреждение. Смотри, чтобы в недалеком будущем тебе не пришлось выносить их вперед ногами.

— Давай обойдемся без угроз. Мы с тобой, кажется, цивилизованные люди, и давай не начинать с оскорблений, — уже совсем мирно сказала я.

— Кстати, если признаться честно, я очень ждал этой встречи, — немного расслабился Колесник.

— Это дает мне надежду.

— Я был столько про тебя наслышан. Но мне вообще непонятно, как это баба может заправлять мужскими делами. Я что-то никак в это не въеду. Послушай, а тебе никогда не хотелось вышивать или что-нибудь связать? Тебе не кажется, что ты занялась не своим делом? Кстати, ты бы неплохо смотрелась у плиты — в халате и с большим половником. Ты борщ умеешь варить?

— Замолчи. Мы сейчас говорим с тобой не о разнице полов, — процедила я сквозь зубы. — Я же не спрашиваю, а слабо ли тебе сейчас забить гвоздь в стену? Если тебе интересна только эта тема, то боюсь, что я не смогу поддержать беседу.

— А о чем мы будем говорить? Зачем ты приехала? Что ты хочешь от меня услышать? Ты хочешь, чтобы я сказал тебе, что я заказал твоего брата?! Мол, это я сделал, извини, больше такое никогда не повторится! Впредь я буду хорошим мальчиком и буду вести себя тихо, смирно, ни на что не претендовать и ничего от жизни не хотеть. Ты это хотела от меня услышать?! Но ты этого от меня не услышишь по той простой причине, что я не убийца и никогда им не стану. Я нормальный деловой мужик и имею уважение в определенных кругах. У меня огромные планы, и я слишком многого хочу от жизни. И я не скрываю, что хочу расширить свою сферу влияния. И торговый комплекс на «Сходненской» — далеко не единственное здание, которое я хочу заполучить. И я буду добиваться этого всеми путями, но если будет нужно, то для этого пойдет в ход и оружие.

Колесник замолчал, потянулся к затылку и после минутной паузы продолжил:

— Ты сюда зачем приехала? Объявить мне войну? Так давай повоюем. Мои ребята уже давно хотят поразмяться, а то они изрядно засиделись. Им тир уже жуть как надоел. Им вживую пострелять хочется. А у тебя народу многовато, есть на ком тренироваться. Да и криминальные новости в последнее время по ящику слишком неинтересные стали. Даже смотреть не хочется. Нормального беспредела давно не показывали. Показывают всякую чушь. Кто-то кого-то ограбил, кто-то квартиру обчистил. Одни воры да домушники, ну и дорожно-транспортные происшествия всякие. А из убийств одну бытовуху показывают. Смотреть тошно. Я бытовуху на дух не переношу. Хочется на нормальные военные действия посмотреть. Все, как в крутых боевиках. Хочешь войну начать? Давай начнем. Людей немного позабавим. Народ хоть ящик смотреть начнет. Криминальные разборки между двумя группировками со всеми вытекающими отсюда последствиями. Трупы с пулей во лбу, взорванные машины и прочие атрибуты криминального жанра. Красота! Я предлагаю это дело отметить. Выпьем по рюмочке за наше с тобой здоровье и за здоровье наших головорезов. Как ты на это смотришь? Как ты вообще смотришь на мир перед большой войной? Выпьем, закусим. Все, как положено по этикету.

Колесник налил себе полную рюмку водки, а мне бокал вина. Оглядев меня любезным и явно похотливым взглядом, он поднял свою рюмку и с издевкой в голосе спросил:

— Ну что, будем за это пить?

— Пить? — В моих глазах появилось недоумение.

— Ну да. А что без толку сидеть? Тем более что нам есть за что выпить. За войну. — Колесник поднял свою рюмку и посмотрел на меня довольным взглядом.

— Какой ужасный тост, — сморщилась я.

— А чем это он ужасен?

— Тем, что я никогда за войну не пила и пить за нее буду. — Неожиданно мои глаза стали достаточно загадочными, и в них появились озорные чертики. Колесник тут же их уловил и всем своим видом проявил ко мне интерес.

И я его не разочаровала:

— А может, не будем пить?

— А что мы будем делать? — не сразу понял меня мужчина.

— Может, займемся любовью?

От нахлынувшего удивления Колесник не удержал свою рюмку. Она упала на пол и тут же разбилась. Судя по выражению глаз Колесника, мои слова повергли его в состояние шока.

— Что ты сказала? — Он хотел убедиться, что не ослышался.

— Я предложила заняться любовью. Ты ведь не против этого, правда? Ты ведь захотел меня сразу, как только я вошла.

— Я об этом даже и не подумал...

— А мне кажется, что подумал, просто сейчас не хочешь в этом признаться.

— Блин, вот, ей-богу, баба есть баба... Она всегда другим местом думает. Ты так со всеми перемирие устраиваешь? Это у тебя что, фишка такая?

— Я сейчас говорю не обо всех, а только о нас с тобой.

— Я к этому даже не готов как-то.

Искренняя растерянность Колесника меня забавляла.

— Так я подготовлю...

— А где ты хочешь заняться любовью? Можем встретиться еще раз, только в более интимной обстановке на чьей-нибудь территории... Похоже, что ни твои, ни мои головорезы не позволят нам этого сделать. Хотя кто знает... Было бы желание.

— А зачем еще где-то встречаться, мы можем заняться любовью прямо здесь...

— Прямо здесь? — окончательно растерялся Колесник.

— А почему бы и нет? Ты же сам сказал, что официанты не будут нас беспокоить. Ты распорядился, чтобы сюда никто не заходил?

— Ну да...

— Значит, сюда никто не зайдет?..

— Не должен.

— Тут вполне подходящая обстановка для этого. Полумрак, свечи и твои глаза, полные желания...

Я игриво провела по своей упругой груди и даже облизала свой палец.

— Да никакого желания в моих глазах нет, — попытался возразить Колесник. — Я с тобой вообще спать не собирался. Никаким боком. Я по делам приехал, а ты оказалась обыкновенной бабой. И какой дурак бабу до дел допустил!

Говоря все это, Колесник уставился на вырез моего платья и, больше не в силах с собой бороться, не смог отвести от него глаз.

— Значит, ты меня не хочешь...

— Я этого не сказал.

— Тогда что ты ведешь себя как пятнадцатилетний пацан?

— Просто...

— Что просто?

— Я и не думал...

— А тебе и не нужно ни о чем думать... Тебе нужно только начать действовать...

— Ты что, серьезно говоришь? — окончательно сдался Колесник и, изрядно вспотев, расстегнул ворот рубашки.

— А что, похоже, что я шучу?

— Ну ты даешь!

Я встала со своего места, поправила платье и, подойдя к Колеснику вплотную, жадно поцеловала его в ухо.

— Если ты не хочешь, я не буду настаивать, — приглушенно вырвалось у меня.

— С чего ты взяла, что я не хочу... Я, по-твоему, мужик или кто?!

— Ты действительно уверен, что нас не побеспокоят официанты? Я хочу знать, что сюда никто не войдет.

— Ты что, стесняешься, что ли?

— Может быть!

— Да ладно тебе. Хорош гнать. Сюда никто не войдет. За это я отвечаю. Я приказал, чтобы нас не беспокоили.

— А ты уверен, что тут твое слово закон, ведь это не место, где собираются твои головорезы, а ресторан!

— Это мой ресторан, вернее, он подо мной. Такой расклад тебя устраивает?

— Вполне.

— Ну ты даешь! — Колесник задышал еще тяжелее, он просто сгорал от желания поскорее мной овладеть.

— Ты знал, что мы займемся сексом?

— Я знал, что у нас будет разговор, но насчет секса... даже не предполагал.

— Но ведь ты встречаешься с женщиной, а любая женщина непредсказуема, и от нее можно ожидать все, что угодно.

— Но ведь ты считаешь меня своим врагом!

Я ничего не ответила, села к Колеснику на колени и принялась расстегивать его рубашку. Он тяжело задышал.

— Но ведь ты считаешь меня своим врагом? — повторил он свой вопрос.

— И что? Разве с врагами нельзя спать?

— Как-то странно все это... — Колесник явно терял самообладание.

— У тебя безумно красивый галстук, — продолжала я наступать. — Кто тебе его покупал?

— Жена, — задыхаясь, сказал он и попытался снять с себя рубашку.

— А ты женат?

— Женат.

— И как?

— Что — как?

— Тебе нравится быть женатым?

— Не знаю. Я уже привык.

Наконец Колесник справился с рубашкой и остался в галстуке на голом теле.

Я едва сдержала смех.

— По-твоему, брак — это привычка? Ну скажи, брак — это привычка? А я думала, что это особое состояние души...

— Прекрати! Ради бога, прекрати!

— Что прекратить?

— Задавать дурацкие вопросы. Брак — это брак, и я не хочу про него говорить. Я не знаю, какое там должно быть состояние души, но если ты еще не замужем, то наслаждайся жизнью и не обременяй себя семейной рутиной. Поверь мне, женатому человеку, в этом нет ничего хорошего.

— Странно...

— Что тебе странно?

— Странно, что ты живешь с одной, а на твоих коленях сидит другая.

— Во-первых, ты сама села ко мне на колени, а во-вторых, я не виноват в том, что ты соблазнительная женщина. У тебя прекрасные формы. Да и сама ты довольно интересная особа. А я не железный. Я нормальный мужик...

Как только я принялась расстегивать ширинку своего так называемого противника, он закатил глаза и, тяжело ворочая языком, забормотал:

— Чокнутая какая-то... Приехала разобраться с покушением на брата, а сама на меня залезла... Вот и пойди разбери этих баб... Я и сам уже не понимаю, кто сидит у меня на коленях, то ли красивая девка, то ли мой заклятый враг!

— А я и в самом деле приехала сюда из-за брата, — продолжала я заговаривать Колесника. — У меня очень хороший брат. Именно он научил меня этой жизни и вытащил из бедности, в которой мы жили с матерью. Знаешь, я всегда восхищалась им, он с самого рождения был лидером. А я наоборот — какой-то замкнутой, закомплексованной и даже немного дикой. А в один прекрасный момент брат объяснил мне, что лидером может стать любой человек, стоит лишь захотеть. И я захотела. Ты не представляешь, как я этого захотела. И я стала лидером. Хотя, если признаться честно, я попала в тупик. Добилась того, чего хотела, но так и не узнала любви и женского счастья. Оказалось, что женщина во мне намного сильнее, чем лидер.

— Не понимаю, к чему ты мне это говоришь, — все так же тяжело дышал Колесник. — Женщина никогда не сможет стать лидером. Баба она и есть баба. У нее и мозги, и поступки бабские. У любой бабы эмоции всегда впереди разума. Мне никогда не нравились бабы, которые лезут в мужские дела. Потому что на этом свете есть чисто мужские дела и чисто женские. Мне нравятся покорные женщины, которые думают о своей внешности, интересуются магазинами и обслуживают семью. Не люблю слишком рациональных. А что касается тебя... В тебе что-то есть... Что-то такое, что может привлечь мужчину... Кстати, как чувствует себя твой брат? У него есть шансы выжить?

— Божьими молитвами он остался жив. Божьими молитвами...

— Я бы на его месте уже убежал бы в какую-нибудь Канаду. Это я так, образно говорю. Жаль, что он совершенно не умеет бегать. Вообще непонятно, чего он в России сидит. От дел все равно отошел... Может, я ошибаюсь? Отошел он от дел или нет?

— Отошел.

— Тогда тем более, какого черта он в России сидит?! Ведь он уже нормально награбил.

— Он не грабил. Он занимался бизнесом, — возразила я, но в моем голосе не было уверенности.

— Да ты про бизнес налоговому инспектору рассказывай, а мы оба знаем, какой у нас бизнес. У нас бизнес один — криминальный. И мудрить тут нечего. Если ему не нравится Канада, эмигрировал бы в Штаты. Жил бы тихо, мирно и навсегда остался в этой стране. Сейчас так многие делают и нормально себя чувствуют. У меня один знакомый крендель улетел в Мексику и там остался. Живет нормально и никому не мешает. Хотя зачастую русские бандиты, ну из тех, кто покупает там недвижимость и начинает новую жизнь, вызывают у местных подозрение. К этому надо быть готовыми. Обычно наши на вопрос, откуда у них столько денег, чтобы вот так безбедно жить, кивают на биржу, говорят, что удачно вложили деньги в акции и фортуна повернулась к ним лицом.

— Мой брат любит Россию.

— Ну и дурак твой брат. Россию любят либо нищие, либо те, кто еще не наворовал нужную сумму для нормальной, спокойной жизни.

— Ты хочешь сказать, что для тех, кто живет в России, есть только два выхода: один — это жить в нищете и ругать эту жизнь, пока бьется сердце, а второй — это воровать и жить в свое удовольствие?

— Умница. Ты умная женщина и должна понимать, что в России честных денег не заработаешь. Так что я не знаю, чем думает твой брат. В России ему не место. В России место тому, кто еще не отошел от дел, или тому, у кого вообще нет никаких дел. Третьего не дано.

— Сейчас опасно жить не только в России, но и за рубежом тоже.

— По-твоему, сейчас вообще опасно жить, — усмехнулся Колесник.

— А ты не подозреваешь, что при нашем образе жизни, который мы ведем здесь, нам и в самом деле опасно жить? А что касается спокойной жизни там, не обольщайся, на любых богатых людей обратит свое внимание ФБР и заинтересуется, почему эти люди так богаты и ведут такой роскошный образ жизни не дома, а за рубежами родной страны.

— Ладно, давай забудем эту тему. Мне кажется, что у тебя еще совсем недавно было более интересное предложение — заняться любовью...

— Я предлагала...

— Так предложи еще раз. Думаешь, легко рассуждать, когда интересная девушка сидит на твоих коленях и трется о них своей восхитительной попкой?!

— Значит, ты хочешь заняться любовью?

— Еще совсем недавно я вообще ничего не хотел, ты сама завела меня! Обратной дороги нет. Я уже весь на взводе...

Я расстегнула Колеснику ширинку и запустила руку в глубь расстегнутых штанов. Колесник закрыл глаза и на время потерял рассудок, издавая при этом громкие стоны.

— Хорошо. Хорошо. Господи, какая же ты... Какая...

— Какая?

— Бесстыжая, — засмеялся Колесник и застонал еще громче.

— Бесстыжая?! Я такого слова с детского сада не слышала...

— Вот я его тебе и говорю. А вообще ты страстная. Я думаю, это будет не последняя наша встреча. Я в этом просто уверен...

— А мне кажется, нет. Это наша с тобой последняя встреча. Больше встреч не будет.

— Не говори ерунды! Теперь мы всегда можем урегулировать наши конфликты... вот так...

— Сомневаюсь...

— А зря... Это обязательно повторится. Стоит только начать.

— Это последняя встреча, и в этом ты сейчас убедишься!

В этот момент я запустила вторую руку в карман его пиджака, который мирно висел на стуле. С самого начала я не сомневалась, что Колесник обязательно принесет в ресторан пистолет, потому что ресторан, который Колесник выбрал как нейтральный, на самом деле таковым не был. Этот ресторан был под его контролем, а значит, на входе Колесника не обыскивали. Как только мы слились в страстном поцелуе, я наклонилась совсем низко, вытащила пистолет и, убедившись, что на нем есть глушитель, облегченно вздохнула. Затем, не долго раздумывая, поднесла пистолет к виску мужчины и резко нажала на курок.

Все произошло мгновенно. Голова Колесника тут же свесилась набок. Он не успел даже открыть глаза и умер в предвкушении новых приятных ощущений.

— Вот и все, — сказала я, встала с уже безжизненных колен своего врага и прошептала: — Ты всегда недооценивал женщин. Ты их никогда не ценил. Дурак! Женщина может быть более злым и коварным врагом, чем мужчина. Ты никогда не уважал женщин и даже подумать не мог о том, что женщина может быть лидером. Мужчина должен бояться непредсказуемых женщин, потому что никогда не сможет узнать, что женщина может сделать в удобный для нее момент и каким боком изменить ситуацию в свою пользу. Ты назвал меня бабой, и ты неправильно меня назвал. Я никогда не была бабой и никогда ею не буду! Я просто женщина. Настоящая, стопроцентная женщина... Я леди! Я очень сильно люблю своего брата. Ты даже не представляешь, как сильно я его люблю... как сильно. Ты же сам назвал его инвалидом, так какого черта ты позволил стрелять в инвалида?! Какого черта?.. Я ничего не хотела плохого. Я просто отомстила за брата. Просто отомстила, и все...

Сунув пистолет с глушителем в свою сумочку я машинально поправила волосы, бросила беглый взгляд на мертвого полусидящего Колесника и решительно пошла к выходу.

Пройдя мимо скучающих официантов, которые сидели за столом недалеко от главного входа и разгадывали кроссворд, я улыбнулась им и проговорила усталым голосом:

— Спасибо за теплый и радушный прием. Колесник был прав: у вас очень хорошая кухня. Он просил еще несколько минут не беспокоить его, потому что ему нужно сделать несколько важных звонков.

Затем все так же легко и уверенно забрала из гардероба свою шубу и вышла на улицу.

Пройдя мимо стоявшего рядом с входной дверью охранника, я опустила глаза и со словами:

— До свидания, — вышла из здания.

Я старалась идти совершенно спокойно, придавая своей походке как можно больше уверенности. Перед глазами все расплывалось, а во рту чудовищно пересохло. Люди Колесника пристально смотрели на меня и следили за каждым моим движением. Остановившись рядом с машиной Лося, я слегка на нее облокотилась и крикнула им:

— Колесник передал, что выйдет через десять минут! Ему нужно сделать несколько неотложных звонков. Была рада со всеми вами познакомиться. До встречи!

Сев в машину, я посмотрела на слегка замешкавшегося Лося и быстро проговорила:

— Поехали быстрее, а то я плохо себя чувствую.

— Как скажешь. Куда едем — в офис?

— Куда угодно, только побыстрее отсюда.

Лось тут же завел мотор, и наша машина помчалась по шумному проспекту. Следом за нами помчались еще две машины с нашими людьми.

Около двух минут мы ехали молча. Лось жал на газ и то и дело поворачивал голову в мою сторону. Я сидела, вжавшись в кресло, и тупо смотрела вперед.

— Саня, тебе плохо?! — не выдержал молчания Лось.

— Мне хорошо.

— Как встреча прошла?

— Нормально... — Я безразлично пожала плечами.

— Что значит — нормально?

— Все получилось так, как я хотела.

— Я вообще не понимаю, зачем тебе это было нужно, но ты же упертая, тебя не переубедишь. О чем вы с ним разговаривали?

Подняв усталые глаза, я в упор посмотрела на Лося и произнесла жалобно:

— Игорь, я могу побыть одна? Вернее, я могу подумать одна?! Я сейчас не настроена разговаривать. Как только я отдышусь, обязательно тебе все расскажу.

— Надо же, и не думал, что ты мое имя помнишь...

— Ты мне его сегодня сам напомнил.

— Спасибо, что второй раз не забыла...

В моей сумочке зазвонил мобильник, я достала его и отключила.

— Что, не хочешь разговаривать? — не успокаивался Лось.

— Не хочу.

— Что такое?

— Настроение не то.

— От кого был звонок?

— Номер не определен.

— Хочешь, я отвечу?

— Зачем?

— Скажу, что ошиблись номером, чтобы тебя больше не доставали.

— Не хочу. И вообще это дурацкая привычка.

— Какая?

— Когда кто-то берет чужие телефоны.

— Я хотел помочь, — заметно погрустнел Лось.

— А я хочу побыть одна и чтобы никто не доставал.

Я закрыла глаза, вспомнила мертвого полусидящего на стуле Колесника, ощутила боль в позвоночнике и поняла, что я на грани истерики.

— Саня, ты уверена, что все в порядке? Может быть, ты все же расскажешь? — Не успел Лось задать свой вопрос, как зазвонил его мобильник, он тут же взял трубку. Он не проговорил даже минуты, но сам не произнес ни единого слова. Он только слушал и кивал. Когда молчаливо-односторонний разговор был закончен, Лось выронил трубку. В какой-то момент он потерял контроль над дорогой и резко затормозил, чудом не въехав в стоящий справа столб, но все же врезался в высокий бордюр тротуара. Я отчаянно закричала и закрыла глаза. Лось выключил мотор и посмотрел на меня безумными глазами:

— Саня, ты что наделала?!

— А что я наделала? — с трудом выдавила я из себя.

— Ты на хрена Колесника убила?

— А я его не убивала, — замотала я головой.

— Как не убивала?

— Так. Не убивала, и все. Я что, по-твоему, законченная дура?! У меня пока с головой все в порядке.

— А кто его убил?

— Не знаю, — нервно замотала я головой.

— Как это — не знаю?

— Вот так. Не знаю, и все. Да и как я могла его убить, если у меня пистолета не было?! Ты же сам видел, как меня у входа в ресторан шмонали. Видел или нет?!

— Видел.

— А если видел, какого черта задаешь мне подобные вопросы?! Да меня бы никто со стволом в ресторан на встречу с Колесником не пустил! Ты же сам это понимаешь! Как бы я, по-твоему, его пронесла?!

— Но ведь его кто-то убил... — мертвецки побледнел Лось и опустил руки.

— А я здесь при чем? — стояла я на своем.

— Но ведь встречалась с ним ты?

— Ну и что?! Когда я уходила из ресторана, Колесник был жив. Он помахал мне рукой и принялся говорить по телефону.

— Ты в этом уверена?

— В чем?

— Что когда ты уходила из ресторана, он был жив?

— Конечно. У меня с головой пока все в порядке.

— Я ничего не имею против порядка в твоей го-

75

лове. Сейчас мне сказали, что Колесник убит. Ты хочешь сказать, что меня неправильно информировали? Совершенно непонятно, кому и зачем это нужно. Какая в этом необходимость? Я думаю, что мне сказали правду — Колесник убит.

— Странно...

— Что странно?!

— Может быть, он и в самом деле убит, только я здесь ни при чем...

— Тогда кто — при чем?

— А если его убили после того, как я вышла из ресторана?! В зале был полумрак и горели свечи. Может, киллер стоял за шторкой? Там весь ресторан в темных портьерах — не продохнуть. Там даже дышать тяжело, шторы давят. За одной из них кто-то вполне мог спрятаться. Это ж надо — все шторами обвешано, ну просто стреляй не хочу.

— Кто, говоришь, стоял за шторой? — Лось достал носовой платок и вытер выступивший на лбу пот.

— Киллер.

— Какой киллер?

— Самый обыкновенный.

— Самый обыкновенный киллер, — издевательским голосом повторил мою фразу Лось и покачал головой.

— А может быть, Колесник не только нам перешел дорогу, но и кому-то еще? — вдохновенно сочиняла я. — Так вот, этот киллер, по всей видимости, стоял за шторкой и ждал, пока я уйду. Как только он этого дождался, то тут же всадил пулю в Колесника и ушел через другой вход... — Концовка истории выглядела как-то глупо, и я замолчала.

Лось нервно усмехнулся, сунул платок в карман, осторожно взял меня за плечи и заглянул мне в глаза:

— Саня, скажи мне правду. Это ты убила Колесника?

— Нет! — довольно уверенно ответила я и посмотрела на ребят, подбегающих к нашей машине....

———————

Глава 4

— Лось, что случилось??? Ты как умудрился о бордюр шарахнуться?!

Лось вышел из машины, сел на корточки и, посмотрев на разбитый бампер, закурил сигарету.

— Саня, с тобой все в порядке? — забеспокоились ребята. — Лось, ты чё, уснул, что ли, за рулем?! С управлением не справился?! Выпил?!

— Да нет, — почесал Лось затылок. — Просто этот гребаный звонок... Он меня из колеи выбил... Блин, это же надо такому случиться...

— Какой звонок?

— Колесника убили!

— Что???

— Я говорю, Колесника убили! — При этих словах Лось проследил за тем, как я выхожу из машины, и процедил сквозь зубы: — Саня не убивала... Она говорит, что не убивала.

— А кто? — почти в один голос спросили ребята.

— Не знаю! Просто сейчас мы должны защитить Саню, иначе ей кирдык.

Стоявший рядом со мной Вован обвел меня подозрительно-испуганным взглядом и осторожно спросил:

— Сашка, а ты точно не убивала?

— Нет! — отчаянно крикнула я и почувствовала, как на мои глаза навернулись слезы. — Я что, дура, что ли?! Я просто хотела с ним поговорить. Мы поговорили. Затем я ушла, а он остался разговаривать по мобильному телефону. Возможно, в ресторане был киллер. Стоял где-нибудь за шторкой и целился... — Я замолчала, подняла голову и посмотрела на ошарашенных ребят. — Вы мне не верите? — заметно поникла я.

— А ты врать не умеешь, — совершенно спокойно сказал Вован и посмотрел на Лося. — Сашка врать не умеет. Но если это ты шлепнула Колесника, то правильно сделала. За это я тебя уважаю. Я всегда уважаю женщин за мужские поступки и больше как к обыкновенной бабе к тебе относиться не буду, но такие вещи нужно согласовывать. Ты понимаешь, что сейчас начнется война?! Ты это понимаешь?! Мы все твои люди, и ты ничего не должна от нас скрывать.

Я опустила глаза и уставилась на свои туфли.

— А что я, по-вашему, должна была сделать? Сказать, что нехорошо оплачивать убийство другого человека?! Попросить его о том, чтобы он больше так не делал? Смерть за смерть! Если мой брат не может постоять за себя сам, то это могу сделать я. Это хороший урок для всех, кто сделает хоть один неверный шаг в нашу сторону. Так будет с каждым. Чужие пацаны должны знать, что за любое покушение последуют не угрозы, а настоящее наказание, и немедленно. И вообще я не хочу оправдываться...

Услышав мои слова, Лось со всей силы ударил по бамперу кулаком и закричал:

— Дура! Какая же ты дура!

— Что? — не поверила я своим ушам. — Как ты смеешь!

— Дура! Так может сделать только женщина. Это не просто необдуманный шаг... И даже не глупость. Теперь у нас у всех будут проблемы и с крутыми, и с ментами... Если ты решила убрать Колесника, могла бы поручить кому-нибудь из наших пацанов! Сама ты вообще не должна быть к этому причастна. Ты же сама себя подставила. Сама! Теперь люди Колесника расправятся с тобой другим способом. Если ты думаешь, что тебя шлепнут, то ошибаешься! Тебя сдадут ментам. Просто сдадут, и все.

— Я возьму лучших адвокатов! Я не позволю себя посадить! Не позволю! Я смогу за себя постоять!!!

— Все это бред. Адвокаты тебе не помогут. А если даже и попытаются, то это будет совсем не та помощь, которая тебе нужна и на которую ты рассчитываешь. Ты все неграмотно сделала. Ты сделала все по-женски. По-бабьи. Ты сделала это на эмоциях.

— Ну и пусть на эмоциях... Ну и пусть! Мне плевать! Мне просто плевать!

— На кого — на себя?!

Разозленный Лось задал вопрос, на который я не смогла сразу найти ответ и который привел меня в замешательство. Все, что я смогла сделать в такой ситуации, так это раздуть щеки и произнести обиженным голосом:

— Тебе никто не давал права разговаривать со мной таким тоном.

— Ты хочешь, чтобы я следил за базаром? — с полуслова понял меня Лось.

— Я хочу, чтобы ты его фильтровал.

Возбужденный Лось отдышался и посмотрел на часы.

— Саня, эту ситуацию нужно побыстрее разрулить. Тебе нельзя возвращаться ни в свою квартиру, ни в свой дом. Я предлагаю тебе пожить некоторое время на даче моих родителей. Их сейчас нет, они на полгода уехали за границу. А мы сегодня же свяжемся с людьми Колесника и попытаемся выдвинуть им твою версию: Колесник был убит после твоего ухода. А также свяжемся с адвокатами, надо все грамотно просчитать. Кстати, где пистолет?

— Что? — Я задала вопрос глухим голосом и почувствовала, как у меня снова поплыло перед глазами.

— Я спрашиваю — где пистолет?

— Какой пистолет?

— Тот, из которого ты убила Колесника?

— У меня в сумке.

На лице мужчины появилась едва заметная радость, и я тут же отметила про себя, что он воспрянул духом.

— Ты говоришь, он у тебя в сумке?

— Да.

Я открыла сумочку, достала из нее пистолет и протянула его Лосю. Лось тут же сунул пистолет в карман и расплылся в улыбке.

— Умница, а то я уже, грешным делом, подумал о том, что ты на нервной почве бросила пистолет со всеми своими отпечатками пальцев рядом с телом убитого.

В эту минуту мне показалось, что Лось взял надо мной верх и диктует свои правила игры, словно он главный, отодвигая меня на второй план. Это не могло меня не задеть, пора было восстановить и поправить утраченные позиции. Я взяла крайне серьезный, деловой и даже суровый тон.

— Лось, мне надо немного прийти в себя. А ты свяжись с адвокатами и узнай, возбуждено ли против меня уголовное дело. Хотя, признаться честно, я в этом и не сомневаюсь, а это значит, что медлить нельзя и нужно действовать. Если меня разыскивает милиция, нужно сделать так, чтобы она перестала меня искать. И я не хочу знать, как именно это нужно сделать, я хочу, чтобы это было сделано. Пусть с меня возьмут подписку о невыезде. Все, что угодно, только это дело должно принять тот оборот, который нужен мне. Ты прекрасно понимаешь, о чем я говорю. Мои деньги — твои движения. Я думаю, что в нашей жизни деньги по-прежнему решают все. Короче, освободи меня, пожалуйста, от ментовского внимания и все проблемы с этой организацией решай тоже сам. Что касается людей Колесника, здесь мне необходима полная безопасность. Я и в самом деле поживу пока на даче твоих родителей. Пока...

Я обвела взглядом собравшихся мужчин и тихо продолжала:

— Вас шестеро. Шестеро человек, которые будут знать о моем местонахождении. Шестеро, на которых я могу положиться и которым могу доверять. Седьмого быть не должно. И не нужно смотреть на меня осуждающими взглядами, словно я в чем-то виновата. Я сделала так, как считала нужным. Как подсказало мне мое сердце. И я не жалею. Я вообще ни о чем не жалею. Если бы я могла начать все сначала и еще раз встретиться с Колесником, я поступила бы точно так же. Потому что у меня есть брат, и хотя мне больно произносить это слово, но мой брат калека, а за калеку и соответствующая месть. Думаю, что если бы тогда в инвалидной коляске сидел не мой брат, а я и в меня бы стреляли, мой брат не стал бы раздумывать, а поступил так же, как я. И не надо говорить, что я поступила как женщина, так поступил бы любой, независимо от пола и положения. Так что разговоры на тему: где бабское, а где мужское, неуместны. — Я опустила глаза и, с минуту помолчав, все так же тихо добавила: — И еще. Если кто-то не согласен с тем, что я сделала, и хочет меня покинуть, я никого не держу. Кто хочет, пусть идет своей дорогой. А те, кто согласен с моим решением, останутся и займутся моими проблемами, вернее, нашими общими проблемами. По-моему, я объяснила все. Кто-нибудь хочет уйти?!

Ребята были ошарашены и не двигались со своих мест.

— Я спрашиваю, есть такие, кто хочет меня покинуть?!

Первым нарушил молчание Вован. Он слегка покраснел и прокашлялся.

— Ладно тебе, Саня... Чего разошлась?! Сама прекрасно знаешь, что никто от тебя не уходит. Все мы одна семья. У нас же здесь не добровольное общество: захотел — пришел, захотел — ушел. Тут только единомышленники. Кто сюда пришел, тот отсюда уже не уйдет. И тебе, как никому, это известно. Ты сделала все правильно. Я тебя поддерживаю. Такой поступок достоин настоящего мужчины. И не нужно оправдываться. Если ты это сделала, то это твое решение, и оно абсолютно правильное. Мы всегда тебя защитим и поддержим.

— Спасибо. — Я постаралась улыбнуться и впервые в жизни посмотрела на Вована с благодарностью. — Спасибо. Ты раньше никогда не был со мной солидарен.

— То было раньше, а теперь я полностью тебя поддерживаю.

— Спасибо. Никогда не думала, что для того, чтобы заслужить твое доверие, я должна была кого-нибудь шлепнуть.

— Да ладно тебе, Саня... — слегка замялся Вован.

А я выдавила улыбку — хотя бы одним врагом у меня стало меньше.

— Время уже не терпит, — сказал Лось. — Поехали. Вован, я повез Саньку на дачу. А ты пока вместе с ребятами займись нашими делами. И звони Саньке, докладывая о каждом своем шаге и даже легком движении. Она должна быть в курсе всех дел.

— Но на даче Сане нужна охрана.

— Сегодня побуду с ней я, а завтра приедет кто-нибудь из вас.

— Ты уверен, что одного тебя будет достаточно?

— Уверен. Про дачу моих родителей никто не знает. Саня там будет в полнейшей безопасности. А завтра приедет кто-нибудь из пацанов и поменяется со мной местами. Как только все успокоится, Саня сможет вернуться к себе в дом или на квартиру. Ребята, пора ехать, а то, не ровен час, может проехать кто-нибудь из людей Колесника, тогда — жди неприятностей.

Когда мы с Лосем подъезжали к дачному поселку, я опустила боковое стекло, чтобы подышать деревенским воздухом.

— На фига ты окно открыла? — недоумевал Лось. — На улице не май месяц. Холодно! Я специально печку включил, чтобы ты не мерзла.

— Деревня. Мне всегда нравилось дышать деревенским воздухом.

— На улице зима. Сейчас при любом раскладе деревней воздух пахнуть не может.

— Деревня и зимой деревня.

— А вот мы и приехали.

Как только мы остановились у деревянного дома с яркой резной крышей, я грустно улыбнулась и вышла из машины. Пока Лось загонял свою машину на участок и закрывал ворота, я любовалась заснеженными деревьями, но почему-то мысленно представляла себе палящее солнце, неспокойное море и одиноко стоящие пальмы. Господи, вот бы туда! Хотя бы на пару дней. Хотя бы на день... Скинуть шубу, свитер и сапоги. Раздеться и войти в теплую приятную воду...

— Сань, ты там что размечталась, пошли в дом! — окликнул Лось.

Я поднялась на веранду и, выдохнув пар, слегка съежилась.

— Лось, а тут что, печку топить надо? Тут холодно!

— Это только на веранде. В доме центральное отопление. Жара. Если хочешь, можем растопить камин.

— Зачем, если в доме жара?

— Для экзотики.

— Если только для экзотики... Уж что-что, а экзотику я люблю.

Пройдя в дом, я скинула шубу и посмотрела на себя в зеркало:

— Бог мой, ну и лицо... Такое помятое, словно я пила дня три, не меньше.

— Что ты говоришь? — Лось отряхнул ноги от снега и, скинув куртку, принялся развязывать шнурки на ботинках.

— Я говорю, что была бы совсем не против, если бы ты налил мне немного виски, а то я что-то не очень хорошо себя чувствую.

— Хочешь выпить?

— Я бы не отказалась, нервы немного сдают.

— Если сдают нервы, лучше всего выпить «Писко».

— Что?

— Когда я на конкретном нервяке и мне хочется успокоиться, я всегда пью «Писко». Мгновенно помогает.

— А что это такое?

— Чилийская водка. Потрясная вещь.

— Я не люблю водку.

— Это не обыкновенная водка, а чилийская. У нее вкус совсем другой.

— Какая разница! Водка она и есть водка. Дерьмо, одним словом. Русская, чилийская или украинская, на вкус один черт, пробирает до боли в желудке.

— Так говорят только непрофессионалы. — Лось усмехнулся и провел меня на большую кухню.

— А я и не скрываю того, что здесь я пас, но пить водку я не буду.

— Хорошо. Если не хочешь «Писко», то самбуку просто обязана попробовать.

— А это что? Разновидность иракской водки?

— Да нет же. Классная штука! Самбуку обязательно нужно поджигать в бокале и зажевывать кофейными зернами.

— О бог мой... Где ты такого понабрался?

— Просто люблю что-нибудь оригинальное.

— А я хотела бы что-нибудь попроще. Мне сейчас как-то не до оригинальностей.

— Например?

— Например, шотландское или ирландское виски со льдом. Это меня сейчас и в самом деле расслабит.

— Но если тебя расслабляет виски, то я не против помочь тебе.

Когда Лось протянул мне бокал с виски, я почувствовала, как на меня обрушились воспоминания, которые на протяжении нескольких лет хранились в памяти, как черно-белые фотографии. При этом с отчаянием поймала себя на том, что не очень хочу, а быть может, и просто боюсь возвращаться к этим воспоминаниям. В этих воспоминаниях нас было двое — я и Лось. Тогда я была по-своему счастлива и плохо отличала свои фантазии от реальности. Я боялась погрузиться в прошлое, потому что мне казалось, что если я в него погружусь, мне будет довольно тяжело оттуда выбраться.. В этом прошлом были прекрасные чувства, прекрасные встречи, прекрасные ночи.... А затем горькие упреки и гневные слова... Лось страшно страдал, а я чувствовала, как мое сердце разрывается на кусочки. Я не могла позволить себе устраивать личную жизнь еще раз после своего малоприятного развода и не могла посмотреть в глаза брату, сказать о том, что уже на протяжении долгого времени встречаюсь с его другом, который настаивает на том, чтобы мы окончательно воссоединились. Я хотела быть правой рукой брата, помогать ему в делах и ощущать свою незаменимость. Я хотела власти, а не слепого подчинения мужчине. А еще мне казалось, что если брат узнает о наших встречах, то не простит. Прямо под носом, да еще с близким другом... Лось уверял меня в обратном. Он говорил, что Женька нас поймет, потому что мы любим, а любовь всегда можно понять, а я вбила себе в голову, что брат меня не простит, а Лося просто пристрелит...

Сейчас, когда Лось был рядом, я не могла поверить в то, что все, что сейчас происходит, реальность. У меня даже возник соблазн сбежать в прошлую жизнь, где я была просто девушкой — милой, нежной и немного дерзкой... Где я носила яркие платья, красила губы вызывающей помадой и надевала соблазнительное белье. Сейчас я пришла к другому и совсем к другой жизни... Я сама упустила свой шанс. Шанс тихой и счастливой семейной жизни. Где-то там, далеко, осталась фантазия на тему моей безупречной свадьбы. Придуманное платье из белоснежного крепдешина... Туфли на тоненьких шпильках цвета слоновой кости... Я могла бы жить с мужчиной, который постоянно говорил бы мне о том, что я для него рождена. Но все это осталось только в фантазиях. Тогда я была чересчур сумасбродной.

Сев на дубовый стул, я пристально смотрела на Лося, который приземлился напротив меня.

— Санька, давай выпьем, — сказал он и поднял свой стакан.

— За что?

— За то, чтобы у тебя было все, но тебе за это ничего не было.

— Хороший тост, — нервно усмехнулась я. — Хороший. — Ты тоже будешь пить виски?

— Ну да. А почему тебя это удивляет?

— А где же твоя чилийская водка?

— Я солидарен с тобой.

— Ну если в знак солидарности, то давай выпьем.

Лось сделал пару глотков и посмотрел на меня многозначительным и задумчивым взглядом. Мне показалось, что он как будто изучает мое лицо. В этом было какое-то смущение, забота и... недоверие.

Я почувствовала, как виски обожгло меня изнутри.

— Почему ты так на меня смотришь?

— Как?

— Словно ты мне в чем-то не доверяешь.

— Я просто думаю о том... — Лось как будто смутился и даже как-то по-мальчишески опустил глаза.

— О чем?

— О том, как ты убила Колесника.

— Зачем тебе это? Ну убила и убила...

— То, что этот ресторан под ним, было изначально понятно. Я и не хотел этой встречи, потому что прекрасно понимал, что Колесник всегда пронесет свой пистолет, а ты нет. По честным правилам может играть кто угодно, но только не Колесник. Это нечестный игрок.

— Если ты это знал с самого начала, что тебя смущает сейчас?

— Меня не смущает...

— Ну значит, раздражает.

— И не раздражает. Я не могу понять.

— Чего ты не можешь понять?

— Я не могу понять, как пистолет Колесника очутился у тебя в руках?! Как ты его убила?! Каким образом? Он совсем не такой законченный дурак, чтобы отдать тебе оружие добровольно!

— Я пистолет вытащила из кармана его пиджака.

Ничего не понимающий Лось заерзал на стуле.

— Как вытащила? Ты что, с ним боролась?

— Боролась, но только своим, женским методом.

— А что это за женский метод? Есть особые методы, которыми женщины борются с мужчинами?

— А ты и вправду не знаешь? — Я допила свой бокал и закинула ногу за ногу.

— Нет, — покачал головой Лось.

— Ну ты даешь! А мне всегда казалось, что ты опытный мужчина.

— Я, конечно, не мальчик, но все же не понимаю, о чем ты говоришь.

В голосе Лося мне послышалось раздражение оттого, что я вожу его за нос и он не может понять, что именно я имею в виду.

— Я предложила ему со мной трахнуться, и он с радостью согласился, — неожиданно вырвалось у меня. — Сам понимаешь, что красивая женщина действует на мужчину как красная тряпка на быка. У него ум за разум зашел, и в момент бурной страсти я вытащила у него пистолет.

Видимо, мои слова произвели на Лося сильное впечатление. Налив себе вторую порцию виски, он с жадностью выпил ее.

— Ты чего? — Я обеспокоенно смотрела на раскрасневшегося Лося. — Я что-то не то сказала?

— Ты сказала все правильно, — медленно начал приходить в себя Лось. — Я все правильно понял? Перед тем, как его убить, ты его трахнула?

— Не успела... — Я ответила совершенно откровенно.

— Не успела?!

— Нет. Не успела.

— А хотела?

— Не знаю. Все зависело от обстоятельств. Обстоятельства сложились так, что мне не пришлось этого делать. Я вытащила пистолет из кармана Колесника практически сразу, как только забралась к нему на колени.

— Ну, ты даешь...

Лицо Лося так исказилось, что мне показалось, будто я доставила ему невыносимую физическую боль.

— Что-то не так? — тихо спросила я.

— Все так. Просто нехорошо это...

— Что нехорошо? Сначала доставить человеку удовольствие, а затем взять и убить его?! До секса у нас не дошло, а так, только предпосылки. И вообще не нужно так на меня смотреть, словно сейчас начнешь поучать меня, что нехорошо сидеть на коленях у посторонних мужчин и обещать им горячительную порцию секса. Я не хочу знать, что такое хорошо, а что такое плохо. Я такая, какая есть, и совершенно не собираюсь меняться. И будь добр, принимай меня такой, какая я есть.

— Я всегда воспринимал тебя именно так.

В этот момент Лось встал со своего места и сел прямо передо мной на корточки.

— Ты поступила как женщина...

— А я и есть женщина! — В моем голосе вновь звучал вызов.

— А мне казалось, что в тебе уже ничего женского не осталось.

— Тебе показалось. И даже если бы я переспала с Колесником, сделала бы ему перед смертью добряк, это бы все равно никого не касалось.

Лось протянул ко мне руки и попытался обнять.

— Нет! — крикнула я и изо всей силы ударила его по рукам. — Нет!

Я не хотела, чтобы Лось приближался ко мне, потому что от одной этой мысли чувствовала себя уязвленной.

Он испугался.

— Саня я не хотел тебя обидеть, мне хотелось, чтобы ты вспомнила.

— Что? Что я должна вспомнить?

— Я хотел, чтобы ты вспомнила, как у нас было раньше.

— А что у нас было раньше?!

— Ты сама все знаешь!

— Не знаю и ничего не хочу вспоминать!

— Мне кажется, что ты меня боишься...

— Я?! С чего ты взял?!

— Ты боишься, что я к тебе прикоснусь. Ты боишься собственных чувств и того, что у нас с тобой было.

— Я тебя не боюсь... — Я чувствовала легкое опьянение и постаралась взять себя в руки. — Я вообще ничего не боюсь и не хочу ничего вспоминать. Да и вспоминать нечего. Ты не представляешь, как я была рада, когда почувствовала, что я от тебя свободна. Я просто освободилась. И никто и никогда не сможет забрать у меня эту свободу.

— Ты хочешь сказать, что никогда меня не любила? Я прекрасно знаю, почему мы расстались.

— Почему?!

— Мы расстались не потому, что нам было плохо друг с другом, а потому, что ты очень боялась своего брата. Ты его просто боялась. И мне кажется, что меня ты любила. Ты не могла меня не любить. Нам было так хорошо вместе.

Я немного смутилась, но тут же постаралась собрать в кулак всю свою волю.

— Во мне не умерли прошлые чувства. Их просто никогда не было. Настоящие чувства проявляются тогда, когда они стали частью всего моего существа. Самой светлой, лучшей и большой частью, но они не стали. Ни черта не стали. И вообще я устала. Хочу принять ванну и лечь спать. Уже очень поздно. У меня был непростой день. — Сказав последнюю фразу, я рассмеялась над ее смыслом и уточнила: — У меня был очень тяжелый день, — повторила я и добавила: — Я не каждый день таких, как Колесник, шлепаю.

Лось взял меня за руку и почти шепотом спросил:

— Сань, а ты сейчас спишь с кем-нибудь?

— Не понимаю вопроса.

— Я говорю, у тебя бывают близкие отношения или контакты с мужчиной?

— Что?!

— Мне показалось, что ты уже забыла, когда в последний раз занималась сексом. Это вредно для здоровья. Особенно для красивой молодой девушки в полном расцвете сил.

— Ты все сказал?

— Все.

— Тогда я хочу, чтобы ты зарубил себе на носу, что о своем здоровье я всегда позабочусь сама. — Прищурившись, я усмехнулась и спросила с издевкой: — А ты хочешь предложить мне секс? Ты предлагаешь мне свои услуги?!

— Я хочу предложить тебе свои чувства.

— Чувства?! Надо же, какие мы лиричные...

— И все-таки я предлагаю тебе свои чувства.

— Спасибо, но в мужских чувствах я сейчас не особенно нуждаюсь. А что касается секса, то я всегда могу себе кого-нибудь заказать. — Я встала, давая понять, что эта тема закрыта, и сказала усталым голосом: — Покажи мне, где я могу принять ванну.

— С ванной здесь напряженка, но есть душ. Душ ты действительно можешь принять.

— И на этом спасибо.

Вконец расстроенный Лось провел меня в душевую и принес махровый халат. Когда я вышла из душа, закутанная в длинный махровый халат, я застала его уже изрядно опьяневшим. Он допил начатую бутылку виски, а теперь старался не встречаться со мной глазами.

— Спальня справа по коридору, — пьяным голосом сказал он, не глядя в мою сторону. — Я тебе уже постелил. Спокойной ночи.

— Спокойной ночи. А ты почему не идешь спать?

— Не хочу. Бессонница.

— Лечишь ее тихим пьянством?

— Сегодня решил хорошенько выпить.

— А кто будет меня охранять?

— Не переживай. Я никогда в жизни не терял над собой контроль. Считай, что твоя охрана работает двадцать четыре часа в сутки и всегда находится в боевой готовности.

Я подошла к нему, покачала головой и неожиданно для себя самой почувствовала непонятную и щемящую жалость.

— Может, хватит пить?

— Иди спать. Я уже пожелал тебе спокойной ночи. Если ты не нуждаешься в моих чувствах и открыто смеешься, я могу тебе кого-нибудь заказать.

— Спасибо, с этим я сама разберусь.

— На здоровье. Если понадобится помощь в этом направлении, скажи. У меня здесь под рукой газета с различными объявлениями...

Я смотрела на пьяного Лося, и мне казалось, что внутри меня что-то умирает. Хотелось встать и убежать из комнаты, чтобы не видеть этого лица и не чувствовать перегара. Чем дольше я смотрела на Лося, тем больше меня била дрожь.

— Уходи, — с раздражением бросил Лось, посмотрев в мою сторону.

— А ты будешь пить?

— Я не хочу трезветь. Я не хочу возвращаться в ту жизнь, которой я жил в последнее время, и слушать те слова, которые ты мне говоришь. Я устал жить в одиночестве и вспоминать те времена, когда мы были вместе. Я не хочу просыпаться по утрам один в постели и слушать тишину в своей квартире. Я этого не хочу!

Отобрав у Лося почти пустую бутылку, я поставила ее на пол и, откровенно зевая, произнесла:

— Покажи мне, где спальня.

— Я тебе объяснил.

— А я хочу, чтобы ты объяснил мне еще раз.

— Как скажешь...

Лось встал, взял меня за руку и, как только мы зашли в спальню, тут же прижал к себе и несмело поцеловал в шею. Я не смогла его оттолкнуть и ощутила дрожь во всем теле. А затем наши губы слились в поцелуе и мы уже не могли разжать рук. Он провел руками по моим бедрам и скинул с меня халат.

— Господи, даже не верится, что прошло столько лет... Столько лет я не прикасался к твоему телу... Кажется, что это было вчера. Мы жутко боялись твоего брата, но, несмотря на опасность, занимались сексом при первой же возможности. Ты помнишь, как это было?

— Помню...

Я закрыла глаза и отдалась собственной страсти... Я двинулась ему навстречу, и внезапно окружающий меня мир исчез. Мое сердце забилось так быстро, что казалось, еще немного, и оно вырвется из грудной клетки. Его руки, как и тогда, несколько лет назад, были необычайно нежными и осторожными, и эти руки все возвращали и возвращали меня в прошлое... Мне уже не хотелось от него бежать.

— Саша, я тебя люблю... Все это время я тебя люблю... — Признание сорвалось с его губ, когда наши тела слились в единое целое и мы с головой окунулись в настоящий экстаз...

———————

Глава 5

Этим утром я почувствовала, что по-настоящему счастлива. Я открыла глаза и посмотрела на лежащего рядом со мной мужчину.

— Привет, — смущаясь, произнес Лось.

— Привет.

— Я вчера был, кажется, пьян. Ты прости меня.

— Ничего страшного. Все было прекрасно.

— Ты думаешь?

— Я в этом уверена.

— Тебе понравилась эта ночь?

— Она была восхитительной. Я уже давно не
чувствовала себя такой желанной.

— Правда?

— Что — правда?

— Тебе действительно было хорошо? — принялся пытать меня Лось.

— А с тобой разве может быть плохо? Ты просто супермужчина!

Лось взял мою руку, опустил глаза, словно про-
винившийся школьник.

— Саня...

— Что?

— Я даже не знаю, как тебе это сказать.

— Говори.

— Я хочу, чтобы ты вышла за меня замуж и родила мне ребенка.

— Что?

— Короче, я делаю тебе предложение, — окончательно смутился Лось.

— Ты хочешь на мне жениться?

— Ты даже не представляешь, как сильно я этого хочу. Ты не представляешь...

Прижав к груди подушку, я громко рассмеялась и почувствовала, как на глаза навернулись слезы.

— Ты, как истинный рыцарь, переспав со мной, решил жениться? — спросила я сквозь истеричный смех. — Чтобы брат не разозлился? Трахнул — и сразу в загс!

— Я и раньше с тобой спал. Это не первая наша ночь. А что касается рыцаря, то я всегда был при понятиях и всегда хотел с тобой жить. Я уверен, что тебе со мной будет по-настоящему хорошо и я смогу тебя осчастливить. Уверен. И не нужно говорить, что я боюсь твоего брата. Я его не боюсь и никогда не боялся. Я просто его уважаю. По-настоящему уважаю. — Лось посмотрел на меня, словно гипнотизер, и продолжил: — Со мной ты будешь просто женщиной, обыкновенной женщиной, которая будет заниматься чисто женскими делами и заботами.

— Обыкновенной женщиной?

— Ну да, — снова смутился Лось.

— Я не хочу быть обыкновенной женщиной и боюсь, что у меня ничего не получится. Я всегда была необыкновенной.

— Извини. Я, наверно, просто неправильно выразился.

— Ничего страшного. Просто меня никогда не привлекали обыкновенные женщины, обыкновенные мужчины, обыкновенные семьи, обыкновенные судьбы и вообще обыкновенная жизнь.

— Я завалю тебя красивыми платьями, осыплю розами, серьгами, кольцами. Я окружу тебя теплотой, любовью, заботой. Ты будешь путешествовать, наслаждаться жизнью и даже, если захочешь, просто ее прожигать, я никогда не откажу тебе в этом. Я не хочу, чтобы наши отношения оставались карточным домиком, который ты можешь разрушить в любой момент. Я этого не хочу! Ты единственная желанная женщина, которая у меня когда-либо была. Я больше не хочу тебя потерять.

— Ты так говоришь, будто, кроме меня, действительно никого не любил. Уж в это я не поверю.

— А я и не собираюсь от тебя что-нибудь скрывать. У меня было много женщин, но я никогда не знал любви. Ни до тебя, ни после. Я узнал ее только с тобой. Ты дала мне эту редкую возможность.

Я слушала эти слова и чувствовала — в них фальшь. Я понимала, что Лось не врет, у него есть огромнейшее желание превратить мою жизнь в сказку. Я вспомнила свою прошлую семейную жизнь, в которой не было ни радости, ни праздников, а только будни и которая, по своей сути, была огромным обманом со всеми вытекающими, унылыми и однообразными последствиями. Я обманулась в том, что смогу прожить с этим мужчиной всю жизнь.

— Игорь, сейчас не время говорить подобные вещи. — Этими резкими словами я хотела перебить мысли, которых сама боялась. — Сейчас не время.

— Но почему?

— Как ты можешь задавать подобный вопрос? Совсем недавно чуть было не убили моего брата, он сейчас в реанимации. Вчера я убила Колесника, и теперь неизвестно, какие будут последствия, а ты говоришь о замужестве! У меня столько проблем! Какое, к черту, замужество?!

— Все эти проблемы разрешимы.

— У меня брат в реанимации!

— Врачи надеются, что Женька будет в полном порядке.

— Дай бог, чтобы врачи не ошиблись. — Я взглянула на ужасно несчастного Лося и попыталась остудить свой пыл. — Игорь, твое предложение слишком не ко времени, пойми. Брат передал все дела мне, а я возьму и выйду замуж... Как это будет выглядеть? Ты предлагаешь мне счастливую семейную тихую жизнь, а при моей работе это невозможно! А если я рожу ребенка, что будет тогда? Что?!

— Ничего особенного.

— Как ничего? Ты хочешь сказать, что делами будет заправлять беременная баба или баба с крохотным ребенком на руках? Я буду отдавать указания своим ребятам, а в промежутках кормить ребенка грудью?! Ты вообще представляешь себе эту картинку?!

— Ты хочешь сказать, у тебя никогда не будет семьи? — окончательно сник Лось.

— Не знаю. Я еще об этом не думала. Криминальный мир — вот моя семья! Криминальный мир и мой брат.

— Но ведь все женщины мечтают о семьях.

— Пусть они и дальше мечтают. Я не все!

После того как я выкрикнула «Не все», Лось закрыл мой рот своей мощной ладонью и убежденно сказал:

— Все. О счастливой семье мечтают все. Ты просто не хочешь себе в этом признаться. По-моему, ты бежишь сама от себя. Если ты не сможешь заниматься делами, ими смогу заниматься я.

— Что ты имеешь в виду?

— Я сказал, что я во всем смогу тебе помогать. Если ты отойдешь от дел, ими смогу заниматься я.

— Ты хочешь занять мое место?! — опешила я.

— Я хочу, чтобы ты была счастливой женщиной.

— Я не верю в женское счастье!

— А зря. Я бы смог тебе его дать. Если ты не хочешь говорить на эту тему, я не буду настаивать. Но знай одно — я буду ждать тебя всю жизнь. Если придет момент и ты захочешь узнать, что такое женское счастье, можешь всегда рассчитывать на меня. Мое предложение будет в силе всю жизнь. Никогда не забывай об этом.

Лось взял меня за плечи и снова жадно притянул к себе. Простыня слетела с моего тела. Лось засмотрелся на мою грудь и принялся целовать соски. Я прикрыла глаза и попыталась убедить себя в том, что Лось прав, женское счастье есть, только я от него бегу, потому что не верю в долговечность. Слишком много вокруг одиноких женщин, которые когда-то отдали себя мужчине и в результате остались одни. Слишком много вокруг распавшихся, а некогда счастливых семей. После развода во мне что-то надломилось, что-то сломалось и что-то безвозвратно ушло. Слишком много было надежд и слишком много разочарований. Я долго шла к тому, к чему пришла сейчас, и не могу отдать все, что имею, в руки мужчине. Что это, женские страхи или трусость?

Чувствуя дикую страсть, я притянула Игоря к себе и принялась целовать. Он застонал, закрыл глаза и зашептал самые нежные и самые прекрасные слова, которых мне так не хватало все эти годы.

Я очнулась только тогда, когда во дворе кто-то громко посигналил, требуя хозяев дома выйти во двор. Отстранившись от Лося, я посмотрела на валявшуюся на полу одежду и произнесла испуганно:

— Кто это?

— Не знаю. Пацаны, по-моему, приехали. Больше некому.

— А почему без звонка?

— У меня, наверно, мобильник разрядился. Ой, черт! Так и есть — я вчера его не включил.

— Иди к ним! — быстро скомандовала я и накинула на себя простыню.

— А ты? — Лось вскочил с кровати и стал одеваться.

— Я оденусь и тогда выйду.

— Хорошо.

— И волосы поправь! — крикнула я ему вслед.

— Причесать, что ли?

— Причеши. У тебя пушинки на голове.

— Подумаешь, пушинки! Я же спал.

— Причешись, чтобы никто ничего не заметил.

— А кого мы боимся? — не понял меня Лось.

— Это я так, на всякий случай сказала...

— Хорошо. Ну, я пошел.

На улице раздался еще более громкий сигнал, и Лось направился к двери, но я не могла не сказать ему то, что тяготило меня сейчас больше всего:

— Игорь, смотри, никому...

— Ты о чем? — нахмурился он.

— Никто не должен знать, что у нас было.

— Ты за кого меня принимаешь? — В его надломившемся голосе послышалась обида. — Много лет назад уже было подобное, и до сих пор никто не догадывается. Можешь не переживать за свою репутацию, я никогда ее не уроню. Считай, что ты просто поправила свое здоровье, и все.

При слове «здоровье» Лось усмехнулся и вышел из комнаты. Как только за ним закрылась дверь, я стала быстро одеваться. Увидев валявшиеся под кроватью мужские трусы, сунула их под подушку.

— Вот придурок, штаны на голое тело надел.

Наведя последние штрихи перед зеркалом, я вышла в каминную комнату и поприветствовала приехавших парней.

— Саня, ты проснулась? — естественным тоном спросил меня Лось. — А я хотел тебя будить.

— Я услышала, как во дворе посигналили, и тут же вскочила.

Вован пододвинул мне стул и принялся оправдываться:

— Сашка, мы за тебя испереживались. Договорились созваниваться каждый час, оказалось, твой мобильник отключен, да и Лося тоже. Вы зачем их выключили? Сами без связи остались и нас на измену посадили.

— Я свой мобильник выключила сразу, как убила Колесника, — произнесла я ледяным голосом. — А ты, Лось, зачем свой телефон отключил?

— Он у меня разрядился, а подзарядка дома валяется. Сегодня заряжу.

Я сурово сдвинула брови и холодно произнесла:

— Такие мелочи могут нам дорого обойтись!

Я и сама не понимала, почему проявляла такую строгость к человеку, с которым совсем недавно лежала в одной кровати. Мне хотелось показать ребятам, что он ничем не выделяется из них и что у меня с ним нет никаких личных отношений. Лось почувствовал это и тут же вспылил:

— Я что, с подзарядкой в кармане должен бегать?!

— Хотя бы и так, — все так же холодно отвечала я.

— Она выпирать будет!

— Ну и пусть выпирает. Она ж у тебя сбоку будет выпирать, а не спереди.

— А если спереди?

— Тоже неплохо — это лишь подчеркнет твое мужское достоинство.

Лось злобно глянул в мою сторону:

— Мне зрительно увеличивать мужское достоинство незачем. Оно и так в полном порядке. Замучился уже от теток отмахиваться!

— Что, так тетки достали? И много теток?

— Хватает.

— Поздравляю. Но все твои оправдания не принимаются — твой телефон должен быть включен двадцать четыре часа в сутки. Сегодня мы без связи остались и пацаны не знали, что думать.

— А ты меня предупредила, что хлопнешь Колесника и мне придется ночевать в этом доме? Я до последнего думал, что буду спать в своей квартире.

— Ребята, да ладно вам, — вмешался Вован. — Ругаетесь, как маленькие. Просто мы все за вас переживали. Слава богу, что вы живы и здоровы. Давайте лучше говорить о делах.

— Давайте... — Я закинула ногу на ногу и осторожно глянула на Лося, который был жутко обижен и, закурив сигарету, демонстративно отвернулся от меня. — Лось, а тебя не интересуют наши дела? — спросила я жестко, хотя мысленно ненавидела себя за то, что обращаюсь подобным образом с человеком, который мне очень дорог.

— Я все внимательно слушаю, — начал терять терпение Лось.

— А почему ты тогда отвернулся?

— Потому что я курю и не хочу, чтобы в твою сторону шел дым.

— Надо же! Раньше ты так никогда не делал. Так сильно заботишься о моем здоровье?

— Конечно.

— Так сильно, как будто я беременная?

Уставший слушать наши пререкания Вован слегка закашлялся и посмотрел на нас непонимающими глазами.

— Ребята, да хватит вам, — не выдержал он наконец. — Вас вообще одних нельзя оставлять. Непонятно, какая кошка между вами пробежала. Санька, ты что, и вправду беременная?

Я почувствовала, как меня бросило в жар, и отчаянно замотала головой.

— С чего это я должна быть беременной? Ветром, что ли, надуло? Вы что все несете?! Сейчас вообще не знаю, до чего договоримся. Давайте лучше о делах.

— Вот это верно. Давайте о делах, — поддержал меня Вован и принялся отчитываться, что успел сделать.

Закончив, он внимательно посмотрел мне прямо в глаза.

— Саня... — Назвав мое имя, Вован снова замолчал.

— Что? — Я почувствовала, что что-то неладно, и занервничала. — Говори. Я уже черт-те сколько лет Саня. Ну говори, не молчи!

— Саня, я хотел тебя спросить...

— Спрашивай, мать твою!

— Это ты убила Колесника?

У меня перехватило дыхание.

— Я. А что, непохоже?

— Похоже.

— Почему ты задаешь мне этот вопрос? Думаешь, что у меня духу не хватило бы или я стрелять не умею?!

— Совсем нет. В этом я никогда не сомневался. Такой характер, как у тебя, еще поискать надо.

— Тогда в чем дело? — Я почувствовала, как меня снова зазнобило, и потеряла терпение. — Вован, да что ты молчишь?! Нахохлился, как хрен знает кто! Проверяешь мои нервы?! Хватит ходить вокруг да около.

— Извини. Просто вокруг этого убийства складывается какая-то непонятная ситуация. Сначала мне позвонил Глеб.

— А кто такой Глеб?

— Это правая рука Колесника.

— И что?

— Глеб предъявил нам настоящий ультиматум. Он потребовал, чтобы мы выдали тебя людям Колесника в течение двадцати четырех часов, иначе начнутся военные действия и нам несдобровать. Я сказал, что ты к убийству не имеешь никакого отношения, что оно случилось после твоего ухода, но он и слушать не захотел. Глеб далеко не дурак и этого не схавал.

— Гад этот Глеб, — перебила я Вована. — Гад. Он всегда на место Колесника метил. Это он видимость создает. Он меня благодарить должен за то, что я его освободила от его так называемого шефа. Уж кто-кто, а он в этой ситуации ничего не потерял, а только приобрел власть и деньги. Именно так, как он об этом мечтал. Это ему перед другими нужно делать вид, а в душе он несказанно рад.

— Да, но затем дело приняло совсем другой оборот. Вчера вечером Глеб позвонил и извинился.

— Извинился?! — не поверила я своим ушам. — Как? За что?

— Я и сам опешил. Извинился за то, что они подумали на тебя.

— Что подумали?

— То, что Колесника убила ты.

После этих слов на моем лбу выступил холодный пот и я мысленно попыталась призвать свой разум хоть к какой-нибудь логике.

— Глеб хочет сказать, что Колесника убила не я?

— Не ты, — скромно пожал плечами Вован.

— А кто?

— Киллер, который стоял за шторой.

Лось моментально среагировал, он затушил сигарету и повернулся ко мне. Услышанное так поразило его, что он забыл про все наши споры. Я истерично рассмеялась и повторила то, что произнес Вован:

— Киллер, стоявший за шторой... Так это же я сама придумала!

Вован вновь пожал плечами, почесал затылок и продолжил:

— Блин, я сам ничего не могу понять. Ты как в воду глядела, когда говорила про киллера. За шторой действительно стоял киллер.

— В ресторане, за шторой? Ты ничего не перепутал?

— Нет.

— Вот так просто стоял, а потом...

Нервно сжав кулаки, я посмотрела на Вована безумно уставшими глазами и потом растерянно развела руками.

— Ребята, я ничего не пойму. Меня что, кто-то подставить хочет?! Колесника убила я! Сама, лично, из его же оружия. Я отдала этот пистолет Лосю. Этот ствол принадлежит Колеснику. Я у него его хитростью отобрала. И пуля, которая была в этом стволе, находится в голове у Колесника. Любая экспертиза может это доказать. Лось, ствол, который я тебе отдала, у тебя?

— У меня, — кивнул Лось и продолжил: — Саня, только я что-то не пойму, ты кому и что именно собираешься доказывать?

— Вам всем! У меня такое впечатление, что вы мне не верите!

— Все пацаны тебе доверяют, и никто не сомневается в том, что это ты убила Колесника. Дай Вовану договорить, и тогда мы точно будем знать, от чего нам нужно отталкиваться и что предпринимать дальше.

— Да здесь и рассказывать особо нечего, — совсем смутился Вован. — Я уже и сам запутался, но, как я понимаю ситуацию, могу сказать одно: Сане больше ничего не угрожает, она может смело возвращаться к себе на квартиру или в дом, короче, куда захочет. Глеб точно перед нами извинялся и сказал, что киллера чуть было не взяли. Это был молодой мужчина. Он стоял за шторой и хотел уйти через черный ход, но в тот момент к ресторану подъехали менты. Он вытащил пистолет и бросился к черному входу. Люди Колесника хотели его остановить, устроили пальбу, но тому удалось уйти. При этом он ранил одного из людей Колесника и сам был ранен в плечо. У черного хода его ждала машина без номеров. Вот и вся ситуация. Теперь люди Колесника пытаются его найти. В конце концов, у него пуля в плече и он должен обязательно обратиться в какое-нибудь медицинское заведение за помощью... Не будет же он сам себе пулю доставать. Да и внешность его запомнили, несмотря на то что черная шапочка была натянута почти до глаз. Эту информацию нам выдал один из людей Колесника, который общается с нашими. Так что, Саня, я еще раз повторяю: тебе больше ничего не угрожает.

Когда Вован замолчал, я стала нервно ходить по

110

комнате. У меня голова шла кругом. И все же я пыталась привести мысли в порядок.

— Получается так... — принялась я рассуждать вслух. — Получается, что не только я хотела убить Колесника. Его заказал кто-то еще... Конечно, Колесник перешел дорогу не только нам. Всю свою недолгую жизнь он был в полном дерьме и ссорился со всеми, кто хотя бы просто не так посмотрел в его сторону. Врагов у него было намного больше, чем друзей. У Колесника были проблемы и с наркотиками, он умудрялся конфликтовать даже с мелкими торговцами — брал нужные дозы и всегда забывал за них заплатить. У него были огромные карточные долги и крупные долги в казино. Этот человек просто оброс врагами и теми, кто испытывал к нему неприязнь. Кто угодно мог его заказать, даже собственная жена.

— Жена? — по-мальчишески удивился Лось.

— Представь себе, даже жена. Ты удивляешься, как будто в первый раз слышишь о том, что жены заказывают собственных мужей. Тем более если муж конченый наркоман, бабник, деспот и занимается криминальными делами. Какой женщине не захочется освободиться от такого малоприятного типа и зажить нормальной, полноценной жизнью? Так что Колесника мог заказать кто угодно. Жена, друзья, враги... Получается, что, когда я разговаривала с Колесником в ресторане, киллер уже стоял за шторой. Он пришел намного раньше, чем мы. Он нас уже ждал, а следовательно, заранее знал об этой встрече. Видимо, Колесник поделился своими планами на день, а поделиться он мог с кем угодно. И тут такой непредусмотренный вариант: я сама убиваю

Колесника и ухожу из ресторана. Это не входило в планы киллера. Видимо, он растерялся и не успел покинуть ресторан — кто-то сразу вошел в зал и не дал ему этого сделать. Началась паника. Все это время киллер стоял за шторой. У него просто не было возможности уйти, но, когда он услышал, что уже на подходе милиция, нервы не выдержали и он рискнул уйти. Кстати, человек может пострадать ни за что. Просто за то, что постоял за шторой. И даже если его найдут, он никогда не докажет свою невиновность. Значит, с меня обвинения сняты и мне опасаться больше нечего.

— Поздравляю, — захлопал в ладоши Лось.

— Спасибо!

Но вдруг Лось перестал хлопать и остановил на мне задумчивый взгляд. Такая резкая перемена его поведения не могла не удивить.

— Лось, что-то не так? — забеспокоилась я.

— У меня, кажется, есть подозрение...

— Говори.

— А вдруг ничего этого не было?

— В смысле?

— В смысле того, что, может, и не было никакого киллера. Может, этот Глеб все нарочно придумал.

— Что значит — нарочно? — совершенно не поняла я Лося.

— А для того, чтобы мы потеряли бдительность и ты вышла из укрытия. Короче, для того, чтобы тебя хлопнуть без особых забот.

— Ты хочешь сказать, как только я вернусь к себе домой и расслаблюсь, со мной сразу расправятся? Ты это хочешь сказать?

— Это мое предположение. Глеб мог повести нас

112

по ложному следу, чтобы мы потеряли бдительность.

В разговор влез Вован:

— Лось, я так не считаю.. Эту историю я слышал не только от Глеба, но и от других людей. Это люди все взрослые, при понятиях и откровенным враньем не занимаются. Они сейчас заняты поисками этого киллера, бросили на это все свои силы.

— Значит, мне повезло. Все обвинения сняты. Прямо фантастика какая-то! Мне нынче подфартило!

Я обвела мужчин счастливым взглядом и подарила им свою шикарную улыбку.

— Я получила моральное удовлетворение и отомстила за брата! Я это сделала! И мне за это ничего не будет! Я возвращаюсь домой! Черт побери, я возвращаюсь домой!

————————

Глава 6

Я и не удивилась тому, что вновь оказалась в одной машине с Лосем, который старался даже не смотреть в мою сторону.

— Тебя куда? — с деланным безразличием в голосе спросил он и закурил сигарету.

— Я бы хотела заехать к подруге.

— Ты хочешь, чтобы с тобой был я или пусть едет кто-нибудь из ребят?

— Ты на меня обижен? — спросила я.

— На обиженных воду возят, — все с тем же безразличием ответил Лось и посмотрел на часы. — За что я могу обижаться? Я от всей души сделал тебе предложение, а ты культурно мне отказала. Это твое право. Ты к Ритке собралась?

— К ней.

— Тогда я тебя отвезу, а у подъезда тебя будет ждать машина с нашими ребятами.

— Поедешь заряжать телефон?

— Сегодня от тебя таких бобов получил...

— Извини, если обидела, — сказала я.

— Все нормально. Я и в самом деле перед тобой виноват. Оставил нас без связи.

Когда мы подъехали к подъезду моей подруги детства, я коснулась небритой щеки Лося влажны-

114

ми губами и вдохнула аромат его умопомрачительного одеколона.

— У тебя такой одеколон приятный.

— Обыкновенный одеколон, — слегка растерялся он.

— Странно как-то, подзарядку с собой не берешь, а одеколон не забываешь.

— Да одеколон у меня в машине валяется постоянно. Это я сейчас его открыл, перед тем как ты в нее села. Хотелось, чтобы в машине пахло прилично.

Я улыбнулась и обвила массивную шею Лося своими руками.

— А сам зачем надушился?

— Я уже сказал тебе, чтобы пахло прилично, — окончательно растерялся Лось.

— А мне кажется, ты просто хочешь мне понравиться.

— Я уже ничего не хочу. — Лось опустил глаза и заметно занервничал.

— Вообще ничего?

— Вообще ничего.

— И меня ты тоже не хочешь?

— Не хочу.

— Не ври. Я чувствую, как ты меня хочешь. От тебя исходит невероятная энергетика.

— Что от меня идет?

— Сексуальная энергетика.

— Саня, прекрати надо мной издеваться! Ты посмеяться решила? — обиделся Лось. — Скажи, посмеяться? Знаешь, над чувствами нехорошо смеяться. Даже очень нехорошо. Я, пожалуй, вот что, наверно, сделаю...

— Что?

— Я женюсь.

— Что?

— Женюсь, чтобы ты перестала шутить над моими чувствами. Женюсь, чтобы побыстрее тебя забыть.

— Ты всерьез?

— А почему бы и нет? Мне уже давно пора семью заводить, а с тобой каши не сваришь. Я человек приземленный, совсем не такой, как ты. Мне семья нужна. Наследник или наследница. Я после себя что-то оставить должен.

— У тебя есть кандидатура? — Я прекрасно понимала, что Лось говорит мне все это только для того, чтобы позлить меня, но, несмотря на это, чувствовала настоящую раздирающую ревность.

— Кандидатура в наше время не проблема, тем более что я мужчина видный.

— А помнится, еще вчера вечером ты говорил мне, что будешь ждать меня всю жизнь, что твое предложение остается в силе на всю жизнь. Говорил так или не говорил?

— Говорил, — кивнул Лось. — Но я мужчина, и у меня есть чувство собственного достоинства.

— А я и не трогаю это твое достоинство, — обиженно хмыкнула я и ощутила какую-то внутреннюю пустоту. — Разве что только вчера ночью немного потрогала...

Лось никак не отреагировал на мой юмор, притормозил рядом с домом моей подруги и помог мне выйти из машины. Когда мы шли рядом, я вдруг подумала, что бессмысленно сопротивляться чувствам, которые я испытываю к этому мужчине.

116

Бессмысленно и бесполезно, потому что, как бы я ни гнала от себя эти мысли, мы были жертвами одной судьбы и крутились в одном круге. Его мужская сила сделала свое дело, и будто вихревой поток понес нас друг к другу. Возможно, та встреча с Лосем, которая произошла много лет назад благодаря моему брату, была фатальной. В глубине души я понимала, что либо этот мужчина станет моей погибелью, либо он по-настоящему меня осчастливит. Все эти годы после нашего расставания мы мысленно шли навстречу друг другу, хотя и держали это в тайне. Жажда встреч, постоянные мысли о прошлом, целое море взглядов, которые мы бросали друг на друга... Все это сделало свое дело. Значит, вчерашняя ночь была далеко не случайной, а связана со всем, что происходило с нами в последнее время.

Мысли об этом заставили меня взять Лося за руку и посильнее ее сжать. Вся моя наигранная строгость, все мое показное безразличие не имели под собой реальной почвы и были мне уже в тягость. Я очень хотела прекратить лгать самой себе, но мне трудно было это сделать. Я боялась дать слабину, но понимала, что обязательно к этому приду, потому что этот мужчина мне близок и уже давно дорог. Его чувственная притягательность была безусловной и действовала на окружающих, словно магнит. Мы были людьми жестокого криминального мира, который диктовал нам свои условия и подчинял своим правилам, но это колдовское взаимное влечение выводило нас за рамки этих правил и заставляло не страшиться того, что творилось внутри нас.

Поднявшись вместе со мной на нужный этаж, Лось нажал на звонок и после того, как Рита открыла мне дверь, поспешил со мной распрощаться.

— Я сейчас позвоню Вовану, чтобы машина с кем-нибудь из ребят ждала тебя у дома.

— А ты? — спросила я.

— Что — я?

— Чем будешь заниматься ты?

— Я... Не знаю. Наверное, поеду домой и поставлю свой телефон на подзарядку, — как-то грустно улыбнулся Лось.

— А ты будешь по мне скучать?

— Зачем тебе это?

— Просто хотела бы знать.

— Ты же знаешь, что если я буду тебе необходим, то ты мне позвонишь и я приеду по первому же требованию.

— А если я просто соскучусь? Я могу позвонить?

— Можешь мне звонить в любое время суток. Зачем ты спрашиваешь?

Я не нашла, что ответить, а Лось и не ждал ответа. Он развернулся и пошел по лестнице вниз. Закрыв за ним дверь, я посмотрела на растроганную подругу и выдавила из себя улыбку:

— Рита, привет! Черт знает сколько времени тебя не видела. Ты что такая грустная?

— Увидела, как по тебе мужик сохнет. Красивый мужик. Я б за такого полжизни отдала.

— Еще чего не хватало — за мужиков свои жизни раскидывать. Поверь мне, ни один мужик этого не стоит! Ни один! Даже одного дня, подаренного тебе свыше, не стоит, а ты говоришь про жизнь!

Мы с Риткой обнялись. Я любила свою подругу, несмотря на то что мы жили в разных жизненных измерениях, которые практически не соприкасались, но все же довольно часто виделись. Скромная, даже, можно сказать, старомодная девушка Рита, с которой мы просидели десять лет за одной школьной партой, далеко не с первого раза поступила в свой обожаемый медицинский институт, а теперь усиленно готовилась к защите диплома, который должен быть обязательно красным, потому что в усидчивости, трудолюбии и целеустремленности моей подруге не было равных. Я же никогда не отличалась хорошими отметками в школе, разве что по физкультуре, и не мечтала об институте, поэтому не бредила о красном дипломе. Несмотря на то что мы были совершенно разные, мы очень дорожили нашей дружбой. Рита никогда не любила тот мир, в котором крутилась я, и желала мне совсем другой участи, но я приняла свое решение и никто не мог на него повлиять. Я приезжала к Ритке и словно возвращалась в свое прошлое, где было тихо и спокойно, тепло и уютно, светло и по-своему празднично. Я возвращалась в обычную жизнь, где никогда не была лидером, где пахло борщом или Риткиными пирожками, где меня ждала милая девушка в больших толстых очках, просиживающая за конспектами и учебниками массу времени.

— Ритуль, у тебя, как всегда, чем-то вкусненьким пахнет... — Я повела носом и блаженно закатила глаза.

— Да я тут рассольник сварила...

— Ну ты даешь!

— Горячий еще. — Рита заметно смутилась и покраснела.

— И кому ты только готовишь? Я бы себе ничего не стала готовить. Если только для кого-то.

— А я не одна. У меня гость. — Рита смутилась еще больше и виновато опустила глаза.

— Я не вовремя? Хочешь, заеду к тебе в следующий раз? У меня столько неприятностей... Я хотела немного душу отвести, забыться, что ли. А ты сразу бы сказала, что не одна. Я бы тебя сразу поняла.

— Сашка, ну о чем ты говоришь! Ты же знаешь, что я тебе всегда рада. В любое время дня и ночи. Только я хочу, чтобы ты меня правильно поняла, чтобы ты нормально это восприняла. Для меня очень важно твое мнение, и я меньше всего на свете хочу тебя хоть чем-то обидеть.

— Рит, я не понимаю, о чем ты.

Не выпуская моей руки, Рита повела меня на кухню, где я увидела своего бывшего мужа, который сидел за кухонным столом и ел рассольник. Увидев меня, он испуганно кивнул мне и растерянно сказал:

— Здрасте.

— Здрасте, — от неожиданности буркнула я и посмотрела на уже опустевшую тарелку с рассольником. — Рассольник кушаешь? — как-то глупо поинтересовалась я и отпустила руку Ритки.

— Ем.

— Вкусно?

— Очень.

— Тогда наяривай. Ритка тебе добавки даст. Я таких никогда не готовила.

— Ты вообще ничего не могла приготовить, — начал приходить в себя мой бывший муж.

— Да я и сейчас не научилась.

— А что так?

— Некогда мне. Работы много.

— Говорят, у тебя работа тяжелая. — С каждой фразой мой бывший муж оживал прямо на глазах, но все же испуг не покидал его.

— Легкой работы вообще не бывает. А у меня работа самой большой степени тяжести, так что ты от меня правильно сбежал. Я бы тебя так никогда не кормила.

— Во-первых, я от тебя не сбежал, ты меня сама выставила, вернее, создала все условия, чтобы я побыстрее тебя покинул и никогда не жалел об этом. Во-вторых, меня не нужно кормить. Я устроился на хорошую высокооплачиваемую работу.

Слегка побледневшая Ритка не смогла не встрять в разговор и не высказать свои переживания по этому поводу:

— Ребята, если вы друг другу неприятны, вы мне обязательно скажите. Я и сама не знаю, как сегодня получилось. Я не рассчитывала, что вы здесь встретитесь. Саша, пойдем в другую комнату.

Я уже окончательно пришла в себя и решила не огорчать подругу.

— Зачем? Ты хочешь сказать, что одному из нас нужно уйти? Не вижу в этом большой необходимости. Я не видела своего бывшего мужа несколько лет и в честь такого случая я могу сесть с ним за один стол и съесть тарелку твоего вкусного рассольника.

— Правда? — Ритка заметно обрадовалась и,

чтобы убедиться, что я не шучу, спросила еще раз: — Сань, ты правда будешь рассольник?

— Буду.

— А ничего, если Артем здесь посидит?

— Пусть сидит. Я его двигать не собираюсь. Я с другой стороны сяду. Ты вообще чего так разволновалась? Думаешь, с претензиями приставать буду или скандал устрою? Да я с этим человеком черт знает сколько лет не живу! И если я с ним когда-то была в браке, это не значит, что он на всю жизнь остался моим крепостным.

От моих последних слов бывший муж выронил ложку и заерзал.

— Ну вот и замечательно, вот и прекрасно, — защебетала Ритка. — Я просто боялась, вдруг ты еще подумаешь чего. Поймешь неправильно. А ведь мы подруги и обижать друг друга не должны.

— Ритка, остынь. Все нормально. Мужик неплохой, терпеливый, чистоплотный. Душ регулярно принимает, свое нижнее белье всегда сам стирает. У нас с ним по этому поводу скандал всего один раз был. Он в тазике носки вместе с трусами замочил и под ванну поставил. А потом про них просто забыл. Сама понимаешь, что из этого приключилось. Я через несколько дней чуть от запаха не упала. Жалко, в доме противогаза не было. Но это было всего один раз. Я ему за это хорошенько вставила. А так все постирушки всегда на его совести были, — принялась я нахваливать бывшего мужа. — Средствами личной гигиены пользуется регулярно. В еде неприхотлив. Мы с ним бедненько жили, экономили на всем — что можно и чего нельзя. Бывало, я ему макароны отварю, маргарина просроченного кину, он все слопает и даже ничего не прочувствует. Одним словом, метет все, что видит. Гвоздь прибить или еще что-нибудь в этом духе — он всегда мастер. По хозяйству с ним тоже проблем не было. Выгуливать его часто не нужно. Даже если одного на улицу отпустишь, все равно обратно вернется. В чужие руки не пойдет. Даже если кто-то косточку покажет, с чужих рук не возьмет. Насчет прививок... Я его медицинскую карту давно не видела, но думаю, что привит по полной программе. Из болезней в детстве ветрянкой болел. Мне его матушка показывала фотографию, где он зеленкой по самые уши был разрисован. Да... Ты ему уши береги. Ему если ветром надует, то это труба. Он тебя своими ушами изведет. Устанешь греть. Будешь над ним с синей лампой сидеть до одурения. Так что, чтобы он тебя не доставал и не канючил, надевай на него шапку даже летом. А ежели не захочет, то натолкай ему туда ваты побольше. То, что не будет слышать, это ерунда. Главное, чтобы хорошо видел, а слышать не обязательно. И еще. Если на улицу выпускаешь, хоть ненадолго, одевай все старенькое, потому что очень сильно пачкается. Я ему один раз чистенькие штанишки надела, так он их все грязью запачкал. Где-то споткнулся, упал и пришел с дырками на коленях. Пришлось латки ставить. Ты лучше на улицу сама его выводи. Сядь на лавочке, возьми книжку и наблюдай, как он по двору бегает.

— Хватит! Хватит! Хватит! — Мой бывший муж бросил в мою сторону гневный взгляд и со всей силы ударил кулаком по столу. — Хватит говорить обо мне как о собаке! Рита, теперь ты видишь, как мне было страшно жить с этим чудовищем. На второй месяц семейной жизни на моей голове появились седые волосы!

— Артемушка, не нужно по столу стучать, — не на шутку перепугалась Рита. — Он и так почти на трех ножках стоит, четвертая еле держится.

— Починит, — попыталась я успокоить подругу. — А иначе на кой черт мужик в доме. Ты, Рита, не стесняйся, ежели что не так, суй ему молоток в зубы, и полный вперед! Гвоздей на шею повесь целую баночку. А что касается седых волос, так это все ерунда, у него перхоть была. Я ее различными шампунями вылечила. Налью на волосы шампуня от перхоти и заставляю сидеть в ванне по пять минут, чтобы все впиталось. Так что после того, как ты его помоешь, обязательно обследуй. Если обнаружишь перхоть, смело обрабатывай голову. Полный вперед!

— Я не собака! — в сердцах выкрикнул Артем и посмотрел на Риту беспомощным взглядом.

Обеспокоенная подруга захлопала глазами и, взяв половник, прижала его к груди, не зная, как лучше сгладить ситуацию.

— Прекрати лаять и доедай свой рассольник, — сквозь зубы процедила я и села на свободный стул. — Съешь, и тебе добавки нальют.

— Рита, я ухожу! — Мой бывший супруг попытался встать, но я одним взглядом пригвоздила его к месту:

— Сиди!

— А я не хочу тебя слушать!

— Не слушай и ешь свой гребаный суп!

— Это не суп, а рассольник, — чуть не плача, произнесла Рита.

— Какая разница. Суп, рассольник... Вода, одним словом, с картошкой. Ритуля, ладно, я больше твоего мужичка трогать не буду. Он меня еще в семейной жизни достал.

— Смотря кто кого достал, — поправил меня разъяренный Артем.

— Может, и так...

— Ребята, ну что вы как дети маленькие. Если бы я могла предположить, что вы здесь встретитесь...

— Ладно, проехали, — оборвала я ее. — Буду себя вести смирно. Наливай свой суп, вернее, рассольник. И сама садись. Посидим, пообедаем по-домашнему. Не чужие все-таки. Я с тобой со школьной скамьи дружу, а с этим товарищем даже пожила немного. Хоть немного, но пожила.

Обрадованная Ритка тут же подала мне тарелку с рассольником и села рядом с Артемом. Съев пару ложек, я не могла не похвалить свою подругу:

— Вкусно, Ритульчик. У тебя всегда все вкусно. — Затем посмотрела на своего бывшего мужа и погрозила ему пальцем: — Смотри! Тебе такая женщина досталась. Какие рассольники варит! Чтоб берег ее как зеницу ока и на диване поменьше лежал.

— Я на диване вообще не лежу, — язвительно произнес бывший муж. — Я на хорошей работе работаю и получаю неплохо.

— Вот и держись за свою работу! — снова вспылила я. — Смотри, чтобы тебя с этой работы не погнали.

— А с чего меня гнать?

— Мало ли с чего. Я же сделала вывод, что ты

плохой муж, а они могут сделать вывод, что ты плохой работник. Всякое может быть. Так что работай в полную силу, не покладая рук, чтобы тебя по карьерной лестнице двигали и двигали!

— Я не карьерист!

— Мужик должен быть карьеристом. Он должен перед собой нереальные цели ставить и приступом их брать.

— Я человек реальный, приземленный, и нереальные цели мне не нужны.

— Сань, да у него с работой все нормально, — постаралась успокоить меня Ритка. — Артему сейчас должность хорошую дали. Он очень старается.

— Смотри, чтобы он у тебя не разбаловался. Мужика знаешь как быстро избаловать можно, в два счета! Мужик он и есть мужик. С ним нужно построже, чтобы все команды знал и четко их выполнял. Выбери удобное время для дрессировки и четко следуй инструкциям. И не закармливай, пожалуйста, а то быстро начнет вес набирать. Куда ты ему столько рассольника набухала?! У него прямо глаза осоловелые, чумные какие-то.

— Какие глаза? — отодвинул от себя пустую тарелку Артем.

— Зажратые глаза, вот какие! Словно ты обожрался и жить тебе дальше неинтересно.

— Что?

— Что слышал! Я когда сюда зашла и тебя увидела, знаешь, что мне первым делом захотелось? Какая была моя первая реакция?

— Не знаю и знать не хочу! — заявил Артем.

— А я тебе скажу. Когда я тебя увидела, мне сразу захотелось зарубить тебя на мясо.

— Что?!

— Что слышал! Из тебя можно черт знает сколько котлет накрутить и раздать их бедным! Такая туша беспонтовая и бестолковая ходит!

— Ну, это уж слишком! — Артем вскочил и направился в большую комнату. — Рита, я с этой придурочной не могу находиться ближе чем на расстоянии километра. Я это понял сразу, как только прожил с ней несколько дней. Я пока в соседней комнате газеты почитаю. Вообще не понимаю, что у вас может быть общего. В голове не укладывается. Перспективный врач, будущее светило нашей медицины, и атаманша, заправляющая отморозками! Что это за дружба такая?! Как у вас темы общие для разговоров находятся?! Что вас может связывать?! Это равносильно тому, что я бы с каким-нибудь вором в законе по вечерам чай с печеньем пил и беседовал о том, сколько народу он положил на прошлой неделе.

Когда мой бывший муж исчез из поля зрения, я все же не удержалась и крикнула ему вслед:

— И не поймешь! Чтобы хоть что-нибудь понимать, нужно иметь мозги, а у тебя их нет!

— У меня с мозгами полный порядок, — послышался все тот же возбужденный голос Артема. — Это ты все мозги со своими отморозками прострелял!

— А за придурочную ты ответишь!

— А я твоих головорезов не боюсь, — донеслось из зала. — Прежде чем других осуждать, на себя бы посмотрела. Была на девушку похожа, а затем всякими подонками обзавелась и стала бандиткой. Смотреть тошно! На тебя уже ни один нормальный мужик не засмотрится. Ты, наверно, с автоматом по улице ходишь. У тебя даже замашки мужицкие!

— А за подонков ты тоже ответишь!

— Пожалуйста! Обязательно скажи своим головорезам, чтобы они меня где-нибудь закопали.

После этих слов мой бывший муж закрыл дверь в спальню, показав, что разговор закончен и продолжения больше не будет.

— Обязательно скажу! Идиот. Как хорошо, что я столько лет назад тебя раскусила, а то сейчас была бы похожа на загнанную лошадь с огромными авоськами, больным сердцем и несчастной душой.

Я посмотрела на Риту, в глазах ее стояли слезы.

— Рита, чем я тебя так расстроила?

Рита тут же достала платок и промокнула слезы.

— Я не хотела, чтобы вы с ним ссорились, — вздохнула подруга. — Сань, а ты что, и вправду скажешь своим головорезам, чтобы они Артема убили?

— Рит, да ладно тебе. На фиг он мне сдался! Пусть живет. Больно надо из-за какого-то идиота грех на душу брать... — Неожиданно я замолчала и посмотрела на Риту пристально: — Ритуль, а откуда он вообще взялся? Почему он так свободно по твоей квартире передвигается? Газеты читает, дверьми хлопает? Чего это ты ему пенделя не даешь?

— Потому что мы любим друг друга, — с трудом выдавила из себя Рита.

— Что, правда?

— Правда. Мы к свадьбе готовимся. Я не знала, как найти удобный момент для того, чтобы тебе об этом сказать. Не оскорбляй его. Он мой будущий муж. Он очень хороший человек, просто у вас не сложилось.

Я придвинулась к подруге поближе и недоверчиво спросила:

— А тебе он и вправду нравится?

— Я его люблю.

— Ты считаешь, он может быть нормальным мужем? Ты хочешь сказать, что с ним можно жить?

— Конечно. Такие мужчины на вес золота. Мне с ним просто повезло. Этот мужчина хорошо знает, как сделать женщину счастливой.

— Ты так думаешь? А вот моя жизнь с ним была такой несчастной и такой утомительной.

— С каждой женщиной мужчина бывает разным. Просто вы не подходите друг другу. Вы не две половинки одного целого.

— А ты веришь в половинки?

— Конечно. Я уже свою нашла. — Рита широко улыбнулась и поправила упавшие на глаза волосы. — По идее ты должна быть свидетельницей на моей свадьбе, как моя лучшая подруга, но, сама понимаешь, это невозможно. Артем будет категорически против, да и ты будешь не в восторге от этого.

— Свидетельницей на свадьбе своего бывшего мужа? — Я уставилась на Ритку, как смотрят на привидение.

— Я бы этого очень хотела, но это невозможно. — Подруга снова вздохнула. — Если сегодня ваша встреча произошла таким образом, лучше не испытывать судьбу и не делать неверного шага. Сань, скажи, ты за меня рада?

— Даже не знаю... Может, по рюмочке за такое дело?

— Давай по рюмочке, — обрадовалась Рита и достала коньяк. Взяв свою рюмку в руки, она посмотрела на меня испытывающим взглядом и осторожно спросила: — Сань, а ты на меня и правда не злишься?

— За что? — не поняла я.

— За то, что Артем теперь мой.

— Нет, — замотала я головой. — С чего бы это я на тебя злилась?!

— Ты за меня рада? Ты мне не ответила.

— Я даже не знаю... У меня голова пошла кругом. Рит, мы же с тобой в расцвете лет. Что, совсем мужиков не осталось?

— Мужиков полно... — Теперь уже Рита не поняла меня.

— Я имею в виду нормальных мужиков.

— Да и нормальных полно, но мне никто, кроме Артема, не нужен.

— А поприличнее не было?

— По-твоему, мой Артем не приличный? То, что ты сейчас про него говорила, я даже не хочу брать во внимание. Это ваше с ним личное. К сожалению, в нашем обществе люди не могут расставаться цивилизованно, не причинив друг другу боли. Артем меня действительно любит, мечтает, чтобы я родила от него ребенка, устроился на хорошую работу. В нашей семье будет достаток.

— Странно, почему он при мне не работал?

— Видимо, у него тогда была не самая лучшая полоса в жизни.

— Ты хочешь сказать, что я была причиной его бед?

— Не знаю, да и зачем вспоминать о прошлом.

У вас был болезненный развод. Все было на моих глазах. Я прекрасно помню, как ты мучилась. Ты же сама знаешь, что там, где прочно, не рвется. Если у вас порвалось, значит, не было прочно. Вы ведь никогда не жили нормально, а всегда как кошка с собакой. Ваше расставание ты пережила совсем не так, как переживают при потере любимого человека, а как удар по самолюбию и по твоей гордости. — Рита замолчала и опустила глаза. — Саня, мне нужно, чтобы ты сказала, что не держишь на меня зла, и пожелала мне счастливой семейной жизни. Мне нужно что-то типа твоего благословения. Ты не представляешь, как мне это нужно.

Кивнув, я взяла подругу за руку и тихо произнесла:

— Рита, я, конечно же, рада тому, что ты выходишь замуж, и, несмотря на то что этот человек является моим бывшим мужем, от души желаю тебе настоящего женского счастья. — Затем не выдержала торжественного тона и добавила с юмором: — А если этот гад не сможет тебя осчастливить, то мои ребята закопают его в глухом месте и он не будет тебе мешать.

———

Глава 7

Не знаю, услышал ли мою последнюю фразу мой бывший муж, но дверь в зал распахнулась и на пороге появился Артем. Обведя нас крайне недовольным взглядом, он демонстративно посмотрел на часы и, не обращая на меня никакого внимания, деловито сказал:

— Ритуля, мне пора на работу. Проводи, пожалуйста, своего будущего мужа до входной двери. Приду не поздно. Предлагаю вечером где-нибудь погулять.

— У тебя же до окончания обеда еще есть время!

— У нас сегодня малоприятная гостья, — заявил он. — Если бы я знал, что она сюда пожалует, я бы вообще на обед не приходил.

— Вот и правильно! — одобрила я моего бывшего мужа. — Не фига грузить Ритку своим желудком.

— Чем? — не понял меня Артем.

— Желудком! — тут же пояснила ему я. — Он у тебя безразмерный.

— Желудком?!

— Желудком! Я, по-моему, ясно выразилась. Мне кажется, тебе его нужно ушить. Сейчас подобные операции везде делают. Или капсулу проглотить, чтобы жрать меньше хотелось. Нормальные мужики на работе обедают. А ежели на работе обедать негде или ты еще на эти обеды не заработал, термос с собой бери, бутерброды. Хавай по своему усмотрению. Сейчас хавчик найти не проблема, только подругу мою не грузи.

— Да у него работа рядом, — заступилась за Артема Ритка. — Зачем ему на работе обедать, если дом рядом? Тем более дома все вкусное и свежее. А в столовой не пойми чего положить могут. Да мне это не тяжело. Мне счастье покормить любимого мужа чем-нибудь вкусненьким.

— Значит, он специально работу рядом с домом искал, чтобы грузить тебя по полной программе. Видимо, ему совсем не важно, какая работа, самое главное, чтобы кормушка была поближе.

— Да нет же! Это совпадение просто, — отчаянно заступалась за своего жениха Ритка.

— Ты из института приезжаешь ему обед разогревать?

— Нет. Когда меня нет, Артем где-нибудь перекусывает.

Видимо, у Артема окончательно сдали нервы, и он влез в наш разговор.

— Рита, что ты перед ней отчитываешься?! — взорвался он. — Я не пойму! Это наша семья, и в своих проблемах мы разберемся сами. Ее они совершенно не касаются. Я больше не хочу терпеть ее общество. Мне пора на работу.

— Между прочим, с этой малоприятной дамой ты жил под одной крышей, и не один день. Ел, спал, сидел у нее в туалете, — вновь встряла я в разговор. — И в то время она была для тебя совсем не малоприятной.

Но Артем не обратил на мои слова никакого внимания и, даже не взглянув в мою сторону, обратился к Рите:

— Ты не забыла? Вечером пойдем с тобой погулять.

— Правда? — обрадовалась Ритка и, встав со своего места, чмокнула его в щеку. — Может, чай на дорожку?

— Боюсь, что у меня уже нет времени, да и общество не то, чтобы распивать чаи. Чаепитие должно проходить за приятным разговором и в приятной компании, у нас, к сожалению, таковой нет, поэтому я ухожу зарабатывать деньги.

— Рит, пусть он лучше тебя в ресторан вечером ведет. Раскошелится и поведет. Что значит погулять? Здоровый лоб, а все гуляет. Ты эту лавочку ему прикрой. Не май месяц. На улице снег лежит, а он погулять поведет. Чего задницу-то морозить, если можно посидеть в приличном месте и хорошую музыку послушать?! Ты эти гулянки прекрати. Должен уже давно нагуляться. Такая лбина, а все на улице гуляет!

К моему удивлению, бывший муж никак не отреагировал на мои слова, наклонился к Рите и поцеловал ее в щеку.

— Все, любимая. Меня нет. Работа прежде всего. — Сказав это, Артем многозначительно посмотрел в мою сторону и с видом настоящего победителя двинул речь, которой решил, наверное, окончательно меня добить: — Рита, такую женщину, как ты, нужно баловать и баловать. Для такой я готов горы свернуть и бросить весь мир к ногам. Таких женщин нужно боготворить, и я готов доказать это не только словами. Я буду землю рыть, но тебя обеспечу!

Возможно, я бы смогла спокойно отреагировать на его тираду, но, перед тем как уйти, Артем принял чересчур важный вид, и я решила его остудить. Встав со своего места, я оперлась о стену и поставила одну ногу на табуретку.

— Не надо рыть землю, — произнесла я спокойным голосом и одарила своего бывшего супруга презрительным взглядом.

— Что?

— Рит, у него опять с ушами плохо стало. Наверно, без шапки ходил. Ты ему сегодня вечером их обязательно прочисть, а то он почти уже ничего не слышит. Возьми палочки с ватой и хорошенько прочисть. Да поглубже засовывай, а то там серы, наверно, немерено. Придет на работу, начнет невпопад говорить, его сразу с этой драгоценной работы и погонят. Хотя в принципе, может, и такой сойдет. Самое главное, чтобы видел, чтоб дорогу знал и до работы мог дойти... — Собрав все силы, я закричала так громко, что сама испугалась своего голоса: — Я говорю, не надо землю рыть, а то нос запачкаешь!!! Ритке же его потом мыть. Нос землей забьется, что тогда делать будешь?! Ты лучше лапой рой, так удобнее, а если ничего не нароешь и тебя с работы погонят, звони мне. Может, я тебя к себе пристрою! Ты стрелять умеешь? А кассу взять в магазине можешь?! А наезжать на коммерсантов умеешь? Нет, наезжать я тебя вряд ли поставлю. Ты на ботаника похож, тебя ни один коммерсант не испугается. Если за выручкой ты придешь, они подумают, что это розыгрыш.. Будешь в бригаде вместе с пацанами на стрелки и разборки ездить. Придется тебя научить оружием пользоваться! Ты грозный фейс сделать можешь? Можешь или нет?!

Ошарашенный бывший супруг тяжело задышал, покрутил пальцем у виска и, произнеся всего одно-единственное слово «Дура!», направился к входной двери.

— И за дуру ответишь! — не могла не крикнуть я ему вслед. — И вообще, между прочим, ты зря со мной ссоришься. Я у тебя, между прочим, на свадьбе свидетельницей буду!

— Что? — Артем остановился в дверях, взялся за дверную ручку и чуть не потерял рассудок. — Что ты сказала?!

— Что Ритке нужно тебе уши прочистить. Ритуль, ты же видишь, что у него слуха практически нет. Наверно, опять без шапки ходил. Ты бы купила ему какую-нибудь шапочку с ушами. Например, буденовку. Она с пуговичкой. Ты бы ему эту пуговичку застегивала, и он бы смело шпарил в своей буденовке на работу. И тетки бы на него меньше смотрели. Далеко не каждая хотела бы иметь дело с мужиком в буденовке.

— Рита, если Сашка будет свидетельницей на свадьбе, то свадьбы не будет!!! — во весь голос прокричал Артем и выбежал из квартиры.

Закрыв за ним дверь, расстроенная Рита вернулась на кухню и подошла к окну.

— Сань, ну зачем ты с ним так?

— Затем, что он тебя подмял. Нельзя допускать,

136

чтобы мужики подобные вещи творили! Зачем ты сейчас встала у окна?

— Я всегда его провожаю, когда он на работу уходит.

— Еще платок достань и помаши им в окно.

— Да ладно тебе. Расстроенный ушел, даже не обернулся.

— А раньше что, веселый убегал?

— Раньше он мне всегда улыбался и воздушные поцелуи посылал.

Разливая по рюмкам коньяк, я тихо спросила:

— Рит, а тебе оно надо?

— Что именно?

— Эти его поцелуи воздушные...

Рита села напротив меня.

— Саня, ты, наверно, меня не поняла. Я очень люблю этого человека. Ты знаешь, что такое любовь?

— Имею представление.

— Ну, тогда я не понимаю, как ты живешь без любви. Разве это можно назвать жизнью?

— А разве так относиться к мужчинам можно, как ты относишься? — ответила я вопросом на вопрос.

— А как я отношусь? Я просто люблю.

— Не знаю, — сочувственно сказала я. — Ладно, давай выпьем по последней рюмке. За то, что ты выходишь замуж, и за то, чтобы у тебя была счастливая семейная жизнь. Когда я разводилась со своим бывшим, а твоим будущим мужем, мне было невыносимо больно, обидно и жалко себя, и я дала себе обещание больше никогда в жизни не связываться с подобным мерзавцем. Наверно, ты мудрее меня — нашла хорошее в том, что для меня было плохо.

— Я же тебе сказала, что вы были просто не две половинки единого целого. Кстати, а ты не хочешь изменить свою личную жизнь?

— В каком смысле?

— Завести свою семью...

— Но у меня уже есть семья. Криминальная.

— Я имею в виду нормальную человеческую семью, — нахмурясь, поправила меня Рита и осушила свою рюмку. — Тот мужчина, который тебя провожал, по-моему, очень в тебя влюблен.

— Ты знаешь, я пока не могу ничего изменить. Я еще к этому не готова, — призналась я. — Да и бросить я ничего не могу. Ну, ты сама посуди, как при такой работе я могу выйти замуж? Это невозможно. Мне и так хватает мужского внимания. В моей жизни уже была ошибка, я не хочу ее повторять. Связать с кем-нибудь свою жизнь сейчас — это значит потерять те блага, которые я сейчас имею, и тот мир, в котором живу. Это значит признать поражение.

— Я не верю, что ты счастлива, — перебила меня моя подруга. — Ты одинока и ходишь по лезвию бритвы. Через лезвие бритвы можно пройти, но нельзя на нем жить, а ты на нем живешь. Это неправильно. Твоя беда в том, что окружающие мужчины считают тебя стервой.

— Это не беда, — улыбнулась я широкой улыбкой. — Стерва — это комплимент. Стервами делают нас мужчины. Кто такая стерва? Стерва — это женщина, которая морально намного сильнее любого мужчины. Ее не любят из-за того, что она рушит стереотипы, которые любезно навязало нам наше общество. Ее боятся, потому что она очень хорошо знает мужчин, чувствует их почти звериным чутьем и владеет языком, на котором говорят мужчины. Ее боятся не только мужчины, ее боятся и женщины, потому что настоящая стерва никогда не упустит своего счастья. Мужчины всегда делают больно, но тот, кто сделает больно женщине-стерве, затем хлебнет вдвойне. Стерва никогда не бросится в омут с головой и никогда не расслабляется. Она знает принцип маятника и знает, что если сейчас хорошо, то придет время и может быть очень плохо. Поэтому она всегда держит равновесие, не позволяет маятнику отклоняться слишком резко.

— Тебе в этой жизни легче. Ты с самого раннего детства была красивой, — задумчиво произнесла Рита и поправила свои очки. — С твоей внешностью можно мужиками вертеть, как тебе хочется. А мне тяжелее.

— Ты думаешь, красивые женщины кому-нибудь нужны?! Да никому они не нужны. Мужчины красивых женщин боятся, а обычные женщины их не любят. Как правило, красивые женщины всегда одиноки. Все думают, что у них всего в переизбытке, что у их ног масса поклонников. Но они одиноки. Ты даже не представляешь, как они одиноки. Посмотри на меня повнимательнее. Я ведь никогда не была красивой. Ты только посмотри, какой у меня нос! Меня еще в детском саду звали Буратино. Да и ноги длинные, но кривые. А задница?

— А что задница?

— У меня задница плоская.

— А какая она должна быть? — вновь поправила свои очки Ритка.

— Она должна быть аппетитная! — выпалила я. — Понимаешь, аппетитная! Упругая и круглая. А у меня плоская! Я ведь даже юбку обтягивающую надеть не могу. Я все свои недостатки наизусть знаю. Понимаешь, наизусть! Просто вся фишка в том, что свои недостатки я научилась превращать в достоинства.

— Да нормальная у тебя задница, — постаралась успокоить меня подруга.

— А вот и не нормальная! У тебя задница в тысячу раз лучше! Ритка, посмотри на меня внимательно. Я в детстве была гадким утенком. Я никогда не была красивой. Я просто это себе внушила. И тебе, и всем окружающим. Но сначала самой себе. В детстве я внушила это своим одноклассникам, а затем всем остальным людям. Я просто умею внушать! Я умею преподнести себя так, что у окружающих потекут слюнки.

— Тебе по жизни все дается легко, — грустно сказала Рита. — И у тебя есть одно преимущество — тебе не нужно бороться с лишним весом. Я не помню, чтобы ты когда-нибудь поправлялась. А меня чуть что — сразу прет. На каких диетах я только не сидела! Результат — ноль. Мне иногда кажется, что я даже от воды вес набираю.

— Да какие, к черту, диеты! Все диеты не так уж и безвредны, как об этом говорят. Если не можешь похудеть самостоятельно, сходи к врачу.

— А я уже ходила, — наконец-то улыбнулась Рита.

— И как?

— Врач выписал мне таблетки.

— Вот это другой разговор. Это уже результат.

Рита встала, открыла дверцу подвесного шкафчика и достала пачку таблеток, положила их передо мной и прочитала название:

— Ксеникал. Врач сказал, что на сегодняшний день это самое эффективное средство для похудения. Представляешь, как все просто: ксеникал не дает жиру из пищи, которую я ем, попасть в кровь и отложиться... ну, везде, где не надо... В общем, есть надежда...

— Вот и хорошо, — обрадовалась я за подругу. — Я безумно рада, что ты собой занялась. Может, и у меня эти проблемы начнутся, тогда я этот ксеникал тоже куплю. Женщина просто обязана за собой следить — другого выхода у нас нет!

— Ты молодец! — снова улыбнулась Рита. — Меня всегда поражал твой оптимизм. Ты всю жизнь была не такая, как все. Ты целеустремленная, а я... Я всегда была размазня.

— Что ты несешь?! Какая ты размазня?! А ну-ка пошли! — Я схватила подругу за руку и потащила ее к зеркалу.

— Саня, ты куда меня тащишь? — не поняла и попыталась вырваться Рита.

— К зеркалу!

— Зачем?

— Смотри внимательно! — крикнула я командирским тоном.

— Да чего я там не видела... — слабо сопротивлялась подруга.

— Я хочу, чтобы ты посмотрела на себя в зеркало и сказала слова, которые необходимы в жизни

141

каждой женщины. Я хочу, чтобы ты произносила их каждое утро, когда только встаешь с постели. Увидишь, как вся твоя жизнь пойдет по-другому. Ты это обязательно ощутишь. Смотри в зеркало и говори: «Я самая красивая, самая замечательная, самая умная. Все, что я делаю, я всегда делаю правильно, и, что бы я ни делала, я всегда лучше всех!» Повторяй.

— Зачем?

— Я тебе говорю, повторяй! — вновь скомандовала я и подтолкнула Риту к зеркалу.

Рита захлопала глазами и повторила все слово в слово.

— Молодец! Ты просто молодец! Делай так каждое утро до тех пор, пока эти слова не станут девизом всей твоей жизни. Вот увидишь, когда ты ощутишь, что полностью соответствуешь тому, что говоришь, вся твоя жизнь пойдет совсем по-другому. Ну, скажи, ты что-нибудь почувствовала?

— Пока не знаю...

— Ничего, нужно время. Когда ты все это прочувствуешь, то поймешь, что Артем — не самый лучший вариант для того, чтобы устроить свою личную жизнь. Если ты хочешь создать семью, ты должна не просто выйти замуж, а сделать свое замужество удачным. Вот лично я пока не хочу замуж. Я никогда не завишу от общественного мнения и не хочу замуж только потому, что все вокруг замужем, а я еще нет. Я не хочу сейчас думать о браке.

— А разве тобой не движет страх одиночества, безысходности, боязнь остаться одной? — задала мне вопрос подруга. — Тебе уже не восемнадцать.

— Нет, — замотала я головой.

— Мне кажется, что ты обманываешь себя.

— Я себя не обманываю, а говорю правду. Для того чтобы не было никаких страхов, нужно повысить самооценку. Я просто уверена в себе, а моя уверенность заставляет меня ничего не бояться. Советую и тебе повысить самооценку, тогда ты поймешь, что Артем не самая лучшая партия для тебя. Таких Артемов полным-полно и даже намного больше, чем ты себе представляешь.

Рита нахмурила брови и отошла от зеркала.

— Саня, хватит. Я же тебе говорила, Артем — моя половинка.

— Говорила.

— Тогда давай больше не будем развивать эту тему. Я Артема очень люблю, и мне больше никто не нужен. — Рита вернулась на кухню и подошла к окну. Немного помолчав, она слегка прокашлялась и добавила: — Если ты, конечно, не против.

— Чего? — не поняла я.

— Что мы с Артемом друг друга любим. Если это тебя не задевает...

— Меня?! Да каким боком?! Я же тебе сказала, можешь забирать его со всеми потрохами. Тебе медаль нужно дать за то, что ты такое чудо полюбила. Мне тебя немного жаль...

— Меня не нужно жалеть. Мне с этим человеком очень хорошо. Саня, а это твои ребята в машине сидят?

— Где?

— Подойди к окну.

Я встала рядом с Ритой и увидела Вована, который сидел в машине вместе со своим напарником и разговаривал по мобильнику, не забывая при этом оживленно жестикулировать.

— Это мои ребята, — ответила я совершенно спокойным голосом, а сама подумала о том, что, если бы на месте Вована сидел Лось, мне было бы намного спокойнее.

— Они ждут тебя?
— Меня.

Рита немного помолчала, но все же не выдержала долгой паузы:

— Саш, скажи, а страшно так жить?
— Как? — не поняла я подругу.
— Ну так, как живешь ты?
— А как я живу?
— Ты понимаешь, о чем я... Страшно жить в криминальном мире? Тяжело управлять такими амбалами? Тебе тяжело жить?

— Не могу ответить тебе однозначно. Я уже привыкла. Ты хочешь знать, страшно ли жить с мыслью, что в любой момент тебе могут пустить пулю в спину?

— Ты чересчур категорична... — смутилась подруга.

— Ты ведь хотела меня спросить именно об этом. Я тебе уже сказала, что я привыкла так жить. Я знаю, что в любой момент могу получить пулю в лоб, да, могу погибнуть в любой момент, но это моя жизнь и другой мне не надо. Быть может, от этих слов у тебя по спине пробежал ледяной ужас, но я привыкла жить с оглядкой.

— Но если постоянно оглядываться, можно сойти с ума!

— Я привыкла так жить. Я надеюсь, что проживу еще достаточно долго. Я оптимистка, верю только в хорошее.

— А я думала, что у тебя жизнь только начинается...

— Она у тебя начинается, — постаралась я успокоить Риту. — А те, кто живет в таком мире, как я, судят ее по остатку. Самое главное всегда верить, что остаток моей жизни будет большой. Возможно, это крайне неприятная и опасная жизнь, но я уже очень сильно в нее втянулась. Такая карма мне выпала.

— А раньше ты так не жила...

— Та жизнь осталась в далеком прошлом. Я туда никогда не вернусь.

— И ты ни о чем не жалеешь?

— Мой девиз — никогда и ни о чем не жалеть. Никогда. Ни при каких обстоятельствах.

Ритка осторожно обняла меня за плечи.

— Саш, я часто вспоминаю наш класс и понимаю, что ты всегда была такая... Ты всегда была готова объять необъятное. Ты была стремительная, решительная, иногда даже резкая, но, знаешь, раньше ты не была такая жестокая.

— Жестокая?! Тебя обидело, как я отнеслась к твоему будущему супругу? Но не забывай, пожалуйста, что твой будущий супруг — мой бывший, и я, как бы тебе ни было это обидно слышать, жила с ним под одной крышей и знаю его намного лучше тебя.

В этот момент раздался звонок в дверь. Всегда спокойная Рита от неожиданности вздрогнула и пожала плечами.

— И кого принесла нечистая? Может, соседка зашла, больше некому. А может, Артем вернулся.

— Вот и дожилась ты, дорогуша, до такой семейной жизни, что к тебе, кроме соседки и Артема, больше зайти никто не может.

— Некогда мне ни с кем общаться... — Рита встала со стула и в очередной раз нервно поправила очки.

— А ты не дала ему ключей от квартиры?

— Не успела второй комплект заказать.

— Вот и правильно. Нечего и заказывать. Не приучай его в твоем доме чувствовать себя собственником. Мужик должен знать, что в чужой квартире он всегда гость и в любое время его могут попросить.

Посмотрев на обиженную Риту, я приложила палец к губам.

— Все, молчу! Больше никогда не обижу твоего суженого. Делай что хочешь. Я больше никогда и ничего тебе подсказывать не буду. Можешь ему и свой комплект отдать, а сама ждать его на лавочке. Тем более не за горами весна. Когда потеплеет, тогда и лавочки будут теплыми. Иди, открой дверь.

— Открываю. Сань, только, ради бога, если это Артем, я тебя умоляю, веди себя с ним помягче. Видимо, он что-то забыл. Возьмет и сразу уйдет на работу.

— Да мне все равно. Если он раздумал работать и пришел, чтобы почитать газеты, пожалуйста, пусть сделает умный вид и читает до полуночи. Я его трогать не буду, скоро домой поеду. Я приехала потому, что очень по тебе соскучилась, но и подумать не могла, что у тебя мужчина. Мы с тобой так давно не виделись...

Звонок в дверь повторился. Рита вздрогнула и как ошпаренная бросилась к входной двери. Затем резко остановилась и, приложив свои руки к груди, посмотрела в мою сторону умоляющими глазами.

— Саня, я тебя умоляю. Не обижай Артема... Это моя личная просьба. Я тебя умоляю...

— А что я должна сделать?

— Оставь Артема в покое и не донимай его своими колкостями, он чересчур болезненно реагирует.

— Не переживай, — постаралась я успокоить подругу. — Он больше ни на что не будет болезненно реагировать. Я поняла, что для тебя его здоровье и спокойствие намного дороже собственного. Иди открывай, а то он сейчас не только звонок сломает, но и двери будет сносить. Хозяин, одним словом. К себе же домой ломится...

— Ну, пообещай мне, пожалуйста, если тебе совсем на меня не наплевать...

— Уж если мне на кого-нибудь и не наплевать в этой жизни, то это на тебя. Можешь в этом не сомневаться. Хорошо, иди открывай, а то, не ровен час, он своими рогами начнет стучать что есть сил да лбом биться с разбегу. Тогда тебе придется ему не только уши чистить, но и лоб зеленкой мазать. Хлопот больше. Я тебе торжественно обещаю, что слова не пророню. Я его в упор не вижу и знать не знаю!

— Спасибо тебе!

Растерянная Ритка бросилась к двери, а я посмотрела на часы и подумала, что у меня нет ни малейшего желания ругаться со своим бывшим мужем и что я должна двигаться дальше, ехать домой.

———

Глава 8

Услышав Риткин крик, доносящийся из коридора, я подумала, что это не иначе, как выходки Артема, который вернулся, чтобы меня выставить из квартиры, а перепуганная Рита пытается остановить его. Сжав кулаки, я бросилась в коридор, но, увидев человека в устрашающей черной маске, сама издала пронзительный крик. Его лица не было видно, а только черные прорези для глаз... Его фигура в черной одежде была мне незнакома. Входная дверь уже была закрыта. Незнакомец держал Риту за руку, под глазом у нее виднелся совсем свежий синяк. Значит, как только он ворвался в квартиру, то первым делом оглушил Риту, которая теперь находится в полубессознательном состоянии. Незнакомец прислонил насмерть перепуганную, еле живую Ритку к стене, достал пистолет и жестом показал, чтобы я села на пол рядом с Ритой. У меня не было выбора, пришлось подчиниться. Я села рядом с Ритой, потрепала подругу по щеке и тихо спросила:

— Рита, ты живая? — Заметив ее легкое движение, я облегченно вздохнула.

— Еще да, — жалобно ответила Ритка и затряслась, словно в лихорадке.

— Слава богу, а то я подумала, что тебя уже нет

— Я и сама думала, что меня уже нет, — едва слышно сказала Рита.

— Но при этом ты еще разговариваешь и дышишь... — Я пыталась шутить.

— Саня, это кто?

— Не знаю.

— Это из твоей бригады?

— Ты что, конечно, нет, — испуганно покачала я головой.

— А откуда он здесь взялся? Так больно по голове огрел и по лицу тоже. Все перед глазами плывет. А мне кажется, что это кто-то из твоих ребят.

— Я своих ребят знаю.

— Но на нем же маска...

— Я своих ребят и в масках узнаю. Он точно не из моей бригады.

— А ты их всех знаешь?

— Своих я знаю.

— Ой, говорила мне моя мама, что с тобой опасно дружить, что это до добра не доведет, что мы с тобой из разных миров и интересы у нас с тобой разные и нигде не пересекаются... — Ритка тихонько всхлипывала, а из глаз катились слезы.

— Прекрати немедленно.

— Что — прекрати?

— Не надо показывать, что мы его боимся. Этот человек не имеет ко мне никакого отношения. Поверь мне, я вижу его в первый раз. Мне кажется, это простое ограбление.

— Ограбление?! — Тело моей подруги, похоже, свело настоящими судорогами. — А почему? Кто меня грабит?!

— Это ты у него спроси. Уж лучше пусть нас ограбят, чем убьют.

Мужчина в черной маске, по всей вероятности, устал слушать нашу беседу и, громко топнув, наставил на нас пистолет.

— Заткнитесь обе! — прикрикнул он. — Заткнитесь обе, иначе я вас сейчас прямо тут и положу! Вы что, без меня не могли наговориться?! Таких бестолковых баб я еще не видел. Им пистолет показывают, а они болтают без остановки. Еще одно слово, и мое терпение лопнет.

Но мысль об ограблении так прочно засела в Риткиной голове, что, несмотря на всепоглощающий страх, она так и не заткнулась, а, наоборот, принялась шепотом развивать эту тему:

— Так он, оказывается, не убийца, а грабитель... Какое, к черту, ограбление?! Нашел кого грабить. Да у меня здесь только то, что от родителей осталось. Я будущий врач, а в наше время с врачей брать нечего. Я целыми днями в институте пахала, ночами в больницах подрабатывала, чтобы с голоду не сдохнуть, а он меня грабить собрался!

— Если у тебя грабить нечего, тогда чего ты боишься? — косясь на незнакомца, попыталась я тоже шепотом вразумить подругу.

— Пусть своим горбом, но кое-что я заработала! Шмотки кое-какие имеются, золотишко, которое ты мне дарила, тоже есть! Ты ж сама знаешь, что я, как сорока, люблю все яркое и дорогое. Это я от тебя набралась. Ты мне такую слабость привила.

— Дура, зачем ты теперь рассказываешь, что у тебя есть?!

— Затем, что я ничего не отдам! Я всю жизнь

своим горбом пашу, и мне с неба никогда ничего не сыпалось! Я пахала не для того, чтобы кто-то надел маску, взял пистолет и пришел меня раскулачивать! Я пахала для того, чтобы прилично выглядеть, жить в чистоте и нормально питаться, потому что в наше страшное время даже питание — роскошь. Вот так-то! Пусть он лучше меня убивает, чем грабит!

— Ты чего несешь? — ткнула я Риту в бок.

— Я ничего не несу, я говорю то, что думаю. Пусть он лучше убьет меня из своего пистолета, но ни своего золота, ни своего видеомагнитофона, ни своих сапог я ему не отдам! Это я заявляю окончательно и бесповоротно.

— Еще скажи, что пусть лучше он тебя убьет, чем к тебе в холодильник залезет. Не говори так. Не могут материальные ценности быть дороже жизни! Мы не знаем, что это за человек. Может быть, он какой-то больной? Если он пришел сюда грабить, пусть лучше возьмет то, что посчитает нужным, и уходит прочь. А убивать нас ни в коем случае не нужно!

— Нас не только убивать не нужно, но и грабить тоже!

— Я тебе говорю, пусть лучше ограбит, чем случится самое плохое. Я тебе все потом компенсирую. Не переживай. Пусть лучше он ограбит и уйдет с богом.

— Заткнитесь вы обе! — Незнакомец ткнул пистолет мне в висок и нервно крикнул еще раз: — Я последний раз повторяю, чтобы вы обе заткнулись. Вы хоть понимаете, что это значит — последний раз?! Мне не нужно ваше барахло! Оно мне на фиг не нужно!

— Вот и хорошо. И на этом спасибо, — немного расслабилась Рита. — А я смотрю, такой представительный мужчина за моими новыми сапогами пришел... Я, конечно, не вижу вашего лица, а только телосложение, и, по-моему, оно неплохое. И лицо у вас, наверно, представительное. Это по вашему голосу чувствуется. Баритон. Вы, наверно, начальником раньше где-то работали. Голос властный, командирский, мне всегда нравились такие мужские голоса. Такой мужчина и по жизни хозяин, и в постели тоже хозяин.

— Заткнись, дура! — Мужчина убрал пистолет от моего виска и наставил его на Риту. — Ты понимаешь, что я тебе говорю?!

По всей вероятности, от нервного напряжения у Ритки продолжалась настоящая истерика. Она кивала и говорила усталым голосом:

— Уберите, пожалуйста, свой пистолет. Он мне очень сильно на нервы действует, а нервы у меня не железные. Слабенькие. С вашим голосом да в постели бы командовать... Чувствуется, что вы мужчина приличный, а так кричите на беззащитных женщин, что мне даже как-то не по себе становится.

— Да что ты про постель все? Я знаю, что у Артема с этим делом неважнецки, — сказала я, даже не посмотрев в сторону незнакомца.

— У Артема как раз в этом деле переизбыток. Я мужчин лучше, чем он, не встречала.

— А сколько ты их вообще встречала? Кстати, а этот в маске и в самом деле представительный. Посмотри, какие у него часы дорогие. Да и маска эта не копейки стоит. Одним словом, обмундирование дорогое. С таким обмундированием только банк или обменный нужно грабить, а не твою квартиру. Она того не стоит. Может, он перепутал?

Не выдержав нашей наглости, незнакомец схватил меня за волосы и прошипел:

— Еще одно слово — и дырка в башке. Ты поняла?

Наверно, именно в этот момент мне стало по-настоящему страшно и я поняла, что шутки закончились. Намотав мои волосы на руку, незнакомец запрокинул мою голову и тихо заговорил. Его голос был каким-то странным, и я сама не понимала, почему меня больше всего пугает его странный голос.

— Я пришел сюда не за шмотьем. Я пришел сюда за тобой. Сейчас ты выйдешь из этой квартиры вместе со мной и пойдешь туда, куда я тебе скажу!

— А если я не пойду? — спросила я дрожащим голосом и, пытаясь взять себя в руки, произнесла речь: — Я не знаю, кто ты такой. Сначала я и в самом деле думала, что ты пришел сюда грабить, но, оказывается, я ошибаюсь. Я не могу с тобой куда-то пойти, потому что внизу, у самого подъезда, стоит машина с моими людьми. Мы не сможем выйти на улицу. Я понимаю, что ты не имеешь претензий к моей подруге. Ты имеешь их ко мне. Я не знаю, чего ты от меня хочешь. Если ты меня не убил, значит, моя смерть тебе не нужна. Если ты хочешь денег, у меня их с собой нет. Скажи, чего ты хочешь и зачем сюда пришел.

— Значит, он пришел по твою душу и к моей квартире не имеет никакого отношения! — неожиданно прорвало Ритку. — Я всегда знала, что наша дружба не доведет до добра. Артем в чем-то прав, действительно, что между нами общего?! В последнее время я стала тебя бояться, ты и в самом деле стала жестокая и агрессивная. Ты стала злая. Ты думаешь, Артем не рассказывал мне, как он с тобой жил?! Он столько всего мне рассказал, что у меня волосы на голове встали дыбом. А этот твой гребаный криминальный мир, ты сама по уши залезла и других людей тащишь. Так вот знай, что я в этот мир не хочу! Мне и в моем нормальном мире неплохо!

— Заткнись! — Свободной рукой незнакомец ударил плачущую Риту в ухо, и она взвыла от боли. Удар был настолько сильным, что она откинулась к стенке и застонала так сильно, что у меня по коже пробежали мурашки. — Мне твоя болтовня надоела до чертиков! Ты не веришь, что пистолет заряжен и я могу стрелять?!

— Верю, — плача, испуганно проговорила Рита.

— Тогда скажи честно. Ты и вправду устала от своей подруги и совершенно ею не дорожишь?!

Задав Рите этот вопрос, незнакомец намотал мои волосы на руку еще сильнее. Мне даже показалось, что еще немного, и вместе с волосами он снимет с меня скальп.

— Мне больно... — Я застонала и почувствовала, как у меня все поплыло перед глазами. — Мне действительно больно. Пожалуйста, отпусти меня!

— Вот видишь, ей больно. А ты не хочешь отвечать. Я спросил, тебе действительно наплевать, что будет с твоей подругой?

— Я очень люблю свою подругу, — едва не плача, проговорила Рита и взялась за ухо. — И вообще все свои слова я беру обратно. Мы дружим с детства, и мы умеем прощать, даже если наговорим друг другу кучу гадостей.

— И ты хочешь, чтобы она осталась жива?

— Очень, — не моргнув глазом ответила Рита.

— Тогда слушай меня внимательно. Сейчас мы с твоей подругой уйдем из этой квартиры, и не важно, что у подъезда ее ждет машина с накачанными ребятами. Они нам не помешают.

— Но как? — попыталась возмутиться я, но опять застонала от боли.

— Мы уйдем через чердак.

— Зачем? Что тебе от меня надо?

— Мне нужна ты.

— Зачем, объясни!

— О цели ты узнаешь потом.

Тупая боль сменилась острой и пробиралась к каждой клеточке моей головы. Больше я не могла терпеть, тяжело задышала и закусила до крови нижнюю губу.

— Господи, как больно. Как больно...

Признаться, уже давно я не ощущала себя такой слабой и беззащитной. Почувствовав мой глухой протест, незнакомец размотал мои волосы с руки и отшвырнул меня к стене. Я принялась судорожно растирать онемевшую кожу на голове. Пока я осваивала собственную голову, незнакомец решил оставить меня в покое и после слов «Отдохни пока немного» подошел к моей подруге. Достав из кармана кусок марли, он соорудил из нее кляп и, несмотря на отчаянное Риткино сопротивление, засунул ей в рот. Затем посадил ее на ближайший стул и принялся привязывать скотчем. Рита больше не оказывала ни малейшего сопротивления и не издавала ни единого звука, но ее вытаращенные глаза были полны совершенно неподдельного ужаса. Когда скотч был использован полностью, незнакомец остановился, потер вспотевшие ладони, а по его взгляду я поняла, что теперь настал мой черед. Поджав под себя ноги, я почти вжалась в стену и тысячу раз пожалела о том, что еще совсем недавно я отдала Лосю пистолет, не видя в нем необходимости.

— Кто ты такой? — Я понимала, что положение лидера известной группировки обязывает меня к достойному поведению, но чувство страха брало надо мной верх и я с трудом выговаривала слова. — Скажи, что ты от меня хочешь? — собрав всю волю, спросила я.

— Вообще-то я хотел бы тебя убить, — донесся до меня ответ, на который я меньше всего рассчитывала.

— Убить?!

— Вот именно, убить.

— Почему ты не убил меня сразу? Почему оставил в живых?

— Потому что еще не время.

— Ты хочешь сказать, что убьешь меня позже?!

— Если я не убил тебя сейчас, это совсем не значит, что не убью завтра. Не торопи события. Всему свое время... — Мне показалось, что он злорадно улыбнулся, хотя я совершенно не видела его лица.

— Я сделала тебе что-то плохое?

— Плохое — это слишком ласково сказано. Ты

сделала мне самое ужасное, что только можно было сделать.

— А что именно?

— Я бы не хотел вдаваться в подробности сейчас.

— Я должна знать, кто ты!

— Тебе это ни к чему. Сейчас ты выйдешь со мной из квартиры. Через чердак спустимся в другой подъезд и сядем в мою машину.

— А что потом? — не могла не спросить я.

— Поедешь со мной туда, куда я повезу.

— А затем ты меня убьешь?

— Ты все увидишь своими глазами.

— А если я никуда не пойду?

— Если ты не захочешь идти, я убью тебя раньше, чем ты сумеешь передумать...

Чтобы подтвердить свои слова, мужчина снял пистолет с предохранителя и направил на меня.

— Запомни, мне не до шуток и мне не нужно от тебя ни денег, ни барахла твоей подруги. Ты нужна мне сама... Вернее, мне нужно, чтобы ты пошла со мной и сделала то, что я тебе прикажу.

— Но зачем?! — не выдержала я и закричала в сердцах: — Какой смысл? Что тебе от меня надо?! Ты хоть знаешь, кто я такая?!

— Прекрасно знаю!

— И кто же? — совсем осторожно повторила я свой вопрос.

— Мужик в юбке, вот ты кто.

— Что?

— Я тебе ясно сказал. И повторять не буду. Я таких, как ты, на дух не выношу. Смотреть тошно.

Баба должна дома щи варить, мужа с работы ждать и детей воспитывать.

— У меня свой вкус.

— Может быть...

— А о вкусах не спорят...

— Сейчас мы с тобой уйдем отсюда. Если ты попытаешься крикнуть или бежать, я не задумываясь всажу тебе пулю в лоб. Пистолет снят с предохранителя. Ты в этом толк знаешь...

— Но куда мы должны поехать? Я хочу знать... — Несмотря на свой железный характер и не менее железные нервы, я чувствовала, что в любой момент у меня начнется истерика. — Что ты от меня хочешь? Денег? — Я терялась в догадках.

— Я тебя хочу.

— В каком смысле? — Я растерялась окончательно. — Переспать со мной хочешь? Заняться сексом на чердаке? Тогда убери пистолет. Давай попробуем разрешить проблему по-мирному. Признаться честно, мне еще никто не предлагал секс в такой форме. Да и вообще... Я не могу решать такие вопросы под дулом пистолета... — Я тянула время. — Мне нужно подумать... Если я с каждым встречным буду заниматься на чердаке сексом, что тогда со мной будет?.. Ты, случайно, не маньяк?

— Дура ты — мне с тобой секс даром не нужен. Если ты думаешь, что у всех на тебя встает, ты глубоко ошибаешься.

— А что тебе нужно? — окончательно потерялась я. — Что ты от меня хочешь, если у тебя на меня не встает?

— А к тебе обращаются только те, у кого встает?!

— Мужик по своей природе кобель. У него всегда стоять должен, а ежели не стоит, то ему нужно лечиться!

Не успела я договорить, как незнакомец ударил меня пистолетом по голове, и я снова взвыла от боли.

— Ты, идиотка, не выводи меня из себя, а то я тебя сейчас точно грохну, и тебе никогда не придется лечиться. Я сразу догадался, что ты на голову больная, и причем очень сильно. Ты хоть поняла, что пистолет снят с предохранителя и может выстрелить в любую минуту? Хочешь, чтобы я убил тебя по неосторожности?

— Нет, — покачала я головой. — Я вообще не хочу, чтобы ты меня убивал. Я жить хочу.

— Вставай! Иди со мной и не пробуй пикнуть.

— А куда? — задала я очередной глупый вопрос, не очень-то рассчитывая на ответ.

— На кудыкину гору. Вставай, я сказал!

Я встала, посмотрела на сидящую на стуле Риту, туго перевязанную скотчем, и произнесла со слезами на глазах:

— Рита, пожалуйста, не переживай за меня. Все будет хорошо. Я тебе обещаю, что все будет хорошо.

Незнакомец махнул в ее сторону пистолетом и процедил сквозь зубы:

— Сиди до тех пор, пока кто-нибудь тебя не освободит. А сидеть тебе здесь, по-моему, придется долго. Я смотрю, у тебя замок закрывается сразу, как только хлопнешь дверью. Значит, когда мы отсюда уйдем и хлопнем дверью, сюда никто не войдет, потому что дверь будет заперта. У кого-нибудь есть второй комплект ключей?

159

Перепуганная Рита не смогла ответить из-за кляпа и отрицательно замотала головой, в ее глазах виднелись слезы.

— Вот и замечательно. Значит, дверь отпереть будет некому. Придется ломать дверь. Посиди, отдохни хорошенько. Можешь даже поспать, у работающей и учащейся женщины не каждый раз есть возможность выспаться днем. И запомни, когда тебя освободят и у тебя появится возможность говорить, то чем больше ты будешь молчать, тем больше вероятности, что сохранишь своей подруге жизнь. А чем красочнее ты будешь меня описывать, вспоминать мой голос, мой силуэт, мою одежду и рассказывать о том, что здесь произошло, тем быстрее твоя подруга отправится в мир иной. Ты меня поняла?

Беспомощная Ритка кивнула, по ее щекам ручьем бежали слезы.

— Развяжи и освободи ее! — попыталась вразумить я незнакомца. — Я и так с тобой пойду, только, пожалуйста, освободи ее. Неизвестно, сколько времени ей придется сидеть в таком положении.

— Ничего страшного. Потерпит. Пусть спасибо скажет, что я ее не убил.

— Ну, а если у нее что зачешется? Она ведь даже руку поднять не сможет. А если захочется в туалет или пить? Что она будет делать? Ты что, изверг какой-то, человека мучить? Освободи ее, — продолжала я настаивать. — Она посидит и никого не будет звать на помощь, пока мои люди меня не хватятся.

— Заткнись! — грозным голосом приказал незнакомец и ткнул пистолетом мне прямо в бок. Я не на шутку испугалась:

160

— Ты давай поосторожнее пистолетом орудуй, а то точно убьешь меня по неосторожности. Глупой смертью не хочется погибать.

— Во-первых, смерть никогда не бывает глупой, да и умной тоже. Смерть, она и есть смерть. А во-вторых, я сейчас точно тебя пристрелю и больше не буду тащить на какой-то чердак, потому что ты окончательно меня достала — грузишь бытовыми проблемами. Мне глубоко наплевать, как она будет пить и ходить в туалет. Мне глубоко наплевать и на тебя. Грохну на месте и слиняю на чердак. Мне надоело объяснять и доказывать.

— Подожди, не торопись! — Я попыталась всмотреться в глаза незнакомца, которые виднелись сквозь небольшие прорези в маске, и заметила, что эти глаза были необычного зеленого цвета. — Если ты меня сейчас убьешь, то сделаешь большую ошибку и я действительно умру глупой смертью. — Я старалась говорить убедительно, но никак не могла избавиться от дрожи в голосе. — Ты не прав. Смерть действительно бывает глупой, а бывает и умной. Глупая смерть наступает тогда, когда человек погибает в самый неподходящий момент, так и не реализовав свои мечты и планы. А умная смерть, когда человек дожил до ста лет, стал долгожителем и понял, что сделал все, что мог, и новые планы ему не под силу. Он смог сделать все, что умел, а на что-то несбыточное не хватит ни сил, ни здоровья.

— Хватит философствовать. Слишком много трещишь, — оборвал он меня. — Надо было заклеить тебе рот скотчем, как и твоей подруге. Если не хочешь глупой смерти, давай нитками шевели, вперед. Двигай нитками, я сказал!

Я в последний раз посмотрела на плачущую Риту и с тяжелым сердцем, буквально на ватных ногах пошла в коридор. Незнакомец открыл дверь и, как только мы очутились на лестничной площадке, сунул пистолет мне в бок и прошипел с такой злобой, что мне в очередной раз пришлось вздрогнуть:

— Будь послушной девочкой и вызывай лифт.

Я нажала на кнопку лифта и тихо спросила:

— На какой этаж едем?

— Понятное дело, что не на первый.

— На верхний?

— На самый верхний. Жаль, что лифт не ездит на чердак, поэтому нам придется доехать до последнего этажа.

— А если чердак закрыт на замок, мы вернемся обратно? — В моем голосе появилась надежда.

— Чердак открыт. Можешь не переживать напрасно.

— А ты проверил?

— Я всегда проверяю перед тем, как что-то сделать.

— А ты предусмотрительный.

Когда мы зашли в лифт и двери закрылись, я нажала на кнопку последнего этажа и немного нерешительно предложила:

— Ты бы снял свою маску, а то мы сейчас из лифта выйдем, а там кто-нибудь из соседей стоит с хозяйственной сумкой, чтобы на рынок поехать. Увидят тебя в маске, напугаются, кричать начнут, побегут милицию вызывать. В дверях глазки у всех есть. Ты своим видом спровоцируешь скандал.

— Придет время, и я сниму свою маску, — сказал, как отрезал, незнакомец.

— Смотри сам. Я хотела, как лучше. Я так поняла, что мы пройдем через чердак в другой подъезд и сядем в твою машину?

— Соображаешь!

— А в машине ты тоже в маске поедешь? Тебя же гаишники сразу остановят. Или у тебя машина тонированная?

— Ты слишком много хочешь знать. Я тебе сейчас рот скотчем заклею.

— Как знаешь. Сейчас ты хозяин положения. Если ты мне рот скотчем заклеишь, картинка получится не самая приятная. Не забывай, что, когда мы будем садиться в машину, вокруг будут люди. Тут во дворах народу полно. Будем идти к машине, как два идиота. Ты в маске, а я со скотчем на лице. Дураку понятно, что это похищение. Ты на своей машине двух кварталов не проедешь. Нас сразу возьмут.

— Послушай, заткнись, а! Хватит трещать. Делай то, что велено. Может, там, в натуре, кто-то на рынок собрался и с хозяйственной сумкой стоит. Перед тем как откроются двери лифта, ты встаешь к дверям передом и изгибаешься так, будто мы занимаемся с тобой сексом. Я прячу лицо за твоей спиной для того, чтобы меня не было видно. И попробуй только взбрыкни!

— Что?..

— Что слышала. Если на площадке стоит кто-то из соседей, извинись и скажи, что нам осталось еще немного, и тут же нажимай кнопку нижнего этажа.

— Что???

— Что слышала!

Не успела я возразить, как незнакомец резко развернул меня лицом к дверям лифта, широко расставил мои руки, которые уперлись в стены, быстро меня нагнул и поднял полы моей шубы.

— Что ты делаешь?

— То, что обычно делают в лифтах те, кому приспичило!

— У нормальных людей есть для этого квартиры.

— Мне никогда не нравился пресный секс. Открой рот, дура, и хотя бы сделай вид, что тебе хорошо. Прими правдоподобный вид. Ты должна выглядеть так, как будто тебя трахают!

В этот момент лифт остановился. На лестничной площадке никого не было. Она действительно была пуста. Поправив полы норковой шубы, я поблагодарила незнакомца за то, что он хотя бы не снял свои штаны, и вышла из лифта. Он подтолкнул меня к лестнице, ведущей на чердак, и приказал:

— Давай, шпарь вперед!

— Шпарю, — повторила я усталым голосом и, оценив всю безысходность ситуации, полезла на чердак.

Забравшись на чердак, я хотела было быстро закрыть за собой чердачную дверь прямо перед носом у моего похитителя, приготовившись к побегу, но он не позволил мне этого сделать, поймал за ногу, а взобравшись следом за мной, повалил на пол.

— Сбежать хотела, гадина! — прошипел он. —

164

От меня не сбежишь! Я пристрелю тебя прямо здесь и оставлю на куче мусора.

— Прости меня. Я нечаянно.

— Что — нечаянно?

— Чердачная дверь сама чуть не захлопнулась.

— Еще одна такая выходка, и я больше за себя не отвечаю. Ты меня уже так достала, что противно ехать с тобой в одной машине.

— Так поезжай один... — В моем голосе появилась слабая, но все же надежда.

— Поеду только с одним условием, если я оставлю тебя рядом с мусорной кучей.

— В смысле — убитую?

— Ну понятное дело, что не живую.

— Тогда едем вместе.

— Смотри, больше без глупостей!

Он схватил меня за руку. Его рука была слишком грубая, а ладонь слегка влажной. Это говорило о том, что мужчина волновался не меньше меня.

— У тебя ладонь мокрая, — не смогла удержаться я.

— Я вспотел.

— Мне кажется, что ты нервничаешь.

— Это ты должна нервничать. А мне незачем, — сказал он, как отрезал.

Пройдя через весь чердак, мы вышли к лестнице, которая вела в самый последний подъезд. Я подняла крышку и ощутила, как мне в лицо ударил солнечный свет. Глаза мои заслезились. Мужчина присел на корточки, резко сдернул свою маску и тут же сунул ее в карман. Я вскрикнула и уставилась на безобразный шрам, который проходил через все его лицо.

———————

Глава 9

Как только мы сели в незнакомую черную ино-
марку, я, стараясь не смотреть на лицо мужчины,
осторожно спросила:

— А ты не пытался делать пластику?

— Скоро сделаю, — резко отрезал он.

— А почему раньше не сделал?

— Некогда было. Работы много.

— Понятно, — наигранно кивнула я. — Работа
прежде всего. А ты давно так ходишь?

— Какая тебе разница, давно или нет? Послушай, посиди спокойно, ты мне на нервы действуешь!

— Хорошо, молчу.

Я повернулась в противоположную сторону и
попыталась разглядеть машину с моими ребятами,
которая стояла у первого подъезда. Но я не смогла
это сделать, все пространство закрыл здоровенный
«КамАЗ», водитель которого жил в одном подъезде
с Ритой.

— Чего вертишься? Своих высматриваешь?

— И посмотреть даже нельзя?

— Смотри, но не забывай, пистолет в моей правой руке.

Незнакомец заблокировал все двери, и машина
рванулась с места. Не могу сказать, на какой имен-

но скорости она понеслась, потому что я всегда была дисциплинированным водителем и лихачила крайне редко. Когда мы выскочили на большую дорогу и понеслись по встречной полосе, я зажмурила глаза, вжала голову в плечи и заорала:

— Ты что делаешь?! Мы сейчас взлетим! У меня нервы не выдержат! Немедленно прекрати!!! Я говорю, немедленно!

— Не ори, дура! Я пробку объезжаю. Не умею в очередях стоять.

Через несколько минут я открыла глаза и задышала более спокойно. Самое главное, что мы неслись по своей полосе, а на какой скорости, это уже не имело принципиального значения. Сердце забилось в нормальном ритме, и я смогла немного расслабиться.

— Далеко едем? — задала я наводящий вопрос.

— Далеко, — коротко ответил он.

— Мы уже в Подмосковье... Когда остановимся?

Ничего не ответив, незнакомец съехал на обочину и резко затормозил. Затем полез в карман брюк и достал черную ленту. Я отпрянула в сторону.

— Ты что, душить меня собрался?! Маньячила хреновый...

— Заткнись. Надо завязать тебе глаза.

— Зачем? — не поверила я незнакомцу. Мне казалось, что его руки сейчас коснутся моей шеи...

— Если бы я хотел тебя убить, я бы сделал это еще в квартире твоей подруги, а не устраивал этот цирк. Человека легче застрелить, чем душить черной лентой.

— Сразу видно, что ты знаешь в этом толк... —

167

Я неестественно улыбнулась, чтобы спрятать свой испуг. — Если ты настоящий маньяк, тебе должна быть по душе черная лента. Они не пользуются оружием, а черная лента — это излюбленное орудие маньяков.

— Дура! Это ж надо... Не верится, что такая дура руководит здоровенными мужиками и те ее слушаются. С ума сойти! Это ж каким надо быть дураком, чтобы слушать такую бестолочь...

— Ладно, говори, говори, — ответила я крайне раздраженно. — Пользуешься тем, что я совершенно одна — без оружия и без своих ребят. Тебе бы за такие слова знаешь, что было?

— Знаю. Меня бы твои орлы стерли в порошок. Давай, поверни голову. Время не терпит — хорошо смеется тот, кто смеется последним.

Как только на моих глазах появилась черная повязка, я почему-то успокоилась и откинулась на спинку сиденья.

— А мне так даже лучше. Не вижу, как ты ужасно водишь машину.

— Я нормально вожу машину. Я сказал: не люблю стоять в очередях.

Мне показалось, что мы ехали долго, очень долго. Я молила бога, чтобы хоть раз нас остановила ГАИ, но этого не произошло, и я на чем свет мысленно костерила гаишников. Останавливают машины законопослушных граждан и очень редко тех, кого действительно надо было бы. Конечно, они не знают, в какой машине едут законопослушные граждане, а в какой бандиты, но в той машине, в которой ехала я, были чересчур затонированы стекла, и уж если бы я стояла на дороге с палочкой и значком, обязательно бы остановила машину, окна которой просто окутаны тайной.

— Мы, по-моему, уже и Подмосковье проехали, — определила я. — У тебя бензина хватит?

— Я полный бак заправил.

— Убеждаюсь, что ты очень предусмотрительный. Молодец. Да и машина у тебя экономичная. Совсем мало бензина жрет.

— Заткнись!

— Ты вообще разговаривать не любишь?

— Заткнись, я сказал.

— Скучно так ехать. Давай о чем-нибудь поговорим. Например, о любви. Ты вообще как к любви относишься?

— Никак.

— Правильно, и я тоже. А вот некоторые люди без нее жить не могут. Вон как Рита, которая — бедняжка — сейчас к стулу привязана. И как она это терпит? Ни в туалет сходить, ни воды попить... Ты прямо изверг какой-то. Разве можно так с женщиной? Тем более у нее скоро свадьба. А знаешь, за кого она выходит замуж? За моего бывшего мужа. Вот бы никогда не подумала, что мой бывший муж может быть будущим мужем моей лучшей подруги. — Я говорила, скрывая волнение, мне действительно было страшно. Я чувствовала, что мы уехали очень далеко, что этот человек со шрамом на лице вряд ли пойдет на откровенность и что впереди у меня самые неприятные перспективы. Мне показалось, что я несу полный бред. Ну уж лучше нести бред, чем молчать, потому что томительное молчание очень сильно действует на психику. — Так вот, моя лучшая подруга безумно любит моего бывшего мужа. Знаешь, я вот к нему все еще присматриваюсь и никак не пойму, за что его можно любить. Когда я с ним жила, мне поначалу тоже казалось, что я его люблю, но совсем скоро поняла, что это далеко не так. Когда человека любишь, то пытаешься быть к нему терпимой, а я не пыталась. Может, оттого, что молодая была, глупая, чересчур импульсивная. Говорят же, что ранние браки вредны для здоровья и что они, кроме разочарования, ничего не приносят. А Рита его действительно любит. Когда я говорю о его недостатках, она тут же оборачивает их в достоинства. Может, это и есть любовь? Она вообще недостатков у него не находит, воспринимает его таким, каков он есть. Наверное, если ей скажут за него умереть, она так и сделает. Может, и правда они половинки единого целого, а мы с ним были совершенно разные люди. Только если быть откровенной, я ей не завидую. Это слепая любовь. И в любви должна быть мера. Хоть какая-то мера. Мой бывший муж по своей натуре мужичок подленький и хитренький, и это дерьмо когда-нибудь обязательно вылезет наружу. Просто они еще живут вместе мало. А только притрутся друг к другу, и начнется... Я вообще не верю в счастливый брак и никогда не верила. Мне кажется, что все это полная чушь, что люди могут под одной крышей прожить счастливо всю жизнь, состариться и умереть в один день. Лично я в эти сказки про благополучную семейную жизнь не верю. Так можно жить при одном условии, если постоянно расставаться, а иначе... Иначе ничего хорошего не получится. Люди друг от друга отдыхать должны...

— Слышишь, если ты сейчас не заткнешься, то я сам тебя заткну! — потеряв терпение, прикрикнул мужчина. — Хорош ахинею нести! Еще одно слово, и по зубам получишь. Я с тобой больше церемониться не буду. Я вообще по жизни не люблю слушать бабские бредни.

Незнакомец включил на полную катушку радио, и я, естественно, умолкла. Я вдруг подумала о Лосе и о том, что меня по-прежнему к нему тянет, только бы увидеть его еще раз и провести с ним еще одну, такую же потрясающую ночь. Я подумала, что, наверно, Лось был бы хорошим отцом и преданным мужем. Несмотря на свое положение, он добрый, человечный, и в нем ощущается безграничная мужская сила, которая так важна для женщины. За таким мужчиной можно спрятаться, как за каменной стеной, хотя я уже давно в этой жизни научилась рассчитывать только на себя и на свои собственные силы. Я привыкла быть себе и поддержкой, и опорой и внушила себе, что всегда смогу за себя постоять. При воспоминании о Лосе по моему телу разлилось успокаивающее тепло, учащенно забилось сердце и на душе стало легче. Когда Риту освободят и она расскажет, что меня похитил какой-то сумасшедший, ребята сразу сообщат Лосю, а тот... Он почувствует не просто испуг, а настоящую панику, потому что им будет руководить не только деловой интерес, но и глубокие личные мотивы, исходящие из самого сердца. И он обязательно поможет мне.

— Приехали. — Незнакомец заглушил мотор и разблокировал двери. — Повязку с глаз не снимать. Если попробуешь, очень об этом пожалеешь.

171

— Хорошо.

Когда он вывел меня из машины, я почувствовала давящую тишину и подумала, что мы действительно далеко уехали. Взяв за руку, незнакомец повел меня в дом и разрешил снять повязку. Быстро скинув злосчастную ленту, я увидела крохотную комнатку, в которой было всего одно-единственное окошко, находящееся на высоте моего роста. Скорее, это была форточка, за стеклами которой висела мощная решетка.

— Это что, темница? — осторожно поинтересовалась я у стоящего напротив меня мужчины. — Или камера пыток?

— Это твоя комната.

— Моя комната?

Посмотрев на брошенный на пол старый матрас, на дырявый плед и стоящий неподалеку тазик, я отчаянно замотала головой и с трудом сдержала себя от того, чтобы не разрыдаться от собственного бессилия.

— Я тут не смогу просидеть даже и часа.

— Сможешь. Я же тебя скотчем не перевязываю и в рот кляп не сую. Руки свободны, можешь свободно двигаться, даже чешись без особых проблем. В туалет — тоже без проблем. Вон тазик стоит. Пить — пожалуйста. Графин с водой в углу.

— Но я так не привыкла! Я так не умею. Я тебя умоляю... Я тебя прошу... Я к таким условиям не привыкла, это невыносимо. Намного хуже. Почему я должна здесь сидеть? Чего ждать, на что надеяться? Что ждет меня впереди? Я не могу находиться в неведении.

— Заткнись! Извини, но комфорта у тебя здесь

не получится. Телевизора нет, не обессудь. Кабель не проведен.

Незнакомец хотел было выйти из комнаты, но я бросилась следом за ним и, упав прямо на пол, схватила его за ноги. Он больно пнул меня мыском своего ботинка и прошипел:

— Ты чё, дура, творишь?

— Не оставляй тут меня одну. Сколько мне здесь сидеть? А если я есть захочу?!

— Представь, что ты на диете.

— Но я ненавижу диеты! Я никогда на них не сидела!

— Посидишь для разнообразия.

Взяв на стоящем в коридоре столе пачку печенья, мужчина кинул ее в мою комнатку и, несмотря на все мои отчаянные просьбы, закрыл за собой дверь.

— А ты где будешь?! — бессмысленно колотила я закрытую дверь.

— Мне нужно уехать.

— Куда уехать???

— На кудыкину гору.

— Не оставляй меня тут, пожалуйста, одну! Я тебя умоляю!!! Можно, я поеду с тобой?

— Сиди здесь, дура!

Как бы я ни стучала в дверь и что бы ни кричала дальше, по ту сторону двери было тихо. Подойдя к маленькому окошку, я попыталась разглядеть место моего нахождения, но не увидела ничего, кроме хмурого, мрачного и густого леса, который вселял настоящий ужас. Решетка, висящая с другой стороны окна, говорила о том, что разбивать стекло бесполезно, и даже если бы это случилось, я бы все равно не смогла в него пролезть — оно было слишком маленьким. Вдоволь нарыдавшись, я обреченно уселась на сырой матрас и поджала под себя ноги. Мне показалось, что я сижу так целую вечность, и когда за крохотным окошком стало темно, я попыталась уснуть. Но не тут-то было. В кромешной темноте мне снова стало невыносимо страшно, и я не смогла уснуть, прислушиваясь к каждому звуку.

К утру, когда на улице начало светать, комната довольно сильно пропиталась сыростью, и я, несмотря на то что закуталась в дырявый плед, начала стучать зубами и ежиться.

Я теперь уже не ощущала себя женщиной-вамп, которая всегда сможет за себя постоять, которой совершенно не нужен мужчина, способный ее защитить, а которая сама прекрасно командует мужчинами и ведет различные дела не хуже любого криминального авторитета. Сейчас я почувствовала себя совсем маленькой, беззащитной девочкой, совсем одинокой, которая растеряла всех своих друзей, замкнулась в себе и молит о помощи. Мне так не хватало рядом мужского плеча, защиты, опоры и элементарного понимания. Больше всего на свете мне хотелось прижаться к широкой мужской груди, поплакать и услышать, что-то ласковое и успокаивающее. А когда я подумала о брате, мне стало еще тяжелее. Я представила лежащего в больнице под капельницей Женьку, который ждет, что я обязательно приеду, звонит мне по мобильному, которого у меня с собой нет, потому что моя сумка с телефоном, деньгами и документами осталась у Риты... От этих мыслей у меня закололо в груди и учащенно забилось сердце. Риту, конечно же, уже освободили. То ли явившийся после работы Артем, то ли кто-то из моих ребят, почуяв неладное в том, что я долго не беру трубку и вообще не подаю никаких признаков жизни.

Когда окончательно рассвело, я встала, подошла к окну и тупо уставилась на густой лес. Мне стало неимоверно жаль себя, своего брата и нашу с ним сумбурную жизнь. Я постаралась вспомнить свое детство, свои школьные годы и понять, что нас с братом привело в этот жестокий криминальный мир. Конечно, мотив был один, это — деньги, а быть может, и власть. Деньги, конечно, более существенный мотив. А ведь мне пророчили блестящее будущее. Учителя поощряли мое увлечение литературой и все, как один, говорили о том, что я обязательно поступлю на факультет журналистики и сделаю блестящую карьеру. Мол, я очень эрудирована, активна, любознательна, всегда знаю, чего хочу, и добиваюсь поставленных целей. Окончив школу на «отлично», я не пошла на отделение журналистики, а вышла замуж, и, как оказалось, крайне неудачно. Расставшись со своим мужем, я находилась в тяжелой депрессии, она была напрямую связана с разводом и затянулась на целых два года... А ведь все могло сложиться совсем по-другому. Я могла не встретить Артема, поступить на факультет журналистики, закончить его точно так же на «отлично», как и школу, и приложить все усилия для того, чтобы сделать великолепную карьеру, например, дипломированного журналиста-международника. Криминальный мир мог обойти меня стороной, а я бы осталась женщиной, которая умела бы варить борщ, ждать мужа после работы, рожать ему детей. И это не мешало бы мне сделать карьеру, ведь сотни женщин делают прекрасную карьеру и имеют при этом семью. Ах, если бы... если бы... Если бы мой брат не связался с дворовой компанией, если бы не стал с раннего возраста исчезать из дома, если бы он не ушел жить отдельно и не приезжал бы к нам на дорогих машинах, осыпая меня различными дорогими ювелирными безделушками, а мать деньгами... Если бы его тогда не взорвали в машине и он не стал бы ездить на инвалидной коляске... Если бы он не привлек меня к своему делу... Все могло быть совсем по-другому... Если бы... Да «бы» мешает.

Устав от собственных мыслей, я взяла из пачки одно печенье, свернулась калачиком и, съев печенье, крепко уснула. Я видела разные сны. Мне снился Женька, катающий меня на своем новеньком джипе. Тогда он еще ходил и чувствовал скорость. Мы летим с ним по шумному проспекту, я громко смеюсь и чувствую себя счастливой. Оказывается, как мало нужно человеку для счастья! Как мало... А затем мне приснились Лось и его родное, теплое и такое притягательное плечо. Лось говорит мне ласковые слова, рассказывает мне о своей любви и зовет замуж. А я... Я чувствую себя по-настоящему счастливой. Просто я не могу ему об этом сказать. Не виновата же я в том, что у меня такой дурацкий характер.

Я проснулась оттого, что кто-то пристально и долго на меня смотрел. Я открыла глаза, подняла голову и посмотрела, ничего не понимая. Опершись о раскрытую дверь, стоял мой похититель, курил и с интересом меня рассматривал.

— Ты... — растерялась я и скинула с себя дырявый плед.

— Я... — пустил он дым в мою сторону.

— Я от сырости задыхаюсь. Тут дышать нечем. В лучшем случае я умру, а в худшем — заработаю астму.

— Какие-то рассуждения у тебя странные. Тебе легче умереть, чем схлопотать какую-нибудь болезнь.

— Конечно, а зачем такая жизнь нужна?

— Какая?

— Ну, такая... В этих стенах.

— Значит, тебе эти стены не нравятся?

— А кому они понравятся, — раздраженно пожала я плечами и попробовала встать. — Послушай, выпусти меня отсюда. Я здесь и пяти минут больше не могу просидеть. Я думала, что ты никогда уже не вернешься. Ты где был? — На моих глазах появились слезы.

— По делам уезжал.

— Какие тут могут быть дела, если лес кругом?

— А тебе что, страшно было?

— Еще бы! Я не знаю, как я пережила эту ночь.

— Когда я сюда зашел, ты дрыхла и даже улыбалась во сне. Наверно, тебе снились хорошие сны. А если даже в этом чулане тебе снились хорошие сны, значит, не все так плохо. — Незнакомец бросил окурок на пол и затушил его ботинком. — А я смотрю, ты даже плакать умеешь.

— Конечно, я же не железная.

— Вот я сейчас смотрю на тебя и опять ничего не понимаю.

— Что ты не понимаешь?

— Я вижу, что передо мной обыкновенная баба. Понимаешь, обыкновенная. За ночь с нее слезла вся краска, и она стала страшна, как атомная война. Видно, правду говорят, что бабу утром без краски видеть нельзя, а то можно потерять сознание. Так вот, эта баба ревет и трясется от страха, и совершенно непонятно, как нормальные, здоровые мужики исполняли все ее приказания.

Собрав остатки самообладания, я поправила взъерошенные волосы и злобно переспросила:

— Это кто атомная война, я, что ли?

— Да я вроде про тебя говорил.

— А ты сам на себя в зеркало давно смотрел? Ты сам страшнее, чем атомная война! Шрам во всю рожу!!! Нормальный мужик уже давно бы пластику сделал! Тебе и по жизни в своей черной маске ходить надо. Ты в ней намного симпатичнее выглядишь, чем без нее. У тебя даже один глаз выше, а второй ниже. Циклоп недоделанный!

— Кто циклоп? — ошалел от моей наглости незнакомец.

— Я, кажется, про тебя говорила.

— Застрелю тебя, сука!

Не помня себя, я начала дико кричать:

— На, стреляй! Стреляй! Или стреляй, или отпусти! Но делай же что-нибудь... Не держи меня в неведении! Я должна наконец что-то знать. Я больше так не могу!

— Что ты хочешь знать? — совершенно спокойно спросил незнакомец. Уж чего-чего, а его спокойствия после моих слов я ожидала меньше всего.

— Я хочу знать, что ждет меня впереди! Какого черта ты меня сюда привез? Что ты хочешь? Ты меня не убиваешь, ничего от меня не требуешь и ничего мне не объясняешь... Я тут как подопытный кролик. Ты уж извини, но я не привыкла в туалет в тазик ходить и печенье, как крыса, сидя на полу, есть не могу. А уж спать тем более...

— Ты слишком много сразу хочешь знать. Придет время, все узнаешь.

— Придет время, и ты все узнаешь, — передразнила я незнакомца. — А когда придет это время? Когда? Сколько мне здесь сидеть? Сегодняшней ночью я вообще была одна в доме! У меня уже нервы сдают. Еще немного, и меня можно будет в «дурку» сдавать.

— Чего ты боялась?

— А ты думаешь, что я вообще не знаю, что такое страх? Да, мне было страшно, я не хочу этого скрывать, но больше всего мне страшно оттого, что я нахожусь в неведении. От этого действительно страшно.

— Ты жалеешь, что этой ночью я не лежал у тебя под боком и не согревал? Ты хочешь, чтобы сегодня я лег с тобой рядом на этом матрасике, укрыл дырявым пледом и рассказывал тебе всю ночь сказки? — ехидно усмехнулся незнакомец.

— Да пошел ты! Я совсем не это имела в виду, — огрызнулась я. — Я только спросила тебя о том, где ты был этой ночью.

— Я тебе уже ответил. Этой ночью я уезжал по делам.

— Какие тут могут быть дела? Тут же лес кругом.

— Ну и логика... Дела могут быть везде.

— Ты что, Дровосек?

— Дровосек.

— Я так и подумала. Я как тебя увидела, то сразу подумала, что ты Дровосек. А меня ты сейчас зачем сюда привез? Чтобы я смотрела, как ты лес рубишь? За этим, да?

— Дура ты крикливая, — сказал мужчина и снова закурил. — Узнаешь в свое время.

Я немного успокоилась и постаралась привести свои мысли хоть в какой-то порядок, чтобы сохранить состояние боевой готовности.

— Так ты мне скажешь, зачем меня сюда привез? — Я задала главный вопрос уже более спокойным голосом. — Скажешь или нет? Или мы так и будем ходить вокруг да около?

— Я тебе сказал, что еще не время.

Этот ответ окончательно выбил меня из колеи и, не помня себя, я закричала в страшной ярости:

— Послушай, ты, Дровосек! Кончай надо мной издеваться! А ну пошел вон отсюда! Закрой дверь с обратной стороны! Я не хочу тебя видеть!!! Я даже не знаю, как тебя зовут! Я ничего о тебе не знаю! Я не знаю даже, как к тебе обращаться!

— Зови меня просто — Дровосек. Ты ж сама мне выбрала это имя. — Спокойствию незнакомца можно было только позавидовать.

— Значит, я попала в точку. Тебя действительно зовут Дровосеком.

— Ты попала в самую точку.

— Понятно. Тогда, слышишь, ты, Дровосек гребаный, а ну-ка, катись отсюда на все четыре стороны! Лес рубить!!! Ты же сам сказал, что это моя комната. Так выкатывайся из моей комнаты к едрене матери, понял?!

Усмехнувшись, мужчина громко захлопнул за собой дверь и повернул ключ. А я села на холодный сырой пол, положила голову на колени, обхватила их руками и заплакала. Правда, я старалась плакать так, чтобы с другой стороны двери меня не было слышно...

———————

Глава 10

Я уже плохо ориентировалась во времени. Я подняла голову, когда за крохотным окошком вновь было темно. От постоянных, самых нелепых мыслей голова просто разрывалась на части, а перед глазами все плыло. То, что меня похитили явно не для того, чтобы убить, не вызывало сомнений. Если хотят получить за меня выкуп, то странно, что этот Дровосек не заставляет меня звонить моим людям, чтобы они готовили нужную сумму. Он сказал, что я разрушила всю его жизнь... Но как и каким образом? Ведь я совершенно его не знаю...

Я сидела словно мумия и пошевелилась только тогда, когда открылась перекошенная от старости дверь, но я не подскочила, словно ошпаренная, не стала кричать, требовать, чтобы меня немедленно отсюда выпустили, а просто безразлично подняла голову и тихо спросила:

— Что тебе нужно?

— Я по делу, — обратился ко мне Дровосек, который, по всей видимости, находился в прекрасном расположении духа. — О, да я смотрю, ты целую пачку печенья слопала... — Мужчина остановил свой взгляд на обертке из-под печенья. — Метешь нормально. Аппетит не пропал.

— А что, мне здесь с голоду подыхать?! Ты так говоришь о пачке печенья, словно это огромный торт. У тебя есть ко мне дело? Помочь тебе лес рубить?

— Что-то вроде того... Поедешь со мной.

— Ты хочешь, чтобы я вышла из этой комнаты?

— Иначе не получится...

— Это очень заманчиво, но я тебе честно признаюсь, что топор в руках держать не умею.

Я встала и выпрямилась в полный рост, но тут же ахнула и, присев, стала растирать онемевшие ноги.

— Ты чего? — удивился Дровосек.

— Чего? Чего? Ноги у меня затекли.

— Так ходить надо было. Чего ты сидела на одном месте?

— Ходить, а где? — не поняла я его.

— Ну хоть по кругу. Двигаться, одним словом. Зарядку бы сделала кое-какую. Прыжки, приседания.

— Еще скажи — бег на месте. Какие, к черту, прыжки! Тут прыгнешь — головой о потолок! Здесь шевельнуться негде. Даже по кругу не походишь. Тюремная камера и та больше.

— Я бы этого не сказал. Смотря какая тюремная камера...

Подняв голову, я внимательно посмотрела на Дровосека и осторожно спросила:

— А ты сидел?

— Сидел, ну и что! — встал в позу Дровосек.

— Оно и видно.

— Что видно?

— Что ты сидел.

— И где же это видно? — Дровосека озадачил мой вывод.

— У тебя на лбу написано, — бесстрашно выпалила я и ехидно улыбнулась.

— Ты у меня щас договоришься! — В голосе Дровосека появилась угроза.

— И что ты мне сделаешь? Топором зарубишь?!

— Пулю всажу! Ничего особенного не вижу в том, что был судим. В наше время это не имеет никакого значения. Главное, чтобы человек и на зоне остался человеком.

— А ты за что сидел? Государственный лес рубил и налево его продавал?!

— Хватит уже! — оборвал меня Дровосек. — Я щас тебя опять закрою, и сиди здесь до одурения.

— Ой! Только не это!

Бросившись к двери, я выскочила в коридор и тут же зажмурилась от яркого света:

— Ради бога, только не это!.. Ты говорил, что я должна тебе в чем-то помочь. Так вот, я согласна!

— Ну пошли, коли согласна.

Мужчина провел меня на кухню, которая граничила с верандой, и я тут же прильнула к окну. Но и это не принесло мне особой радости. За окном была беспросветная темень, и даже сквозь нее можно было увидеть, что вокруг самый настоящий лес, который я никогда не любила и которого всегда в глубине души немного побаивалась.

— Лес кругом, — сказала я обреченным голосом и прислонилась лбом к холодному стеклу. — Это что, охотничий домик?

— А ты и в темноте видишь?

— Тут и напрягаться особо не надо, так все видно. Мы где-то в лесной избушке? Где-то в домике охотника?

— Ага, на лесозаготовках, — засмеялся Дровосек.

— Я так и подумала. Короче, увез меня к черту на рога. Увез туда — не знаю куда. Затем — не знаю зачем. Искать то — не знаю что...

— Я смотрю, ты сказки любишь.

— А кто их не любит?

— Я, например, — ударил себя в грудь Дровосек. — Я уже вышел из этого возраста. В сказки верят только те, кто отстал в развитии на несколько лет. У кого задержка в психическом и интеллектуальном развитии.

— Я так понимаю, что ты имеешь в виду меня?

— Я не переходил на личности и говорил только так, в общих чертах.

— Даже при этом у меня по этому поводу совершенно другое мнение. Я думаю, что в сказки не верят только злые люди. Добрые люди всегда в них верят и даже пытаются перенести эти сказки в собственную жизнь.

— Это ты про тех идиоток, которые верят в сказки про принцев на белом коне? Всю жизнь ждут этих принцев, до самой старости, а затем умирают в одиночестве и болезнях.

— А разве плохо, что человек о чем-то мечтает? Разве это плохо? Мечтать о принце тоже неплохо. И это совсем не та мечта, которой нужно стесняться. Гораздо страшнее вообще ни о чем не мечтать и ничего от этой жизни не хотеть. Мой муж, когда мы разводились, сказал фразу, над которой смеялся даже судья. Он сказал, что не может жить с женщиной, которая живет с ним под одной крышей, ест, спит, ведет совместное хозяйство, строит дальнейшие планы, но... по-прежнему мечтает о принце на белом коне.

— Он так и сказал? — рассмеялся мужчина.

— Когда его спросили о причине развода, он сказал именно так.

— А ты?

— А что я?

— А ты как на это реагировала?

— Хочешь знать, пыталась ли я его переубедить?

— Ну что-то типа того.

— А я этого не отрицала. Что плохого в том, что я верила в свою мечту?

— Но ведь ты жила с мужиком! Ты хочешь сказать, что одно другому не мешает?!

— Одно другому помогает. Чем больше я жила со своим мужем, тем больше и больше я ждала своего принца. Чем больше меня засасывала семейная рутина и чем больше я тонула в ней с головой, тем больше и больше мне хотелось, чтобы приехал быстрее мой принц-спаситель и вытащил меня из этого болота, которое называется несчастливой семьей.

— Только вместо белого коня у него должен быть белый «мерседес».

— Не обязательно белый. Можно и черный. Мне всегда нравились самодостаточные мужчины на «мерседесах».

— А у твоего мужа, если не секрет, на момент вступления в брак какая машина была?

— Не секрет. На тот момент у него вообще никакой машины не было.

— А что так?

— Не заработал.

— А что ж ты за него замуж пошла? По огромной любви?

— По огромной влюбленности. Огромная влюбленность имеет один существенный недостаток. Она слишком быстро проходит.

— В общем, ты с ним жила и все время ждала другого. Ты ждала, что он придет и тебя спасет? — не удержался от смеха Дровосек.

— Да, ждала и ничего смешного в этом не вижу.

— Знаешь, я бы от тебя тоже сбежал. Да от тебя бы любой мало-мальски нормальный мужик сбежал. А если бы у меня был «мерседес», ты бы ждала того, у кого был бы «хаммер»?

— Не надо утрировать. Во-первых, я бы никогда за тебя не пошла. В этой жизни меня меньше всего интересовали судимые Дровосеки, а во-вторых, я ждала того, кто облегчит мою жизнь и действительно сделает ее счастливой. А счастье не зависит от марки машины. Да, мужчина должен сделать меня счастливой, и в материальном смысле тоже, если тебя интересует этот вопрос. Я бы хотела, чтобы мой избранник помог мне разрешить множество проблем, а зачастую получается все по-другому. Наши современные мужчины вместо того, чтобы помочь женщине разрешить ее проблемы, вешают на нее еще и свои, вынуждая ее нести двойной груз. Они перекладывают всю ответственность на хрупкие женские плечи и еще обвиняют ее в своих грехах, особенно если не могут заработать денег, чтобы обеспечить достойное существование. Я уже не говорю о том, чтобы обеспечить ее будущее. Именно поэтому многие женщины, даже живя с мужчинами, мечтают о принцах, с которыми им будет легко, хорошо и комфортно. И я не вижу в этом ничего постыдного.

— А почему бы этим дамочкам не жить самим по себе? Зачем они сходятся с теми, кому никогда не дорасти до принцев?

— На эту тему можно много рассуждать и никогда не прийти к единому мнению. Просто жизнь слишком несправедлива, особенно к сильным женщинам. Слабым женщинам легче, потому что они воспринимают мужчину таким, какой он есть, и живут во благо и во имя мужчины. Они умеют прощать, потому что зачастую любят своего мужчину намного больше, чем себя. И даже если о них вытирают ноги, они всегда стелются ковриком и никогда не протестуют. Они знают, что без мужчины они ничто, и на все закрывают глаза. Сильным женщинам в этой жизни сложнее, они слишком самодостаточны и знают себе цену. Им нужны гармония и самоотдача. Они переживут любое расставание, достойно вынесут любой удар судьбы, не показывая при этом слез. Они плачут только по ночам, а днем... Днем они всегда в великолепной форме, с улыбкой на лице и... глубоким одиночеством в душе. Днем они идут уверенной походкой по улице и чувствуют, что им смотрят вслед... В этом мире стало появляться слишком много женщин, которые рассчитывают только на свои силы, и слишком мало мужчин, готовых помочь женщине, взять часть ее проблем на себя. Все, что могут предложить нынешние мужчины, это их эгоистическая любовь. Мужчина быстрее расстанется со своим сердцем, чем со своим кошельком. К глубокому сожалению, это так. Мужчины спиваются, меняют ориентацию, гибнут в Чечне... Их слишком мало. Слишком мало для того, чтобы женщины могли нормально устроить свою личную жизнь. Мир так устроен, что женщин, которые мечтают встретить принцев, чересчур много, их тысячи, сотни тысяч, а истинных принцев — единицы. Везет только избранным. К сожалению, судьба не внесла меня в список этих счастливиц, поэтому, живя с собственным мужем, я просто хранила свою мечту и всегда ждала своего принца.

— Бедный муж, — сделал свое заключение Дровосек и закурил.

— Бедная я. Кстати, мы с тобой совсем не о том говорим. Насколько я поняла, ты меня зачем-то позвал.

— А может, я и есть тот принц, который вытащил тебя из заключения и привел на эту веранду? — покатился со смеху Дровосек. — Может, это меня ты ждала всю свою жизнь?

— Рожей не вышел! Да и тачка у тебя не сегодня, так завтра развалится. Может, о тебе кто другой мечтал в соседнем колхозе «Серп и молот»?!

Я понимала, что слишком резко и рискованно ответила на издевку Дровосека, но поступить по-другому не могла. Естественно, он не мог не наказать меня за мою наглость, тем более что наше положение в этом доме было совершенно не равным. Дровосек подошел ко мне совсем близко и отвесил настолько мощную пощечину, что я потеряла равновесие, отлетела к стене и ударилась головой.

— Не смей так никогда говорить! Ты не знаешь, кто я такой, чем дышу и чем занимаюсь! В следующий раз я могу не сдержаться и проломлю тебе голову! Ты меня поняла?!

— Поняла.

Держась за пылающую щеку, я с трудом встала и попыталась собрать всю свою обиду в кулак. Я подумала, что если останусь жива, то обязательно отомщу за чудовищные унижения, которыми изводит меня этот неотесанный тип. Все вернется к нему бумерангом, только в более жесткой форме. Только бы мне остаться живой и выбраться из этого дома. Только бы... Если это похищение, то он в самое ближайшее время заставит звонить меня моим ребятам и предлагать им выкупить меня. Я должна буду говорить им, что мне здесь плохо, что меня бьют, пытают и что каждый час моей жизни может быть последним. Скорее всего это так. Просто Дровосек тянет время. Он тянет для того, чтобы мои люди начали паниковать и потеряли надежду увидеть меня живой. Именно в таком состоянии они пойдут на любые условия. А что, если он маньяк? Может быть, ему нужен какой-то особенный день и час для того, чтобы со мной жестоко расправиться? Нет, непохоже... Может, у него нарушена психика? Скоро весна, и у шизофреников начинается обострение. Говорят, что именно в это время психиатрические лечебницы переполнены. Ладно, что бы там ни было дальше, лучше прикинуться ласковой и пушистой, чтобы он потерял бдительность. Я должна завладеть его машиной и постараться выбраться из этих дебрей. Я это должна... Самое главное, чтобы он больше не запирал меня в комнате, иначе о побеге придется только мечтать.

Как ни в чем не бывало я кинула в сторону Дровосека дружелюбный взгляд и тихо сказала:

— Ты просил меня в чем-то тебе помочь. Я готова, что нужно сделать?

— Стол накрыть, — как ни в чем не бывало ответил он.

— Стол?!

— Ну да. Продукты все перед тобой. В общем, ты должна приготовить что-нибудь похавать. И все должно быть нормально. Ты готовить-то умеешь?

— У меня в этом не было необходимости... Я уже давно в ресторанах питаюсь.

— Вот это плохо. Помимо ресторанной еды, должна быть домашняя. Иначе гастрит тебе обеспечен.

— У меня с этим проблем нет. У меня есть и горничная, и собственный повар. Они оба высококвалифицированные мастера. У них даже дипломы есть.

— Да на фиг мне нужны какие-то там дипломы! Ты говоришь, что замужем была. Ты мужу своему есть не готовила?

— Готовила, только он постоянно жаловался, что я плохо готовлю. У нас из-за этого вечно скандалы были.

— Понятно, короче, ты отказываешься готовить? Тогда пошли обратно в чулан.

— В какой чулан? — не на шутку испугалась я.

— Туда, откуда я тебя только что вызволил. Я тебя позвал, чтобы ты есть наготовила, а ты не умеешь. Любая баба должна по жизни это уметь. Ей так на роду написано. Как же ты собиралась кормить своего принца на белом коне, если бы ты его встретила? Яичницей бы его пичкала, чтобы он после месяца жизни с тобой закукарекал?! Или хотела бы, чтобы он по три раза в день тебя в ресторан водил: завтракать, обедать и ужинать?!

Несмотря на то что Дровосек был страшно разгневан, я приняла вызывающую позу и точно так же произнесла:

— А если бы я встретила принца на белом коне, о котором грезила с детства, то, поверь мне, его уж я бы накормила по полной программе. Продуктов бы самых вкусных набрала, книг с кулинарными рецептами бы столько перелистала, что приготовила бы ему целое море самых вкусных блюд, таких, что пальчики оближешь! А насчет ресторанов ты зря. Что плохого в том, что принц повезет свою женщину на ужин в дорогой ресторан, потому что он может это себе позволить? И это совсем не недостаток. Это его достоинство. Причем существенное достоинство. Мужчина должен баловать женщину, иначе придет время и ее побалует кто-нибудь другой.

— Так представь себе, что я принц на белом коне, и наготовь мне множество вкусных блюд, тем более что продукты покупать не надо. Я уже затарился. Сделай так, чтобы я пальчики облизал.

Конечно, в глубине души мне хотелось громко рассмеяться Дровосеку в лицу и заявить ему чистую правду, что до принца ему далеко, потому что он рожей не вышел, но я понимала, что делать этого не стоит, потому что этим я могу окончательно вывести его из себя и через несколько секунд снова очутиться в чулане.

— Выбирай, будешь по кухне суетиться или в чулане сидеть? — Дровосек посмотрел на часы, не скрывая своей озадаченности. — Определяйся быстрее, а то время не терпит.

— Ты такой голодный?

— От хавчика я бы не отказался.

Не сомневаясь ни минуты, я убрала упавшую на глаза челку.

— Конечно, я буду готовить, — согласилась я.

— А ты продукты не испортишь?

— Не переживай. Я в детстве всегда помогала матери.

— Ты хочешь сказать, что у тебя остались кое-какие навыки с детства? — в очередной раз усмехнулся Дровосек.

— Не переживай. Я их не растеряла.

— Тогда дерзай.

Я подошла к пакетам с продуктами и принялась их разбирать. Дровосек сел в старенькое кресло, закинул ноги на стол и стал за мной наблюдать.

— «Седьмой континент», — прочла я на одном из пакетов.

— Что за седьмой континент?

— Надпись на пакете: «Седьмой континент». Я смотрю, здесь где-то магазин недалеко.

— Недалеко тут только лес. За этой жратвой мне пришлось в Москву ехать.

Пакетов было так много, что я не могла не удивиться:

— Зачем столько продуктов? Этим можно целую роту солдат накормить! Может, половину убрать в холодильник?

— Готовь, я сказал.

— Что готовить?

— Все готовь! Все, что есть, все готовь!

— Куда так много? Тебе это за месяц не съесть! Ты привык наедаться впрок?

Дровосек вновь посмотрел на часы и покачал головой:

— У тебя осталось ровно два часа, а ты все трещишь без толку. Через два часа сюда приедут семь мужиков, и они все хотят жрать.

— Сколько мужиков? — не поверила я своим ушам.

— Семь, — как ни в чем не бывало повторил Дровосек.

— А что не десять? — истерично спросила я.

— Трое не смогли, — совершенно спокойно ответил он на мой вопрос.

Меня охватила паника, я достала из пакета бутылки дорогого коньяка, дорогую водку и тряслась, как в лихорадке.

— А что за мужики? Зачем они сюда приедут?

— Пожрать, — без всякой иронии сказал Дровосек.

— Им больше жрать негде?

— Ну не только пожрать, но и выпить тоже. Они по мне соскучились. Мы в этом домике договорились встретиться.

— А почему именно в этом домике? — От страха я совсем потеряла над собой контроль. — Неужели больше негде? Зачем тащиться в такую даль? Сейчас целая куча ресторанов, и не надо у плиты горбатиться. Встретились бы в городе, устроили банкет, погуляли по полной программе...

— Нельзя нам в городе встречаться. Такая встреча может стать последней... — Дровосек не сводил с меня глаз, по-прежнему держал ноги на столе, курил и наблюдал за тем, как я нервно режу мясо. — Смотри, осторожнее ножом орудуй, а то сейчас пальцы себе отрежешь.

— Ты не ответил на мой вопрос. Почему вы не захотели собраться в городе?

— Потому что ты задаешь мне слишком много «почему». А ты что так испугалась? Боишься, что одному мужику зубы скалила, а теперь придется всем восьмерым?!

— Мне всегда было малоприятно общество незнакомых мужчин.

— А что так? Вдруг один из гостей окажется принцем на белом коне?

— Хватит, — оборвала я Дровосека.

Я смазала противень маслом, разложила на нем мясо и уже спокойно повторила:

— Хватит.

— Смотри сама, — сказал Дровосек. — У тебя был выбор. Могла в чулане сидеть. Ты сама не захотела. Поэтому готовь, а затем радушно встречай гостей, да покажи себя хорошей хозяйкой. Или в чулан пойдешь?

— Нет, — не раздумывая, замотала я головой. Посмотрев на целую гору бутылок, я вдруг подумала, что, конечно же, очень рискованно прислуживать восьмерым изрядно подвыпившим мужикам, но этот риск стоит того, чтобы дождаться, пока эти мужики потеряют контроль, улучить момент и бежать прочь из этого страшного дома. А вот сидеть взаперти в чулане и ждать у моря погоды действительно глупо и глупее не может быть.

— Смотри, мужики все судимые, — продолжал Дровосек, — все без тормозов и чересчур шустрые. Ты их не пугайся, а то тебя одни их наколки могут напугать. Короче, они к тебе приставать могут. Мужики, одним словом, кобели. Сама понимаешь! Какому нормальному мужику бабу не захочется, да еще такую симпатичную, как ты?

— Ты же говорил, что я на атомную войну похожа!

— Да это я так, пошутил. Ну эти гости могут тебя запросто трахнуть, только как они решат, все вместе или по очереди, не знаю.

— Что?! — Из моих рук выпал нож, которым я чистила картофель. — Что ты сказал?!

— Я говорю, что мужики все голодные, из зоны недавно откинулись. Конечно, каждому из них сразу теток подогнали, а кому и на зоне периодически подгон делали, но это не значит, что они от тебя откажутся. Такая дама, с такой аппетитной задницей...

Безнадежно опустив руки, я едва выговорила:

— Тогда лучше в чулан. Если они все такие крутые, что им женщин даже на зону привозили, то почему они сюда без женщин приедут? Ты бы им позвонил, сказал, чтобы с собой захватили. Все ж веселее бы было.

— Я им позвонить не могу.

— Почему?

— Потому что у меня телефон отключен.

— Ну так включи. Какая проблема?!

— Во-первых, у тебя слишком много «почему». Во-вторых, они уже выехали, и, по-моему, без баб.

— Ну так пусть по дороге захватят. Их же на трассе полно.

— Никогда меня не перебивай! — Дровосек наклонился и ударил кулаком по столу. — Не смей меня перебивать! Если мужик говорит, баба должна молчать!

— Еще скажи «ловить каждое его слово», —

сказала я на свой страх и риск. — У тебя только и слышно: баба должна, баба должна... Баба всегда кому-то и что-то должна... А что мужик должен? Что за политика такая? И вообще я не баба. И никогда ею не была. Бабы знаешь где?

— Заткнись, — уже лениво повторил мой похититель, — а то сейчас точно в чулан отправлю!

— Да уж лучше отправь, чем меня своими муж-ланами с зоны пугать, ты думаешь, моя нервная система все на свете выдержит?!

— Я не могу им позвонить, потому что я не могу включать свой мобильник по каждому пустяку. Я в бегах, а по звонку с мобильника можно запросто вычислить местонахождение человека. Если ты это-го не знала, то теперь знай.

— Ты в бегах?

— А что, не похож?

— Похож.

— Хочешь сказать, что тут я рожей вышел?

— Еще как вышел!

— Считай, что я принял это за комплимент... — Дровосек расплылся в самодовольной улыбке.

— Ты из тюрьмы убежал?

— Из тюрьмы убегают единицы. Это очень рискованно.

— Значит, из колонии, — понимающе кивнула я. — И откуда ты взялся на мою голову? Зачем я тебе нужна? Откуда ты узнал, что я у Ритки? Откуда ты вообще про меня знаешь? Что тебе от меня нужно? Каким боком мы вообще с тобой пересеклись? Я думала, что ты из какой-то группировки. Только про Ритку мою откуда узнал? Про мою подругу знают только мои близкие люди. Может, ты мне хоть что-нибудь объяснишь? Ты на мне наварить решил? Выкуп хочешь? Так давай вместе моим ребятам позвоним. Какая сумма тебе нужна? И своими мужланами зоновскими меня не пугай. Если с моей головы упадет хоть один волос, ты понимаешь, что тебе за это будет?! Тебя на тот свет сразу отправят. Ты хорошенько подумай. — Я резко замолчала и, подняв с пола нож, осторожно провела по его лезвию. Затем посмотрела на Дровосека в упор и задумчиво произнесла: — Или ты другую схему придумал? Хочешь денег с моих ребят получить, а меня обратно не возвращать и на тот свет отправить? Скажи правду, ты так задумал?! Зачем меня возвращать и подставлять свою задницу? Меня можно смело насиловать, давать в пользование друзьям, издеваться как хочешь и сколько хочешь, а после того, как за меня дадут деньги, меня можно смело убить и закопать в соседнем лесу?! Ты этого хочешь?!

Не помня себя, я ринулась с ножом на Дровосека. Он громко рассмеялся и достал пистолет.

— Дорогуша, немедленно брось нож, или я стреляю!

— Стреляй! — крикнула я Дровосеку, не останавливаясь.

Я остановилась только тогда, когда прогремел выстрел и я поняла, что Дровосек действительно не шутит. Пуля пролетела мимо меня, но выстрел заставил меня резко остановиться. Я тут же бросила нож на пол и проговорила, словно во сне:

— Чем же мне картошку чистить?

— Подними нож с пола и иди чисть.

Дровосек говорил громко и отчетливо и действовал на меня, как гипнотизер. Оправившись от шока, я дрожащими руками подняла нож с пола, подошла к кухонному столу и принялась снова чистить картошку. Затем посмотрела в сторону простреленного окна и тихо спросила:

— А если бы ты меня убил?

— В следующий раз убью. Еще одна выходка, и я за себя не ручаюсь. Тут кругом лес. Стреляй сколько душе угодно. На выстрелы никто не прибежит.

Дровосек убрал пистолет обратно в карман, тут же закурил сигарету и сказал уже более спокойным голосом:

— Час остался, а тебе еще целую гору салатов шинковать. А ты, я смотрю, на кухне нормально шерстишь, а говорила, что ничего не умеешь. И не забудь, что ты должна быть с моими гостями предельно вежлива и играть роль прекрасной хозяйки. А чтобы тебя никто не тронул и случайно не трахнул, я представлю тебя как свою зазнобу.

— Как кого? — не поняла я Дровосека.

— Как свою зазнобу. Как телку свою! Скажу, что у нас с тобой любовь или что-то типа того. После этого никто тебя не тронет, все тебя уважать будут. Так что спать вместе со мной ляжешь, на одну кровать. Уж лучше я один, чем эти семеро. Тем более у меня давно женщины не было. Во мне столько добра накопилось, надо бы разрядиться.

Я промолчала и никак не отреагировала. Я просто сделала вид, что это меня не касается.

— Гости ровно в двенадцать приедут, а уже одиннадцать.

— Не слишком ли поздно для гостей?

— Для таких, как мои, это даже рано.

— Ты не рассказал о моей дальнейшей судьбе. Получишь выкуп и меня отпустишь или возьмешь грех на душу после того, как получишь деньги?

— Я еще никаких денег не требовал, поэтому и получить их не могу. О твоей судьбе мы поговорим завтра. Так ты готова играть роль моей зазнобы или предпочитаешь сидеть в чулане?

— Играю роль зазнобы, — мирно ответила я в надежде, что до постели с этим неотесанным мужиком вряд ли дойдет. В самый разгар веселья я постараюсь бежать. Даже если кругом лес, где-то должна быть дорога, а если здесь есть дорога, по ней обязательно должны ездить машины, а даже если по ней машины не ездят, она все равно куда-нибудь меня выведет, желательно, конечно, туда, где есть люди.

— У тебя выражения какие-то деревенские. Зазнобами только в деревнях называют. Ты сам из деревни? — Я принялась шинковать салат.

— Сама ты деревенская. Зазноба — это нормальное определение для бабы.

— Я уже говорила тебе, что я не баба.

— А кто ты? Мужик в юбке?! — противно засмеялся Дровосек.

— Я леди! — злобно крикнула я и бросила в Дровосека помидор.

Дровосек отшатнулся и помидор пролетел мимо. Он не произнес ни единого слова, только посмотрел на меня с нескрываемым интересом и продолжал дымить.

————

Глава 11

Когда стол был уже практически накрыт, я посмотрела на часы и подумала, что гости приедут с минуты на минуту.

— У тебя гости пунктуальные? — Я вытерла руки о полотенце и посмотрела на сидящего в кресле Дровосека.

— Сейчас должны приехать, — ответил он.

— У меня в принципе все готово.

— А ты неплохая хозяйка, — похвалил меня Дровосек. Похвала не вызвала во мне ничего, кроме раздражения. — Не понимаю, почему ты своему мужику не готовила? Почему бабы вечно все из-под плетки делают?

— Значит, мужик такой был, — раздраженно ответила я и села на табуретку.

— Плохой, что ли?

— Никакой.

— Как это — никакой?

— Ни плохой, ни хороший.

— Ты хочешь сказать, что ни рыба ни мясо...

— Что-то типа того.

Дровосек игриво мне подмигнул и убрал со стола ноги.

— А я классный мужик, если ты мне столько жрать наготовила.

— Я готовила тебе не потому, что ты такой классный, просто у меня нет другого выхода. Меня обстоятельства заставляют.

Видимо, мой ответ не понравился Дровосеку, и это отразилось на его лице.

— А ты что расселась?

— У меня все готово.

— А прихорашиваться не будешь?

— Что? — Мне показалось, что я ослышалась. — Что ты сказал?

— Я говорю, ты прихорашиваться не будешь? — Дровосек смотрел на меня глазами, полными превосходства.

— В каком смысле?

— Волосы причесать не хочешь? Губы не мешало бы накрасить, чтобы покрасивее выглядеть. Жаль, косметички у тебя с собой нет.

— Ну уж извините! Извините, что не успела захватить с собой косметичку, — театрально развела я руками. — Мне как-то не до этого было. Я даже и не подумала об этом.

— Извиняем, — ехидно кивнул Дровосек. — Извиняем, но надеемся, что в следующий раз вы будете предусмотрительнее.

Я закинула ногу на ногу и одарила Дровосека взглядом, полным ненависти.

— Спасибо, что вы так вежливы, но следующего раза не будет. Мы теперь поумнее будем. Если, бог даст, останемся живы, мы только с охраной ходить будем. И к подруге с охраной, и даже в туалет с охраной будем ходить. Нас теперь голыми руками не возьмешь.

— Ходить с охраной в туалет — это очень интересно. Везет же охраннику, — заметил Дровосек.

— Пусть хоть охраннику повезет. Кстати, а для кого я должна прихорашиваться?

— Для моих друзей.

— Кто они такие, чтобы я перед ними прихорашивалась?!

— Они мои друзья, — сказал, как отрезал, Дровосек. — А если ты моя зазноба, то знай, что моя зазноба должна быть красивой. Иначе они не поверят, что у нас с тобой что-то серьезное, и начнут приставать.

— А с чего ты взял, что твоя зазноба должна быть красивой? Может, у тебя вкус извращенный и ты некрасивую полюбил. Ведь не ко всем дамам являются рыцари на белых конях и не всем мужчинам достаются красивые женщины.

— Да щас баб красивых полно. Хоть стены обклеивай!

— Вот и обклеивай. А я не хочу, чтобы мною кто-то стены обклеивал. Такие женщины, как я, не созданы для обоев.

— А для чего созданы такие, как ты? Для того, чтобы с пушкой бегать и здоровыми мужиками управлять?! Ты это хочешь сказать?! Это?! Ты ведь для этого создана! Да?!

Я не успела ответить, так как в этот момент раздался стук в дверь. Я вздрогнула и посмотрела на Дровосека.

— Гости пожаловали, — обрадовался он. — А ну-ка, хозяюшка, встречай гостей. Жаль, что у тебя парадного платья нет. И повежливее, пожалуйста, повежливее!

В тот момент, когда на веранду ввалилась целая куча мужиков с устрашающей внешностью, я встала как вкопанная и даже боялась шевелиться. Дровосек оказался прав — мужчин было ровно семеро. Под окнами веранды стояли джип и небольшая иномарка. Значит, они приехали на двух машинах. Если бы я встретила этих «гостей» где-нибудь на улице, я затряслась бы от страха и бросилась от них прочь, не оглядываясь. Уж слишком неприятные они были. Мужчины поочередно стали обниматься с Дровосеком, говорили о том, как долго они ждали этого дня, когда они все соберутся вместе и смогут посидеть за одним столом, а все неприятности останутся далеко позади. Я сразу обратила внимание на их руки. У каждого из них были какие-то совершенно нелепые наколки в виде различных надписей и колец на пальцах. Вне всякого сомнения, эти люди были судимы, и я была даже уверена в том, что они были судимы не один раз.

Как только у мужчин прошла эйфория от первых минут встречи, они тут же обратили внимание на накрытый стол и почти одновременно заметили меня:

— Коля, вот это стол! Вот это прием! Кто бы мог подумать! Да тут наготовлено больше и лучше, чем в самом лучшем московском ресторане. А это что за красотка? Ты откуда ее взял?

— Это моя зазноба. У нас с ней серьезно. — Дровосек, которого, как оказалось, зовут Коля, подошел ко мне вплотную и обнял за плечи. По его мнению, он представил меня своим друзьям вполне достойно, потому что не знал, как это делается по-другому.

Я стояла в объятиях Дровосека на всеобщем обозрении и терялась, не зная, что именно я должна сейчас делать — радушно улыбаться или, что мне очень хотелось, как можно быстрее убрать тяжелую руку Дровосека со своего плеча, потому что она не вызывала во мне ничего, кроме самого настоящего отвращения, даже брезгливости. И все же я предпочла расплыться в улыбке и изобразить на лице подобие настоящей радости.

— Да, у нас настоящая любовь. — В подтверждение своих слов я закачала головой и подумала о том, что теперь я знаю настоящее имя Дровосека. А это уже кое-что.

Когда гости уселись за накрытым столом и начали открывать бутылки со спиртным, я принялась суетиться вокруг них, раскладывая еду по тарелкам.

— Хорошая у тебя баба, — отметил самый старший из всех. — И сложена неплохо, только ей бы жирку побольше. Я баб с жирком люблю, чтобы и сверху, и снизу было побольше, чтобы было за что подержаться. Но и твоя ничего. Все на месте!

— Да уж, у меня зазноба классная! Главное, что хозяйственная. У плиты может сутками стоять, в руках всё горит, что ни сделает — всё ладится. А как она у меня пироги печет — никто не умеет! — принялся нахваливать меня Дровосек.

— А баба и должна такой быть, — согласился тот, который сидел ближе всего к нему. — Баба должна и по хозяйству пахать, и уметь мужика ублажить. Такой цены нет, а то нынче бабы пошли — смотреть тошно. Худые, как жерди. Одеты, как малолетки: непонятные огромные штаны с безразмерными карманами, майки, короткие стрижки с вытравленными волосами, наколки по всему телу, проколотые пупы, носы. Это ж надо так! А уж какую они музыку слушают и какие танцы танцуют, так это вообще полный отстой! Такая никогда у плиты не встанет, а уж если с мужиком познакомится, так только и думает, что она с него поимеет. И таких большинство.

— Это точно, — поддержал его самый старый. — А сколько сейчас этих... феминисток развелось, вообще страшное дело. И чем дальше, тем их больше. Каждая вторая считает себя самодостаточной и эмансипированной. Я иногда на них смотрю и думаю: куда мы вообще катимся? Баба всегда должна мужика слушаться, ему прислужничать и в рот заглядывать. Мужик, он по жизни хозяин, а баба, она и в Африке баба. Таких, как твоя зазноба, сейчас единицы. Сразу видно, что она тебя чтит и уважает. Баба должна такой быть изначально, это сейчас мир перевернулся, а от этих стриженых эмансипированных душу воротит.

В тот момент, когда я ставила Дровосеку тарелку, он игриво ударил меня по заднице и точно так же игриво произнес:

— Уж что-что, а мне с зазнобой повезло. Она у меня дивчина гарная. И сложена хорошо, и по хозяйству отлично справляется. На огороде может сутками раком простоять, ее оттуда за уши не оттащишь, а уж что в постели вытворяет, так это лучше не рассказывать. Да и рассказывать не хочу. Это дело интимное. Одним словом, заводная бабенка.

Дровосек в очередной раз хлопнул меня по заднице, я вскрикнула, отскочила и чуть было не кинулась на него с кулаками, но тут же взяла себя в руки.

— Осторожнее, я же тарелку могу выронить!

— Но я ж не виноват, что у тебя такая попка аппетитная, — заржал Дровосек. Он посадил меня рядом с собой и протянул мне до краев наполненную рюмку коньяка: — И ты выпей. Я разрешаю.

Он поднял свою рюмку. Его примеру последовали и другие.

— Дорогие мои кореша, — начал он. — Я хочу выпить за то, что мы все здесь собрались. Очень долго мы ждали этой встречи. Я вас всегда помнил и хотел увидеть. Я никогда про вас не забывал. Я хочу, чтобы вы знали, что в этой суровой жизни мне легче оттого, что у меня есть мои кореша. Вы для меня настоящие друзья и даже больше. Вы мои братья. За встречу, мои родные! За нашу долгожданную встречу, мои хорошие!

После душещипательных слов Дровосека мужчины как по команде встали и, положив друг другу по одной руке на соседнее плечо, тут же выпили. Я не вставала. Пригубив коньяк, я ткнула вилкой в салат и осторожно, исподлобья рассматривала сидящих за столом мужчин. Затем попыталась сосчитать количество стоящих на столе бутылок. Вместе с Дровосеком мужчин было ровно восемь, а бутылок пятнадцать. Почти по две бутылки на человека. Правда, одному достанется только одна. Но это не важно. Важно то, что от такой дозы мужчины должны попадать со стульев и как можно быстрее отправиться спать. Я попросила больше не наливать мне, ссылаясь на головную боль, а на самом деле просто боялась сделать даже глоток по той причине, что собравшимся тогда достанется меньше и кто-то из них не дойдет до кондиции и будет бодрствовать. Мне было невероятно страшно и очень сильно хотелось напиться. Напиться так, чтобы не ощущать эту реальность, чтобы перенестись в мир, где не все так плачевно, где становится легче и страх испаряется прямо на глазах, а при чуть большей дозе спиртного от него не останется даже следа. Мне действительно этого хотелось, но я не могла себе этого позволить. Не могла, потому что я ждала своего часа, когда я смогу бежать и когда я смогу вернуться к своей настоящей жизни.

— А ты что, совсем не пьешь? — Изрядно захмелевший Дровосек притянул меня к себе и потрепал за ухо.

— Я плохо себя чувствую, — отстранилась я от него.

— А что так? Что у тебя болит? — Он словно не замечал, что он мне неприятен, и по-прежнему докучал мне.

— У меня голова болит.

— С чего это?

— Откуда я знаю! Может, я у плиты долго стояла, а может, магнитные бури.

— Какие бури?

— Магнитные, — постепенно теряя самообладание, ответила я. — Ты что, не знаешь, что такое магнитные бури? Вся страна знает, а ты не знаешь. Об этом каждый день по телевизору говорят.

— Я телевизор не смотрю. Там, где я был в последнее время, его вообще не было.

— А может, она у тебя забрюхатела? — спросил один из пировавших мужиков. — Может, она у тебя того? Ты бы спросил ее, может, ее подташнивает?

— Дорогая, а ты у меня, случаем, не забрюхатела? — издевательски спросил Дровосек и нахмурился.

— Не забрюхатела, — процедила я сквозь зубы и злобно ткнула вилкой в салат.

Из последующего разговора гостей я поняла то, что все они были судимы, что познакомились в местах отдаленных, что каждый из них судим не по одному разу, а собрались после долгой разлуки в этой глуши потому, что Дровосек находится в бегах и его разыскивает милиция. Постепенно убирая пустые бутылки со стола, я подкладывала в тарелки еду и пыталась понять, каким образом Дровосек нашел меня у Ритки, каким боком он вообще про меня узнал и что именно он от меня хочет в дальнейшем. Человек общается с ему подобными, живет в своем мире, затем попадает на зону, не досиживает положенного срока, умудряется оттуда бежать, каким-то образом выходит на мой след... Похищает меня из квартиры моей подруги, привозит в лесную избушку, где собирается отсиживаться какое-то время, и заставляет меня вести хозяйство. Но ведь это же не могло и присниться в страшном сне... Я никак не могла объяснить себе случившееся.

Я слишком много думала, но все мои мысли были совершенно не связаны между собой. Я не могла сделать хоть какой-нибудь разумный вывод.

Когда веселье было в самом разгаре, Дровосек снял со стены гитару и прокричал:

— Ну что, кореша, затянем нашу тюремную!

— Затянем!!! — поддержали его все остальные.

Дровосек принялся перебирать струны, а самый старший из гостей почему-то внимательно оглядел комнату. Махнув в сторону разбитого окна, спросил пьяным голосом:

— Колюня, это же дырка от пули! Или я ошибаюсь?

— Дырка от пули. — Голос Дровосека был спокоен.

— Ты уже и здесь побеспредельничать успел?

— Дурное дело нехитрое, — усмехнулся Дровосек.

— Кто чужой приходил или просто упражнялся?

— Да зазнобу свою попугал немного. Провел воспитательную работу.

— А что она натворила?

— Да со стола плохо вытерла, крошки оставила.

Мужчины схватились за животы и покатились со смеху. Я сделала вид, что говорят не обо мне, и наигранно засмеялась вместе с мужчинами.

— Вот и правильно! С бабами так и надо! Баба должна знать свое место! Ничего себе, она пыль плохо вытерла, да она ее должна языком слизать!

А затем отчаянно зазвучала гитара. Дровосек с серьезным выражением лица затянул во все горло:

> Игра в любовь, я знаю, не к добру,
> Игра в любовь коротенького срока.
> Я столько лет потратил на игру.
> Ведь столько лет... Не слишком ли жестоко?

Старею, но люблю тебя одну.

Седею я до времени, до срока.

Я столько лет отдал за седину!

Ведь столько лет! Не слишком ли жестоко?

Твердишь ты: расставаться нам пора,

Что ты в своих надеждах обманулась,

Что вся твоя любовь ко мне — игра,

Не слишком ли игра подзатянулась?

Когда Дровосек замолчал, я посмотрела в его сторону с нескрываемым интересом и не без иронии в голосе заметила:

— Никогда бы не подумала, что ты можешь быть лириком. Еще скажи, что ты сам написал.

— Такие песни пишет зона, — тихо сказал он.

— Зона?

— Она самая.

— Вот никогда бы не подумала, что зона писать умеет.

Не обращая на меня внимания, Дровосек опять запел, но так, что у меня затрепетала душа и зажгло в груди.

Имела ты весьма приличный дом,

Машины, дачу, платья по заказу,

А я к решетке прижимался лбом

И видел небо в голубых алмазах.

Искала ты влиятельных друзей,

Чьи свято исполняются приказы.

А я, смеясь, шел к гибели своей

И видел небо в голубых алмазах.

Любила ты в других искать грехи,

В своих сужденьях доходила до экстаза,

А я писал и жег свои стихи
И видел небо в голубых алмазах.
Ну что ж! Живи, и Бог тебе воздаст
За терпеливость, за холодный разум.
Нет у меня ни славы, ни богатств,
Зато есть небо в голубых алмазах.

Когда Дровосек в очередной раз замолчал, положил гитару рядом с собой и принял на грудь полную рюмку, я подошла к окну, всмотрелась в беспросветную темень и не без интереса спросила:

— А это тоже зона писала?

— А он других песен не знает, — ответил за него самый старый, он же был и самый пьяный.

— А мне показалось, что это связано с чем-то личным.

— Конечно, связано, — расплылся в нервной улыбке Дровосек. — Это связано с тем, что когда я пошел по этапу, меня провожали жена-красавица и двое славных ребятишек. А когда я из зоны выбрался, оказалось, что у меня уже нет ни красавицы жены, ни двоих славных ребятишек. Красавица жена давным-давно живет с другим, очень влиятельным, человеком, который перевез ее в свой терем и балует всем, чего ей только захочется. У меня в одночасье не стало не только красавицы жены, но и двоих славненьких ребятишек, потому что двое славненьких ребятишек уже давным-давно живут с другим дядей и называют его папой, а меня даже не хотят знать. Вот такая грустная история.

При этих словах Дровосек пытался улыбнуться, но улыбка была похожа на оскал, и мне стало страшно.

— Все равно, Колюня, дурак ты! — громко крикнул самый старый и самый пьяный из мужиков. — Дурак! Какого хрена ты с колонии сорвался?! Тебе сидеть полтора года оставалось! Баба твоя уже три года с другим живет и даже не помнит о твоем существовании! Ты что вытворил?! Надеялся, что она к тебе вернется? Да она даже забыла, как тебя звать. Она близко тебя к своему особняку не пустила. В ментовку позвонила, а муж ее новый у дома охрану выставил! Она ж тебе даже с детьми не дала повидаться! Да дети и сами не захотели. Они про тебя забыли, как про страшный сон. Ты какого черта из-за бабы башку потерял?!

— Я из-за бабы башку не терял! — ударил кулаком по столу Дровосек. — Я хотел в глаза ей посмотреть! Просто заглянуть в ее лживые глаза, и все!

— Хорошо ж ты ей в глаза посмотрел, что она за нож взялась и лицо тебе располосовала! Она ж тебя уродом сделала!

— Она просто перепугалась... Она знала, что мне еще полтора года сидеть, не ожидала меня увидеть. После того как меня посадили, она просто вычеркнула меня из своей жизни.

— Но ведь ты же знал, что она живет с другим?!

— Знал, — кивнул пьяный Дровосек. — Знал, но не думал, что у нее все так серьезно. А что я должен был подумать, если человек безумно меня любил и обещал ждать? Когда меня забирали, она рыдала и целовала мне ноги, а затем просто забыла, как меня зовут. Разве я мог этому поверить?! Разве я мог?! Разве я мог подумать, что самая любимая женщина окажется обыкновенной лживой сукой! Я к этому побегу три года готовился. Каждый день считал... Каждый день...

— Мог бы еще полтора года потерпеть. Сейчас одному богу известно, как сложится твоя жизнь в бегах с располосованным лицом.

— Знал бы, где упадешь, соломки бы подстелил. — Дровосек прижал гитару к груди и произнес пьяным голосом: — И вообще я ни о чем не жалею. Ни о том, что я с зоны сбежал, ни о том, что она мне лицо располосовала. При любом раскладе я убедился в том, что она сука.

— Вот и не надо ни о чем жалеть, коли так все вышло, — поддержал его гость. — Жизнь продолжается, ты же всегда говорил, что жизнь удалась!

— Конечно, жизнь удалась! — прокричал вконец опьяневший Дровосек и застучал по струнам.

> Коль женщина тебя не любит,
> Коль нет огня в ее груди,
> Руби сплеча, как узел рубят,
> Будь мужественным, уходи.
> Оставь старанья, хлопни дверью,
> Сознайся — женщина права.
> Нельзя сажать в песок деревья
> И на воде писать слова.

Допев до конца свою песню, Дровосек отшвырнул гитару и снова налил себе полную рюмку.

— Фуфел! Это все обыкновенный фуфел. Хватит о грустном. Мы встретились здесь для того, чтобы веселиться. Где моя зазноба? Ну что, станцуем?

Я отрицательно покачала головой:

— Я не танцую. У меня голова болит.

— У меня тоже много чего болит, тем не менее я приглашаю тебя танцевать.

Увидев, что он направляется ко мне, я внимательно посмотрела на его шрам во все лицо и совершенно спокойно сказала:

— Я ни в чем не виновата.

— Не понял?

— Я говорю, что я ни в чем не виновата. Я не виновата в том, что у тебя не сложилась семейная жизнь, что тебе оставили жуткий шрам на лице и что на данный момент ты висишь между небом и землей. Я здесь ни при чем. Я не виновата, что у тебя душа болит. Не виновата...

— Ты чё несешь? — остолбенел от удивления Дровосек.

Веселившиеся мужчины резко замолчали.

— Отпусти меня. Я ни в чем не виновата, — проговорила я так же спокойно. — Я не виновата ни в одной из твоих бед. Дай мне уехать.

———

Глава 12

Дровосек подошел ко мне совсем близко. Один из мужланов слегка привстал и возмущенно закричал:

— Колюня, я что-то не пойму, что твоя баба несет?! Куда она собралась?! Веселье в самом разгаре! Она что, отказывается с тобой танцевать?! Так давай я ее немного покадрю! Со мной она быстро затанцует!

— Сиди! — озлобленно крикнул Дровосек своему собутыльнику, включил на полную громкость магнитофон, стоявший за моей спиной, и, схватив меня за руки, пошел в пляс.

Некоторое время я стояла как вкопанная, наблюдая за тем, какие кренделя выделывает Дровосек, но, как только заиграла медленная музыка, решила не испытывать судьбу и начала двигаться в такт музыке. Дровосек наклонился к моему уху и сказал так, чтобы его слова не были слышны никому, кроме меня:

— Ты, дура, что несешь?! Ты горячку не пори, если мои друзья поймут, что мы их разыграли, порвут тебя на части. Ты хочешь, чтобы они по одному с тобой развлекались или все вместе?

— Я вообще ничего не хочу, — судорожно затрясла я головой.

— Тогда даже не заикайся про то, чтобы тебя отпустить, они уже и так удивились, ты заметила — вопросительно смотрят, а если еще прочухают, кто ты такая и какое положение имеешь, вообще войдут в азарт и такое устроят! Мало того что с тебя можно деньги поманать немалые, так еще и поразвлекаться на полную катушку. Если хочешь знать, это все рецидивисты, и им только тему подкинь, а за ними не заржавеет. Просекла, на что я тебе намекаю?

— Просекла, — утвердительно кивнула я. — Конечно, просекла. Ты им ничего не говори. Ты же мне обещал.

— А ты веди себя как положено.

— Я постараюсь.

— Вот и постарайся. Скоро все спать отправятся. Ты со мной в одной комнате ляжешь. Поняла?

— Поняла, только я надеюсь, что мы спать не будем.

— Почему это мы спать не будем?! Уж лучше я один, чем эта орава. Выбирай, если не хочешь со мной, давай с ними. Кто тебе больше по душе?

— Ну, насчет души — это уже слишком... Что касается души, то мне здесь мало кто интересен. У меня есть мужчина, с которым я сплю по душе, но он в Москве.

— Это и есть твой принц на белом коне?

Перед моими глазами возник образ Лося, и... мне даже показалось, что это и есть мой принц из сказки. Тот принц, который был со мной долгое время, преданно меня ждал и стойко терпел, когда я его отвергала. Больше всего на свете я хотела упасть в его объятия, разрыдаться на его груди и сказать о том, что именно его, именно такого мужчину я жда-

ла долгие и долгие годы. Посмотрев на злорадству-
ющего Дровосека, я решила признаться в этом не
только себе, но и ему.

— А почему бы и нет? — сказала я. — Возможно, это и есть мой принц. Я над этим как-то не заду-
мывалась раньше.

— А теперь, значит, задумалась?

— Я думаю, что уже настало время.

Дровосек прижал меня к себе посильнее и как-
то противно захохотал.

— Ты что смеешься? — слегка отпрянула я от него.

— А мне смешно.

— И по какому же поводу или без повода?

— Просто подумал, что твой рыцарь сейчас
сильно переживает...

— Конечно, переживает, только я ничего смешного в этом не вижу.

— Вообще ничего?

— Вообще ничего. — Я посмотрела на Дровосека ничего не понимающими глазами и подумала, что
он просто перепил.

— А я представил, как он сейчас сидит, скупую
мужскую слезу вытирает, сопли на кулак мотает,
локти кусает... Страшное зрелище!

— Ничего смешного не вижу.

— А я вижу. Я представляю твоего плачущего
рыцаря и нашу с тобой сегодняшнюю постель. Он
рыдает, а я тебя трахать буду. Здорово, да?!

Я рванулась залепить Дровосеку хорошую пощечину, но тут же взяла себя в руки — сейчас совсем
не та ситуация, когда можно себе это позволить. Стараясь сбросить с себя раздражение, я отвернулась
в другую сторону и процедила сквозь зубы:

218

— Смеется тот, кто смеется последний.

— Это что, угроза? — не понял меня Дровосек.

— Это просто предупреждение.

Дровосек развернул меня к себе и впился в меня губами. Я попыталась оттолкнуть его, но он крепко держал меня, словно в тисках.

— А ну, поцелуй меня сама, быстро! Целуй!

— Зачем? — Я попыталась вырваться еще раз, но и эта попытка была обречена на провал.

— Я говорю — быстро целуй меня, как положено, иначе я расскажу, кто ты такая.

— Нет, только не это.

Поняв, что у меня нет выбора, я сухо ответила на страстные поцелуи Дровосека, не скрывая при этом брезгливости. Сидящие за столом гости захлопали в ладоши и закричали, словно на свадьбе:

— Горько! Горько! Горько!

Когда мы вновь сели за стол, самый старший из гостей разлил остатки спиртного и произнес последний, более-менее приятный тост:

— Колюня, я хочу выпить за твою бабу. Мне она нравится. Вот такая тебе и нужна. Статная, хозяйственная и послушная. Худа без добра не бывает. Та, которую ты любил, не дождалась тебя с отсидки и бросила, но ты приобрел новую и, похоже, покладистую. Я бы и сам от такой не отказался. Таких баб сейчас мало. А ты где успел с ней познакомиться? Где?

— Дурное дело не хитрое. Я, когда в бега бросился, через ее село бежал. Выхожу из леса, прячусь за дерево и вижу девку красивую, которая аккуратно доит корову. Короче, загляделся я, как она доит. Смотрю и глаз отвести не могу. И так она лов-

219

ко это делает! У меня просто дыхание перехватило. Короче, я к ней подошел и попросил молочка хлебнуть. Она совсем не испугалась, ведерко свое взяла и дала напиться. С этого ведерка все и началось.

Я ухмыльнулась и, посмотрев на сказочника, решила добавить:

— Ты не все рассказал. Почему ты не рассказываешь о том, как ты за это молочко мне сено косил, сарай в порядок привел и даже починил развалившуюся собачью будку? А почему умолчал, как тебя в селе все полюбили? Как наши гарные хлопцы давали тебе трактор покататься? Как все наши сельские бабы в тебе души не чаяли, потому что по ночам ты всех обслуживал. Бегал от одного дома к другому. Тебя там до сих пор добрым словом вспоминают.

— Ну зачем такие подробности! — остановил меня Дровосек.

— Как у вас все было красиво, — мечтательно произнес самый старший. — Я всегда знал, что сельские бабы самые классные. Послушай, а у тебя подружки, случайно, нет?

— Подружка есть, но она за конюха замуж выходит.

— Ну, если замуж выходит...

А затем начался самый разгар веселья. Вконец опьяневшие мужики пошли в пляс с таким остервенением, что дом ходил ходуном, затрещали половицы. Дровосек хотел было подключить меня к танцевальной оргии, но я резко отдернула руку и уставилась в окно. Потихоньку начало светать, сквозь густой туман просматривался таинственный лес. Я смотрела в окно и думала только об одном:

как сохранить себе жизнь и как можно быстрее покинуть эти места. Мне показалось, что за окном пролетела какая-то большая черная птица, которая кричала и махала большими крыльями. Было очень красиво и одновременно очень страшно.

— Ты что, бежать надумала? — подозрительно спросил меня Дровосек.

— С чего ты взял?

— По глазам вижу. У тебя глаза на лес смотрят.

— Что ж, мне вообще никуда смотреть нельзя? — рассердилась я.

— На меня смотри, а на лес нечего.

— У меня от тебя глаза устают. Да и не только устают, того и гляди, глаз дергаться начнет.

— Тогда пошли в кровать.

— Куда? — в буквальном смысле слова опешила я.

— Пора спать, — заявил он. — С кем ляжешь, решай сама. Хочешь, со мной, а хочешь, с ними со всеми. Это твой выбор, я настаивать не буду.

— А может, они домой ночевать поедут? — осторожно спросила я Дровосека.

— Куда они поедут, если на ногах не стоят? Для меня эти люди, как братья, а я своих братьев ночью на улицу не выставляю.

Дровосек подошел к магнитофону, выключил музыку и пьяным голосом объявил:

— Братва, давайте уже спать. На улице рассвело. Я предлагаю продолжить веселье завтра. В доме три комнаты. Две ваши, а в третьей буду спать я вместе со своей зазнобой.

В знак согласия пьяные мужики закивали и отправились по своим комнатам. Дровосек взял меня за руку и потащил в самую дальнюю спальню. Толкнув меня на железную кровать, он дыхнул перегаром и грозно спросил:

— Сама разденешься или тебя раздеть?

Я сморщилась и что было сил оттолкнула его.

— Послушай, а может, ты лучше спать ляжешь? У тебя в глазах двоится, — уговаривала я. — Ну что ты сможешь сделать в таком состоянии?!

— Я в любом состоянии могу. Хочешь, чтобы я своих друзей позвал?

— Послушай, может быть, ты прекратишь меня пугать?! — Возмущение переполняло меня. — Мне это все надоело! У меня скоро нервы не выдержат. Ты мне на уши давишь.

— Я тебе сейчас на другое место надавлю. А ну-ка быстро разделась! Сейчас мужики услышат, как мы с тобой тут боремся, подумают, что мне одному не справиться, и на помощь придут! Ты этого добиваешься? — нагло спросил он.

— Немедленно прекрати вести себя так!

— А как я себя веду?

— Как пьяный мужик.

— А ты ведешь себя, как упрямая баба! — крикнул он так громко, что от неожиданности я закрыла ему рот своей ладонью и испуганно посмотрела на дверь:

— Тише, а то сейчас точно сюда придут!

— Испугалась? — усмехнулся он. — Смотри, а то я еще громче крикну.

Закрыв глаза, я тихонько всхлипнула и начала медленно раздеваться. Дровосек сел на самый краешек кровати и пристально наблюдал. Полностью обнажившись, я легла на кровать и заплакала, как плачет маленькая девочка, которая совершила что-то страшное и неприличное.

— Ревешь, что ли? — не поверил своим глазам Дровосек.

— А ты не видишь? — вновь всхлипнула я.

— Боишься, что ли? Ты это... Ты не переживай, я тебе больно не сделаю. Я сделаю тебе хорошо. Сама потом благодарить будешь. Я в постели знаешь какой ласковый. Ни одна баба не жаловалась. Вот бы никогда не подумал, что такая сильная атаманша, головорезами заведует, а в постели, как девочка, слезы льет. Ты ведешь себя так, словно с мужиком никогда не была. Я даже теряюсь! Я уверен, что у тебя мужиков полно было. Что ж ты со мной так? Не бойся. Я не кусаюсь. Или ты меня просто разводишь? Комедию тут ломаешь...

— Я тебя не боюсь, — всхлипнула я. — Просто такие вещи, интимные, должны быть по обоюдному влечению. А у меня к тебе ничего нет. От тебя перегаром несет, шрам во все лицо, да и пахнет от тебя противно. У меня от такого резкого запаха голова кружится. Да и замашки у тебя ужасные. Меня никто в жизни ни зазнобой, ни бабой не называл. Ты точно из деревни. Нетрудно догадаться, почему тебя жена с двумя детьми не дождалась. Представляю себе, как ты с ней обращался. Если мужчина будет так обращаться с женщиной, то любая этого не выдержит. Когда тебя посадили, для нее это показалось настоящим раем.

Видимо, мои слова по-настоящему оскорбили Дровосека. Он было замахнулся, но все же удержал себя, чтобы не отвесить мне капитальную пощечину.

— Заткнись и не смей так никогда говорить, — прошипел он. — Ты ничего не знаешь! Ты не знаешь, как я ее любил, как я к ней относился и как я ее на руках носил. А дети... Да я чуть не умер от счастья, когда близнецы родились. Я весь коридор в родильном доме розами усыпал! Да что там коридор! Я ей ни в чем никогда не отказывал. А она хотела все больше и больше. Она вообще меры не знала, и аппетиты у нее были немалые. Она меня этим постоянно убивала. Я просил ее подождать, потерпеть немного, но уговорить ее хоть в чем-либо было невозможно. Ей хотелось все и сразу. Она хотела роскошную жизнь, а когда я просил ее дать мне время, у нее начиналась истерика, и она говорила мне, что роскошная жизнь на пенсии ей не нужна. Ей все было нужно именно сейчас. Я ведь на дело из-за нее пошел, и она прекрасно это знала. У нас с ней друг от друга никогда секретов не было. Вот я и рискнул, только бы ей было лучше. Она могла меня остановить, уберечь, одним словом. Она могла меня образумить. Но нет! Она не из тех. Наоборот, сама меня к этому подтолкнула. А когда я попался, она меня просто вычеркнула из своей жизни. Забыла и ушла к тому, кто действительно смог подарить ей жизнь, о которой она мечтала. Я в этой истории все понимаю. Мне все ясно, но я одного не пойму. Почему бабы играют в любовь? До меня только теперь дошло, что она меня никогда не любила и жила со мной до тех пор, пока все соки из меня не выжала. А потом просто выкинула, как использованную вещь. Я не пойму: зачем нужно было врать, что-то придумывать, детей рожать? Ведь если человек действительно любит, он тебя откуда хочешь дождется, хоть с того света, и действительно переживет с тобой все трудности. Я поэтому ненавижу баб, что они все лживые, изворотливые, алчные и подлые суки. Предают тогда, когда тебе действительно плохо. Умеют выбрать самый страшный момент и сунуть тебе нож в спину. Они это действительно умеют...

Когда Дровосек, вылив гнев, замолчал, я натянула простыню и тихо сказала:

— Я ни в чем не виновата. Я тебя не предавала.

— Виновата! — в сердцах произнес Дровосек.

— В чем?

— В том, что ты баба.

— Ну, если так рассуждать, то ты тоже виноват. Ты виноват в том, что ты мужик и что пообещал женщине небо в алмазах, а дать его не смог.

— Да это такая порода женщин, и даже если дать ей это небо в алмазах, все равно будет мало и опять будет чего-нибудь не хватать. Ей по жизни всегда всего мало.

— Значит, нужно смотреть, кому ты и что обещаешь. И не нужно называть меня бабой, я же тебя просила. Если ты обижен одной, не нужно выливать свою обиду на других. Надо смотреть, с кем сходишься. Человека нужно уметь чувствовать.

— Да на кого там мне нужно смотреть?! Бабы все одинаковые! И вообще давай лучше меня не томи, а раздвигай ноги.

Дровосек стянул с меня простыню и снова дыхнул перегаром. Я закрыла лицо руками и всхлипнула.

— Ты меня не хочешь, что ли? — раздраженно спросил он. — Я и вправду тебе противен?

— Да, — кивнула я и крепко сжала ноги.

— Ты мне еще больше противна. Отворачивайся к стене. Я тебя не трону.

— Правда?

— Не видишь, что я с тобой не шучу? Отворачивайся к стене, я сказал.

— А одеться можно?

— Нет. Не хочу я с одетой бабой спать. Спи раздетая. Я же сказал, не трону. Ты, наверно, о себе слишком большого мнения. Я на такую, как ты, никогда бы не залез. А может, и залез бы, но только если бы она меня сильно об этом попросила. И то еще подумал бы...

— Вот и правильно, — обрадовалась я. — Вот и правильно. Я тебя ни о чем просить не буду. Тем более уже спать пора. Уже и на улице светает, и все твои друзья спят крепким сном.

Закутавшись в простыню, я отвернулась к стене и закрыла глаза. Дровосек скинул с себя одежду, стянул с меня часть простыни и лег, впившись в мою поясницу своим мощным стоячим орудием.

— Трусы бы мог и не снимать, — злобно сказала я и стала откровенно зевать, всем своим видом показывая, что я невыносимо хочу спать.

— А я привык без трусов спать. Они мне ночью мешают.

— Что-то я сомневаюсь, чтобы ты на зоне без трусов спал.

— Я, слава богу, не на зоне, — усмехнулся он, — поэтому имею право спать без трусов.

— Надолго ли! — никак не могла успокоиться я. — Думаешь, всю жизнь будешь бегать и тебя никто не найдет? Глубоко ошибаешься. Таких, как ты, быстро находят. Даже намного быстрее, чем ты думаешь. Все равно где-нибудь да попадешься. Без прокола в этом деле нельзя. А когда попадешься, то срок намного больший получишь и тогда уже не выкрутишься. Я не знаю, сколько за побег дают, но думаю, что немало. И вообще со мной ты тоже зря связался. Мало того, что на тебе и так две статьи висит, так ты еще и третью себе на шею накидываешь. Отпустил бы меня с богом.

— Слушай, заткнись и дай поспать, — проворчал он. — Хватит каркать. Я сбежал не для того, чтобы обратно в тюрьму сесть.

— А для чего?

— А может, для того, чтобы тебя встретить.

— Ага, я два раза поверила. Еще скажи, что эта встреча предначертана свыше и что ты еще на зоне почувствовал, что я приеду навестить свою любимую подругу, и помчался из-за колючей проволоки навстречу своей судьбе и своему счастью.

— А почему бы и нет! Может, это был зов плоти и причина твоего похищения именно в этом!

— Я тысячу раз тебе поверила. Но если это был зов плоти, то знай, что тебя отвергли и твой побег не имел никакого смысла.

— Меня никто никогда не отвергал, и тебе не стоит этого делать. Я открою тебе секрет, что я очень злопамятный. Это значит, что я слишком злой и у меня очень хорошая память. Ну а если серьезно, то я сбежал не для того, чтобы меня посадили снова. Я сбежал, чтобы больше уже никогда не сесть.

— И как тебе это удастся? Ты же в розыске. Хочешь сказать, что можно прожить всю жизнь в бегах?

— Есть тысяча способов начать новую жизнь и уже никогда не вернуться на зону.

— Например?

— Давай обойдемся без примеров.

— Я знаю, что ты имеешь в виду. Можно поменять паспорт, сделать пластику, уехать жить за рубеж. Ты это имеешь в виду?

— Послушай, заткнись и прекрати нести бред!

— Это не бред.

Дровосек не ответил. Не прошло и минуты, как за моей спиной послышался храп. Видимо, от такого количества алкоголя, сильного нервного напряжения и хронического недосыпания силы покинули Дровосека намного раньше, чем он рассчитывал. Его мощное, торчащее за моей поясницей орудие обмякло и уснуло вместе со своим хозяином.

— Ты спишь?

Чтобы убедиться в том, что Дровосек спит, я повторила свой вопрос и потрепала его за плечо. Он не отреагировал ни на мой голос, ни на мои прикосновения и продолжал храпеть.

— Приятных тебе снов, — шепнула я и осторожно поднялась с кровати. — Спокойной ночи, любимый. Я не виновата в том, что ты проспал самое интересное.

Подняв с пола мятые штаны Дровосека, я полезла в карман, достала ключи от машины и бросила штаны обратно на пол.

Быстро одевшись, я на цыпочках вышла из комнаты и направилась в коридор. Каждый шаг давался мне с огромным трудом, потому что у меня тряслись колени и страшно пересохло во рту. Я старалась идти так, чтобы не скрипнула ни единая, даже самая старая и самая прогнившая половица. К моему счастью, в доме была полнейшая тишина, котоую нарушал только мужской храп, дававший надежду, что после шумной пьянки все обитатели дома заснули крепким сном и уже не скоро проснутся. Слишком много было выпито водки и слишком бурное было веселье. К моему глубокому сожалению, я не смогла найти свою норковую шубу и поняла, что искать ее дальше — значит бессмысленно терять свое драгоценное время и подвергать себя очередному неоправданному риску. Застегнув пуговицы на кофте, я подумала, что во всех машинах есть печки и у меня нет основания для паники. Главное — выбраться отсюда живой, а норковая шуба — дело наживное.

Руки страшно дрожали, а по спине стекал соленый, неприятный и жгучий пот. Бесшумно открыв входную дверь, я бросилась к иномарке, на которой меня привез сюда Дровосек. И только распахнув ее дверцу, огляделась вокруг. Картина, которая меня окружала, была настолько печальной, что мне захотелось положить свою голову на руль и громко разрыдаться. Проселочная дорога была намного хуже, чем те, что обычно ведут к дачам. Одинокий бревенчатый дом стоял недалеко от леса, спрятавшись от посторонних глаз и от какой-либо цивилизации. Для одинокой избушки охотника он был слишком большим, но тем не менее в нем был свет, а это значит, что где-то тут, может быть, совсем рядом есть дачный поселок или деревня.

В этот момент пошел сильный дождь вперемешку со снегом. Именно в эти минуты я почувствовала себя еще более одинокой и брошенной, потому что все серое пространство вокруг показалось мне неимоверно диким. Трясясь от страха, я села в машину и посмотрела в сторону дома. Никто не выскочил следом за мной, значит, никто не проснулся, я никого не разбудила.

Перекрестившись, я дрожащими руками с трудом повернула ключ в замке зажигания, завела мотор и тронулась в путь. Как я и предполагала, вскоре показались обыкновенные дачи. Значит, дом принадлежит дачному поселку, куда народ подтянется только в начале дачного сезона, когда на улице начнет изрядно теплеть. Я подумала, что в дачном поселке должен быть сторож, который следит за поселком, и у него есть телефон на случай какого-нибудь ЧП, чтобы сообщить об этом в милицию или позвать людей на помощь. Проехав весь дачный поселок, я остановила машину у домика, напоминающего сторожку охранника. Но, увидев большую собачью будку, побоялась выйти на улицу и громко посигналила. На мой сигнал никто не ответил, и я посигналила еще раз. Безрезультатно. Пришлось выйти из машины.

— Эй, есть кто-нибудь?! — крикнула я, пытаясь успокоиться. Приближаясь к собачьей будке, я мысленно молила о том, чтобы в ней не было собаки. После того как в детстве на даче наших знакомых меня покусала местная собака и я получила нешуточные травмы, я стала жутко бояться собак — каждая из них могла кинуться на меня в самый неподходящий момент.

Я заметила цепь, которая вела за будку. Это заставляло меня быть предельно осторожной, напоминая, что где-то должна быть и собака. Обойдя будку, не удержалась от пронзительного крика — я увидела лежащую на земле большую собаку. Собака была мертва, на ее шее виднелась уже засохшая кровь. Значит, собаку убили точно таким же способом, как убивают людей. Ее убили из пистолета выстрелом в шею.

— Бог мой...

Первое желание, которое возникло у меня, было не медля ни минуты броситься обратно к машине, газануть и оказаться как можно дальше отсюда. Но какие-то непонятные силы повели меня к сторожке.

Превозмогая страх, я толкнула дверь и снова громко вскрикнула. На провисшей железной кровати бездыханно лежал пожилой мужчина, по всей вероятности, сторож, на шее у которого виднелось огнестрельное ранение. Он тоже был мертв.

Несмотря на охвативший меня ужас, я стала оглядываться. Ведь у любого дачного сторожа должна быть хоть какая-то связь с внешним миром. Но телефона в сторожке не было. Я собралась с духом и запустила руку в карман убитого человека. Я сделала это то ли от отчаяния, то ли для того, чтобы не сойти с ума, но поняла, что все напрасно, и громко зарыдала — карман мертвого сторожа был пуст и ни о никакой телефонной связи не могло быть и речи.

Быстро смахнув слезы, я выскочила из домика и, подойдя к машине, не сразу поверила своим глазам: все колеса машины были проколоты и из них медленно, еле слышно выходил воздух. А вокруг по-прежнему никого не было. Ни единой души...

_____

Глава 13

— О боже! — тихо прошептала я и стала осторожно отходить назад. — Кто здесь? Кто здесь?! — прокричала я громче и стала медленно пятиться в сторону дороги. Меня начало лихорадить, от недавнего энтузиазма по поводу того, что я скоро попаду домой, не осталось следа.

Собрав последние силы, я выскочила на дорогу и хотела было бежать, но в этот момент кто-то накинулся на меня сзади и повалил в грязный снег. Я не видела, кто это был, я просто почувствовала, как чьи-то сильные мужские руки сжимают мое горло и... мне не хватает воздуха... становится нечем дышать... Я вдруг отчетливо поняла, что меня покинули последние силы и я умираю. Я реально ощутила, что меня больше нет.

За какие-то считанные мгновения передо мной пронеслись картины моего счастливого детства. Счастливого, потому что детство не бывает несчастливым, потому что именно в детстве тебя все любят, даже боготворят, говорят ласковые слова, восхищаются даже самым твоим маленьким, незначительным поступком, считают тебя центром вселенной и пророчат тебе счастливое будущее... Потом я увидела картинки моей безмятежной юности: первая школьная любовь к обыкновенному мальчишке, который не отличался ни внешностью, ни отметками, к тому же был абсолютно безразличен к моей персоне. Юношеские слезы, ночи, проведенные без сна, когда я думала о нем, представляла наши с ним встречи, жаркие поцелуи и желала видеть его все больше и больше. Та любовь казалась мне любовью всей моей жизни, ведь столько трагизма и самоотдачи в ней было. И эта любовь осталась в прошлом точно так же, как и еще одна, только более сильная...

На мгновение перед моими глазами предстал уже совсем другой юноша, который встретился мне сразу после школы, на вечеринке у наших общих друзей. Он выделялся красивой американской внешностью, умением держать себя в обществе и какой-то необъяснимой жестокостью в лице, до которой мне тогда не было дела, но зато именно от его жестокости я и пострадала в дальнейшем. Его звали Максим. Он был из Тамбова. Мы влюбились друг в друга сразу, и это была даже не любовь, а какое-то умопомрачение двоих, где есть дикая страсть, бурный, даже чересчур бурный секс и полнейшее отсутствие гармонии как между собой, так и с внешним миром. Нам казалось, что в этом мире нас только двое, потому что даже среди многоликой толпы мы видели только друг друга и совершенно не обращали внимания на окружающих. Тогда мы были слишком молоды, слишком импульсивны и слишком эгоистичны. Я вспомнила его кричащую мать, которая ревновала своего сына ко мне и ненавидела меня всеми фибрами души. А я... Я и не рассчитывала на ее любовь и на ее расположение. Мне было на нее глубоко наплевать. Я смотрела на нее в упор и видела пустое место, потому что в этой жизни для меня существовал только один человек — это Макс... Перед моими глазами пронеслись Тамбов, где я тогда жила, и жестокий Макс, с которым мы собирали осенние листья в саду и считали себя счастливыми только оттого, что мы есть и мы рядом. В этой игре не победила любовь. В ней победила молодость, которая имеет только собственное «я», не умеет уступать и уж тем более к кому-то прислушиваться. Я флиртовала со всеми подряд, и совсем не потому, что мне был кто-то нужен, а потому, что я так устроена. Я жила по принципу, по которому и живет настоящая женщина. Принцип заключался в том, что если прошел день и ни один мужчина не глянул на меня с интересом, значит, этот день прошел зря. Есть женщины, которые не могут жить без этого самого флирта, флирт дает им силы и энергию, чтобы жить дальше. Жестокий Макс избил меня за подобный флирт, а я была полной дурой, что его простила. Я была слишком наивна и не верила людям старшего возраста, которые в один голос говорили мне, что если мужчина хоть раз ударил женщину, он сделает это еще. Я же слепо верила в то, что у меня все будет иначе и что чужой жизненный опыт никак мне не подходит, просто потому что он чужой, а я именно та женщина, которая способна изменить мужчину. И естественно, я просчиталась. Оказывается, ударить слабую женщину может только тот мужчина, который сам достаточно слаб. Макс поднял на меня руку еще раз и... для него это стало нормой. А затем — на него завели уголовное дело, и я... я бросила его в самый трудный момент. Я просто исчезла из его жизни. Я знала, что обязана остановиться, пока не поздно, обязана выпутаться из этой связи с самыми наименьшими потерями, чтобы забыть о том, что мужчина может поднять руку на женщину. В памяти пронеслась страшная ночь в ожидании самолета. Ночь, которую я просидела на ночном вокзале в ожидании утреннего рейса, плакала и тупо смотрела на телефон-автомат, понимая, что стоит мне набрать всего несколько цифр, сказать о том, что я убегаю из этого ада, и все вернется опять. Но я смогла... Я справилась с собой... Я не позвонила и улетела утренним рейсом. Я улетела от этой жестокой любви. Я улетела, я вырвалась. А он остался где-то там. Далеко... В прошлой жизни. Все осталось далеко позади. От общих знакомых я узнала, что Макс женился, нашел то, что искал, и что он по-своему счастлив. Видимо, его понимание счастья в корне противоположно тому, что думаю по этому поводу я. Обо мне он, наверное, старается не вспоминать, напрочь вычеркнув меня из своей жизни, и даже если кто-то и скажет ему обо мне, удивленно пожимает плечами и говорит, что никогда не был со мной знаком. Я сделала то же самое. Из прошлой жизни я оставила только одну фотографию. Ту, где мы стоим у фонтана на фоне Петродворца. На этой фотографии я слишком юная, беззаботная. Я смотрю на окружающий меня мир добрым, открытым взглядом. Рядом со мной Макс. Он смотрит на мир исподлобья, а в его глазах злость. Наверно, именно в этом и была наша несхожесть. Я слишком сильно, по-юношески любила, самозабвенно и искренне, а Макс просто хотел, чтобы я была рядом, и совсем не потому, что он меня также любил, а потому, что он так хотел, ведь он всегда привык получать то, что хочет. Наши отношения строились на крайне банальном принципе: я любила, а Макс позволял себя любить. Я никогда не возвращаюсь в ту жизнь. Я закрыла этот период темными шторами и больше никогда не подглядывала за ним даже из маленькой щелки. Я никогда не представляла нашу с ним встречу спустя долгие годы. Обыкновенный государственный служащий, живущий крайне обыкновенной жизнью, и совершенно необыкновенная женщина, живущая необыкновенной, насыщенной жизнью. У нас бы не нашлось даже темы для разговора, потому что мы совершенно разные и у нас нет точек соприкосновения. Он слишком приземлен, а я уже давно не живу приземленной жизнью. Судьба не случайно развела нас в разные стороны. Удачи тебе, Макс! Я надеюсь, что ты по-настоящему счастлив и не так часто поднимаешь руку на женщину, с которой теперь живешь.

А затем я встретила Артема, и эта встреча тоже пронеслась у меня перед глазами. За него я вышла замуж и с лихвой хлебнула ту кашу, которую называют замужеством. А потом случился этот слишком тяжелый развод. Я сама, своими собственными руками вырыла могилу нашим отношениям. Я не смогла окунуться в любовный омут с головой и никогда не чувствовала себя счастливой оттого, что в мою жизнь вошел Артем. Он никогда не был мужчиной моей мечты. Когда Артем пытался стать моим солнцем и прикладывал к этому все усилия, на которые он был только способен, я качала головой и говорила о том, что даже на солнце есть пятна, а это еще больше выводило его из себя. Я всегда была не только внутренне, но и финансово независима, Артему было тяжело дотянуться до моей планки. Иногда мне кажется, что я начала копать яму своей зародившейся любви задолго до того, как мы стали жить вместе. Наверно, это произошло оттого, что я всегда думала о своем принце, который должен обязательно за мною примчаться и пасть к моим ногам. Артема это всегда беспокоило, я совсем не говорила ему об этом, но он это чувствовал. Я никогда его не ценила, но после того, как он от меня ушел, я просто взвыла от боли. От дикой, душераздирающей боли. Я не могла поверить в то, что меня бросили. Не я, а меня. Ведь я такая красивая, стильная, изысканная, сексуальная, ласковая — необыкновенная. Мне всегда казалось, что мужчина должен быть счастлив уже только оттого, что находится рядом со мной, и я совершенно не обязана работать над тем, что называется хорошими семейными отношениями, которые, говорят, нужно строить и тщательно оберегать. Я всегда считала себя подарком для любого мужчины, а оказалось, что от такого подарка можно запросто отказаться. Я очень тяжело пережила развод и успокаивала себя тем, что мой бывший муж сделал большую ошибку, что к нему никогда не проявит интереса ни одна приличная женщина. Оказалось, что проявили, да еще какой. Никогда бы не подумала, что мой бывший муж пользуется таким спросом и в него без памяти влюбится моя лучшая подруга. Она не увидела в нем недостатков, хотя мне всегда казалось, что Артем только из них и состоит.

Я очень часто задавала себе вопрос, почему у

меня все не как у людей. Почему я не могу прожить с одним мужчиной всю жизнь? Может, я еще не встретила своего мужчину, а мой мужчина еще не встретил меня? Встретимся ли мы когда-нибудь вообще и сколько нужно времени, чтобы состоялась эта долгожданная встреча? Быть может, мне просто не везет с моими мужчинами, а им не повезло со мной. Быть может, мне слишком много надо от жизни и ни один мужчина не может мне этого дать. А может, я вообще не создана для любви... Быть может... Есть же люди, которые созданы для одиночества. А если я одна из них? Ведь я живу с одиночеством, люблю одиночество, дышу одиночеством и дружу с одиночеством. Я одна из их ограниченного числа... Быть может...

Я боролась со своими мыслями и уже практически не дышала... Я знала, что я умерла. Я знала, что меня нет, но все же я никак не могла поверить в то, что если человек умирает, он не теряет способности мыслить. Я понимала, что меня кто-то душит и что задушить человека проще простого, поэтому я даже не сомневалась в том, что меня уже нет. И все же я могу вспоминать свое прошлое и даже то, зачем я задвинула толстые шторы и не вспоминала долгое время. Мне стало жалко себя за то, что все мои бывшие мужчины вспоминали обо мне со злостью и потаенной болью. Они считали меня сумасбродной и совершенно бесчувственной. Не знаю, почему меня считают стервой, наверно, потому, что я просто не умею любить. А быть может, Господь мне дал эти испытания по той причине, что впереди меня ждет настоящее счастье и самая моя большая любовь впереди. Но как она может быть впереди, если меня уже нет, если я уже умерла? Все мои бывшие мужчины сразу же после расставания со мной нашли свое счастье и свою новую, настоящую и большую любовь. Они нашли то, что не смогла им дать я, по всей вероятности, я не умею этого давать. Я умею только брать, ничего не давая взамен. В первую минуту мне захотелось попросить у них прощения, а затем мне захотелось, чтобы они попросили прощения у меня. Ведь все они уже давно счастливы, а я еще нет, хотя очень хочу и очень стараюсь... У меня слишком сложный характер, слишком много эмоций, и я не могу уступать. Временами я не могу справиться сама с собой. Для любого мужчины этого слишком много, намного больше, чем он может вынести.

Я вдруг подумала о Лосе и о том, что так и не смогла искренне ответить на его чувства. Он мне далеко не безразличен, и, наверное, стоило попытаться что-то построить, но я такая упрямая. Я слишком упрямая, я просто иду совсем к другой цели, а когда я иду к какой-нибудь цели, я сметаю на своем пути все, не останавливаюсь ни перед чем. Если у меня есть цель, то для ее достижения я использую все средства, потому что она того стоит. Девиз «все и любой ценой» стал девизом всей моей жизни. А что касается личной жизни, у меня с этим как-то не получается... Я научилась в этой жизни всему, кроме отношений с мужчинами. Я не умею их строить, и в этой науке я совершенно бессильна. Я ломаю их сама, даже когда они находятся на начальной стадии, потому что я иду напролом, не ищу компромиссов и считаю, что любовь ставит человеку подножку и делает его слишком слабым и беззащитным. Я разучилась терять разум. Я стала слишком рациональной и прагматичной. Меня ничем нельзя удивить и ни в чем не переубедить. Да, я такая! Какой мужчина выдержит такое сокровище?.. Господи, кому оно нужно?! Вокруг столько милых, ласковых, заботливых женщин, таких, как моя Ритка, которые готовы отдаться во власть мужчине, потакать всем его прихотям, ублажать его и отдавать себя всю, без остатка, ничего не требуя взамен.

Неожиданно я почувствовала сильную боль и открыла глаза. Я попыталась понять, где я, в аду или в раю, и не сразу поняла, что я нахожусь в реальной жизни. Значит, я прогоняла картинки из своей прошлой жизни не где-нибудь в потустороннем мире, а в самой что ни на есть настоящей реальности.

— Слава богу, очухалась, — услышала я где-то рядом. — Я уже думал, что мне тебя оттуда не вытащить. Ты как, живая?

Я попыталась поднять голову, но почувствовала, как все поплыло у меня перед глазами.

— Где я?

— Добро пожаловать на грешную землю.

— Я на земле?

— Понятное дело, что не в космосе.

— Я думала, в аду...

— Ну, дорогая моя, до ада теперь далеко. Считай, что ты была там, но я тебя оттуда вырвал и вернул на грешную землю. Считай, что я положил тебя обратно — туда, откуда взял. На место, одним словом... — В довершение фразы послышался громкий и крайне противный смех.

Прямо передо мной сидел Дровосек и держал мою руку в своей мощной и потной ладони. Превозмогая жуткое головокружение, я вновь попыталась встать. Дровосек пришел мне на помощь, и моя вторая попытка оказалась вполне удачной.

— На, водички попей, — сказал он заботливо.

Я сморщилась и обреченно прикусила нижнюю губу.

— Господи, откуда ты взялся? Ведь я же от тебя убежала... Что со мной случилось? Где я была? Я думала, что я уже умерла. Я все видела... Я видела людей, которых когда-то любила, а быть может, и не любила, а была только влюблена... Я слишком много думала, вспоминала, анализировала свою жизнь и пыталась сделать хоть какие-то выводы. Перед моими глазами пронеслись вся моя жизнь, все мое прошлое. Я была уверена, что уже умерла и нахожусь то ли в аду, то ли в раю... Я ждала приговора. Меньше всего я верила в то, что останусь жива. Боже, как болит голова... Боже, нет, не голова. Больше всего у меня болит шея...

Оглядевшись, я с ужасом поняла, что сижу на полу веранды все того же злосчастного дома, из которого мне с таким трудом удалось убежать. Дровосек сидел рядом со мной в одних трусах, держал кружку с водой и заботливо заглядывал мне в глаза.

— Колюня, ты бы ей лучше самогонки дал. Девке и в самом деле легче будет. Она сейчас шар зальет и очухается немного. А то видишь, сидит, как чумная, и вообще ничего не понимает.

Я обернулась на голос и увидела у стены самого старшего из гостей Дровосека. Гость, от которого я совсем недавно имела честь избавиться, пил самогонку и курил сигарету.

— Девка, ты как? Еще не очухалась? Я выпью за твое здоровье! — Мужик поднял граненый стакан с самогонкой и осушил его до самого дна.

Я посмотрела на Дровосека ничего не понимающими глазами и почувствовала, как на них навернулись слезы.

— Как же так? Я же сбежала отсюда! Может, ты объяснишь мне, что произошло? Я села в машину... Доехала до дачного поселка. Я видела мертвую собаку у будки и мертвого сторожа... Я все это видела... А затем спущенные колеса машины... А потом эти руки... Сильные руки... Кто-то бросился на меня сзади. Я принялась отбиваться... а затем все, провал в памяти. Я не понимаю, как я опять очутилась здесь. — Немного помолчав, я уставилась на Дровосека, как на привидение, и с ужасом спросила: — Это был ты?

— Где? — не понял он меня.

— Ты сам прекрасно знаешь... — Мой голос дрожал, и я была готова зарыдать.

— Я не знаю...

— Я спрашиваю, меня душил ты? Это был ты?

———————

Глава 14

Около минуты мы с Дровосеком пристально смотрели друг на друга, и это была борьба. Когда я была ребенком, эту игру мы называли игрой в то, кто кого пересмотрит. Я не моргнула ни разу, и, несмотря на то что мои глаза наполнились слезами, в моем взгляде читался вызов. Дровосек заморгал первым. Наверно, он уже давным-давно не играл в подобные игры. Когда он заговорил, его голос был натянут и выдал большое внутреннее напряжение.

— Если бы я тебя душил, тебя бы уже не было. У меня руки сильные.

— А чего не задушил? Пожалел или твои сильные руки на деле оказались слабыми?

— У меня с некоторых пор к бабам жалости нет. И ты это прекрасно знаешь, сама могла в этом убедиться. Я их уже давно не жалею, у меня с ними свои счеты. Что касается слабости моих рук, то, если есть желание, могу запросто это продемонстрировать. Вот увидишь, не продержишься даже минуты. Умрешь через несколько секунд после того, как я прикоснусь своими руками к твоей лебединой шее. Она хрустнет намного быстрее, чем ты можешь себе представить. Это я тебе гарантирую. Хочешь, чтобы я показал это наглядно?

243

— Я ничего не хочу, — судорожно замотала я головой.

— Хочешь сказать, что веришь в силу моих рук?

— Верю.

— Правильно делаешь. А ты должна быть благодарна мне за то, что я спас тебя. Если бы не я, ты уже точно была бы на том свете. Считай, что тебе повезло и я вовремя тебя спас.

— Спас от кого?

— От того, кто хотел тебя задушить.

— А кто хотел меня задушить? — Я почувствовала, что у меня окончательно сдают нервы, и повторила этот вопрос уже более громким голосом: — Кто хотел меня задушить? Быть может, ты все-таки скажешь правду и прекратишь ходить вокруг да около?! Я хочу знать правду!

— Ты хочешь знать правду? — На лице Дровосека появилась издевательская усмешка. — Правда заключается в том, что ты легла со мной спать, а это значит, что не должна убегать и заниматься самодеятельностью. Ты от кого хотела убежать?! От меня?! Я хочу, чтобы ты знала — от меня скрыться невозможно. Невозможно!!! Ты думаешь, я крепко спал? Наверно, забыла, что я сбежал из зоны, а на зоне крепко спать не умеют. Там всегда надо быть начеку, даже ночью. Там люди почти не спят, они просто создают видимость, а если ты крепко уснул, обязательно жди беды.

— Если бы ты не спал, то остановил бы меня сразу, не дал мне уйти, тормознул до того, как я встала с кровати. Почему же ты меня не остановил? Почему мне удалось сесть в машину и уехать? Потому что ты крепко спал! А если бы я не зашла в эту гребаную сторожку и не увидела мертвого сторожа... Если бы я вообще не стала останавливаться в дачном поселке и проехала мимо, никто не спустил бы мне колеса и я совершенно спокойно доехала бы до своих ребят. Мы бы с тобой больше никогда бы не встретились. Естественно, что мое похищение не осталось бы ненаказанным: сюда бы сразу приехали мои ребята, и я не знаю, что бы они с тобой сделали! Я бы этим просто не интересовалась, потому что мне до этого нет никакого дела.

— Если бы, да бы мешает... — Лицо Дровосека стало свирепым, и я ощутила, что уже в который раз перегнула палку. Дровосек взял меня за подбородок и резко повернул мое лицо к себе. — Послушай, дорогая моя, и запомни, что от меня еще никто и никогда не уходил. Даже если бы ты не остановилась в дачном поселке, я бы не дал тебе уехать. И не надо намекать, что я слишком крепко сплю и мне пора сдавать на пожарного. Я все видел и все слышал. У меня большие уши и очень зоркие глаза. — Дровосек противно хохотнул. — Я ехал следом. Если бы не спустили колеса машины, я бы расстрелял их из пистолета, они бы в любом случае спустились. А что касается того, что я дал тебе встать с кровати, то знай, что я не спал. Я только дремал. Когда я выскочил из дома, ты уже отъехала, но я поехал следом за тобой. Я знал, что обязательно тебя догоню, потому что знаю, что делаю. Других вариантов не было. Видимо, тебя бил нервяк, и ты не увидела меня сразу, но я был сзади. Я видел все, что ты делаешь, и даже знал, о чем ты думаешь. Ты зря начала говорить со мной таким тоном, а я дурак, что тебя спас. Нужно было не бросаться тебе на помощь, а спокойно посмотреть, как тебя задушат, и, убедившись в том, что тебя уже нет, отправиться досыпать. Между прочим, чтобы спасти твою шкуру, я рисковал собственной жизнью, дурак.

— У меня не шкура, — резко ответила я Дровосеку.

— Ну, хорошо. Будем считать, что я неправильно выразился. Для того чтобы спасти твое драгоценное тело, я сам чуть не отправился на тот свет. Человек, который тебя душил, оказался далеко не робкого десятка.

— А кто меня душил? Кто?

— Солдат в бегах.

— Кто? — Я почувствовала, что у меня не хватает дыхания. — Господи! Что ты сказал?

— Беглый солдат.

— Бог мой! Сначала я имела честь познакомиться с беглым зэком, а теперь с беглым солдатом. Прямо эпидемия какая-то. И я от тебя бежала. Почему все откуда-нибудь бегут?

— Бегут оттуда, где плохо. Не бегут только оттуда, где хорошо. Я бежал из зоны, потому что не мог там больше находиться, я уже просто начал сходить с ума. В один прекрасный момент у меня сорвало чердак, и я дал ходу. Солдат бежал из воинской части, потому что не выдержал дедовщины и очень хотел домой. Ты сбежала от меня, потому что тебя измучила неизвестность.

— Ты хочешь сказать, что меня душил солдат?

246

— Представь себе, тебя душил беглый солдат. — Дровосек попытался перевести все в шутку, но юмор получился неприятным.

— Веселенького мало... — спросила я. — А где сейчас этот беглый солдат?

— В подвале сидит. Что будет с ним дальше, мы еще не решили, но думаю, что ничего хорошего. Солдат на тебя напал, а я на него. Просекла всю цепочку? Если бы не я, то тебя бы уже не было. Ты меня всю оставшуюся жизнь обязана благодарить. Если хочешь знать, то это был рыцарский поступок. Никогда бы не подумал, что из-за бабы я когда-нибудь буду рисковать собственной жизнью.

— Если бы я могла раздавать награды, я бы обязательно дала тебе звание героя и объявила об этом по телевизору. Но к сожалению, я не власть и награждать не умею, — съязвила я.

— Смейся, смейся, дрянь неблагодарная, — обиделся Дровосек.

Чтобы отвлечь его, я стала расспрашивать про солдата:

— Значит, он сбежал из части... — Обидные слова Дровосека нисколько меня не задевали. Обижаться на этого неотесанного мужлана у меня не было ни сил, ни желания, ни настроения. — Как же он сбежал?

— Ну, понятное дело, схватил свой автомат и убежал. Голодный, ошалелый, одуревший и ничего не понимающий. У него вообще в голове на тот момент не было никаких мыслей. У человека башню снесло от того, что он сотворил.

— А сторожа и собаку он убил тоже потому,

247

что у него башню снесло? — Мой голос был полон неподдельного испуга.

— Видимо, он сначала собаку стрельнул, чтобы сторожа на продукты и на деньги потрясти, а после того, как тот перепугался и стал кричать, хлопнул и его. А тут еще и ты нарисовалась... Солдатику бедному уже и так худо, он уже окончательно разум потерял, а тут ты непонятно откуда взялась. Странно, что он тебя не стрельнул, а душить начал. Хотя причина и так понятна, тут думать много не надо. Видимо, он тебя поиметь хотел. А может, я ошибаюсь, может, ему баба в тот момент меньше всего была нужна... Может, он просто не в себе был и у него уже такое помутнение рассудка было, что он захотел тебя задушить, и только. Ты хоть понимаешь, что такое помутнение рассудка?

— Могу представить, что такое временное помутнение рассудка.

— Хорошо, что ты хоть это можешь представить. Так вот, временное помутнение рассудка запросто может перейти в постоянное. Этот солдатик и сейчас не в себе. Он даже не помнит, как его зовут, где он живет и кто его родители. По-хорошему, его нужно в «дурку» отправить.

— А сторожа-то он зачем убил? — испуганно спросила я.

— Жрать хотел!

— Кого, сторожа?

— Дура! Не сторожа, а то, что было у сторожа. Я же сказал, жрачку искал.

— А зачем человека убивать? Он бы ему и так дал!

— Я же тебе уже объяснил, что у солдата окончательно крыша поехала. Понимаешь, окончательно! Да и как она могла не поехать, если он сам не ведал, что творит. Ты еще спрашиваешь, почему ему никто не дал поесть?.. А ты сама как думаешь? Ты бы дала поесть беглому солдату, если бы встретила его один на один? Да ты бы стала истошно кричать, бросать тяжелые предметы и вызывать милицию! Вот что ты бы делала! Это я все говорю к тому, что не надо бегать по этому лесу одной и совать свой нос туда, куда тебе не следует!

Дровосек ненадолго замолчал, а потом продолжил:

— Считай, что ты выжила по счастливой случайности и благодаря мне. Если бы я накинулся на него несколькими секундами позже, то... По идее ты должна меня благодарить, а я даже не услышал от тебя элементарного слова «спасибо».

— Спасибо, — грустно сказала я и опустила глаза.

— На здоровье! — в очередной раз съехидничал Дровосек. — Заходите еще. Всегда рады.

Когда между нами воцарилась пауза, ее тут же нарушил сидевший в углу изрядно подвыпивший мужик, который внимательно слушал наш диалог и никак не мог вставить хотя бы одно свое слово.

— Колюня, — наконец заговорил он, — я что-то не понял: а почему твоя баба бежать надумала? Я вообще ничего не понял. Я проснулся, только когда услышал громкий человеческий вопль. Вышел, смотрю, ты какого-то солдатика связанного в чулан тащишь. Потом я помог тебе твою бабу в дом перенести, ребят мы так и не добудились. Я никак въехать не могу: что же произошло? Вроде все было нормально, разошлись по разным комнатам и легли спать. Ничего не предвещало беды. В доме стоял сильный храп. А затем бац, бац — и такое! Ситуацию ты мне вроде всю объяснил, только я одного не понял: почему твоя баба решила от тебя убежать? Это ж вроде твоя зазноба любимая, так чего она от тебя по лесу бегает?! Да еще говорит, что если она от тебя сбежит, то каким-то своим ребятам нажалуется и те с тобой разберутся. Не пойму: кому она нажалуется? Конюхам своим или трактористам? А может, начальнику колхоза, что ты его девку колхозную имеешь? Знаешь, по ее говору я бы не сказал, что она деревенская. На сельскую она у тебя не сильно похожа. Может, ты все-таки мне объяснишь, кто она такая и какими ребятами она тебя пугает? Она блатная или действительно сельская? Может, сейчас на селе все девки с таким гонором, я толком не знаю. А что касается ситуации по поводу дач, то тут все ясно. Одно я понял точно: после того, что этот помешанный солдатик на дачах натворил и сторожа на тот свет отправил, я не раздумывая могу сказать, что нам отсюда нужно валить, и как можно скорее. Сегодня всем из этого дома сваливать надо, а то, не ровен час, кто-то на дачи пожалует, увидит картинку со сторожем, милицию тут же вызовет. Вот тогда кипиш и начнется. От дач до этого дома не так далеко. Всего лишь небольшой пролесок. Как пить дать, и на этот дом выйдут. Нас подставят, да и тебя сразу загребут. Этот солдат, сволочь, всю малину попортил. Валить надо отсюда, и чем быстрее, тем лучше!

250

— Рано еще валить, — возразил Дровосек. — В дачном поселке сейчас глушняк. Пока этого сторожа хватятся...

— Глушняк не глушняк, но рисковать все же не стоит. Не тот риск, чтобы идти напролом.

— А никто напролом и не идет, — совершенно рассудительным голосом сказал Дровосек и все же как-то чересчур нервно закурил сигарету. — Во-первых, ты сам сказал, что от дачного поселка нас отделяет пролесок. Этот дом стоит не так уж близко к дачам. И он совсем не на виду. Его может найти только тот, кто о нем знает. Во-вторых, в дачном поселке сейчас никто не живет. Здесь нет ни одного дома, где бы люди жили постоянно. Все сидят в городских квартирах. Воду на дачах только в мае дадут. Кому охота без воды на холодной даче сидеть... Так что я считаю, что больших оснований для паники нет.

— А я считаю, что есть, — не уступал мужик. — Сторож не может без связи работать. На то он и сторож. Видимо, у него мобильный был. Солдат про телефон не говорит, потому что не в себе. Возможно, он отобрал трубку и куда-нибудь в снег выкинул. Сам не помнит. А может быть, он навсегда эту память потерял, если даже свое имя забыл. Так вот, если у сторожа был мобильник, то ему сейчас названивают и жена, и дети, и внуки, если таковые имеются. Когда они поймут, что телефон не отвечает, они тут же суету наведут, и неизвестно, чем это все закончится.

— Возможно, ты прав. Если есть труп, то обязательно будет и народ, который его найдет. Но это не значит, что прямо сейчас срываться надо. По крайней мере и я буду знать, что здесь нельзя отсиживаться долго.

— Кореша немного проспятся, и будем уходить, — согласился мужик. — А ты так и не сказал мне, почему твоя баба убежать хотела. Я вот смотрю на нее, слушаю и начинаю понимать, что это совсем не твоя баба, будь она твоя, никогда не сказала бы подобные вещи! Никогда! Я слышал, что она сказала совсем недавно. И показалось мне, что она какая-то случайная у тебя и ненавидит тебя лютой ненавистью. Похоже, когда ты с зоны сбегал, ее где-то на местности зацепил и своей заложницей сделал.

— Кем? — не поверила я тому, что услышала.

— Заложницей. Тебя Колюня использует как щит?

— Нет, — замотала я головой.

— А может быть, да?

— Нет, нет, нет!

— А мне кажется, я попал в точку. Я это сразу просек. У вас отношения совсем не такие красивые, как вы для нас изображаете. Я думаю, что они очень сильно далеки от этого.

Именно в этот момент я ощутила, как на моем лбу выступила настоящая испарина и страх почти парализовал меня. Собрав остаток сил, я взглянула на сидящего в углу мужика и заговорила, словно в тумане:

— Это я от волнения всякую ерунду говорила. После того как на меня этот солдат накинулся, я вообще перестала что-либо понимать. Оно и понятно, столько страху натерпелась. А на самом деле у меня с Колей любовь. И не надо нас в чем-то подозревать. У нас самые близкие и доверительные отношения, какие только могут быть между двумя близкими людьми. Мы никогда не сомневались в своей любви, а что я от него сбежала, так у кого не бывает... А что мы посреди ночи разругались, ничего страшного — в постели мы не поладили... Всякое бывает, и даже срывы в постели...

— Где, где вы не поладили? — Мужик заинтересовался.

— В постели. А то сам не знаешь, можно не поладить и в постели. Ничего страшного в этом нет. Не срослось у нас как-то. Я женщина горячая, сказала Коле все, что думаю, и сбежала.

— Да, Колька много выпил, вот и не смог ничего, — засмеялся слегка подобревший мужик, — но это совсем не значит, что из-за этого нужно срываться куда-то в лес и доводить мужика до подобного состояния. У любого мужика, который хорошенько переберет, может не встать. Кто этого не знает?

— А до какого такого состояния я его довела?

— Он от страха за тебя чуть голову не потерял. Переживал. А сели бы этот гад тебя задушил, он бы в жизни себе этого не простил.

— Правда? — Я повернула голову к Дровосеку и посмотрела на него уже другими глазами.

— Что — правда? — как-то по детски покраснел Дровосек.

— Правда, что ты меня так сильно любишь?

— Да пошла ты... — Дровосек встал, подошел к своему товарищу и налил себе полный стакан. — Ахинею несешь какую-то бабскую... И по поводу того, что у меня не встал, напридумывала. Поднимать нужно умеючи, тогда и стоять будет нормально. Если у мужика не стоит, это совсем не его вина, а бабы, которая по-человечески не понимает... Поняла, дура бестолковая?!

— Ты всегда был щедр на комплименты...

Ощущение того, что я так и не смогла убежать из этого адского дома, пришло ко мне в полной мере только тогда, когда Дровосек взял меня за руку и потащил в спальню. Остановившись в дверном проеме, он посмотрел на сидящего в углу мужика и сонно сказал:

— Петрович, давай тоже поспи, а то на пьяную голову тяжело соображать, что лучше делать. Сейчас все равно никого не добудишься. Мужики все в ауте.

В знак согласия Петрович кивнул, но, поняв, что он вряд ли дойдет до кровати, уронил голову на стол и мгновенно уснул.

— Сломался Петрович, — подтвердил Дровосек и, затащив меня в спальню, повалил на кровать.

Как только мы очутились на одной кровати, я быстро отодвинулась и отвернулась к стенке.

— Ты что, мной брезгуешь? — обиженным голосом спросил Дровосек.

— От тебя самогонкой за версту несет. Дышать нечем.

— Я ж из-за тебя напился. Когда ты без сознания лежала, я уже, грешным делом, думал, что все, тебе крышка. Я и не надеялся, что ты в себя придешь и зашевелишься. Мне уже даже казаться стало, что он действительно тебя задушил.

— Ты, значит, с горя напился?

— Ну вроде того.

— У алкоголиков всегда есть оправдание, — на свой страх и риск сказала я, не смогла удержаться.

— Это кто алкоголик-то?

— Ты.

— Я?!

— Ну да. Я тебя вообще трезвым не видела.

— А ты меня часто видишь? Ты меня вообще ни черта не видела. А ну-ка, повернись ко мне.

— Зачем?

— Повернись ко мне лицом, я сказал! Иначе пойдешь спать в чулан к беглому солдату. Там как раз один матрас на двоих. Может, от него будет вонять лучше, и это придется тебе по душе!

Естественно, эта перспектива меня не обрадовала. Я не стала испытывать судьбу, а повернулась к Дровосеку и закрыла глаза.

— Только знай: о побеге лучше забудь. Я второго раза не допущу. Пристрелю сразу.

Я ничего не ответила на грозное предупреждение Дровосека, закрыла глаза и попыталась уснуть. Но так и не смогла этого сделать. Перед глазами возникли будка, рядом с которой лежала мертвая собака, сторож, лежащий с простреленным горлом в дряхлой сторожке. От этих видений меня начало колотить. Чудовищный страх снова охватил меня, и я невольно прижалась к Дровосеку и слушала, как сильно и учащенно бьется мое сердце.

— Ты что? — удивился он. — Замерзла, что ли? У меня действительно зуб на зуб не попадал.

— Вроде не холодно, а ты ледяная, точно лягушка. Я въехал! Ты не от холода, а от нервов так трясешься. Это тебя нервяк бьет. Воспоминания, что ли, мучают?

— И воспоминания, и кошмары, и то, что впереди опять неизвестность. Так хоть какая-то надежда на спасение была. А теперь вообще ничего. Я не знаю, кто ты, что тебе от меня нужно, когда ты меня отсюда отпустишь, да и отпустишь ли вообще. Мне неприятно общество твоих пьяных уголовников с их интеллектом и воспитанием.

— Это ты зря! Хоть они у меня и уголовники, но с интеллектом у них полный порядок. Им всем можно ученую степень дать. Жизненную, я имею в виду. А что касается воспитания, то уж извините. Мои кореша росли не в барских хоромах и из золотых чашек чай не пили. Их улица воспитывала.

— Для того чтобы иметь элементарное воспитание, совсем не обязательно расти в барских хоромах и пить чай из золотых чашек. Можно быть нищим и даже очень воспитанным.

— Каждому свое, и вообще давай не будем о высоких материях. А то, не ровен час, и мы заговорим с тобой о высокой духовности. А я как-то не настроен на подобную тематику. Спать хочется.

— Я устала, я больше не могу, у меня опускаются руки. Я не знаю, что ждет меня завтра, — снова заговорила я о том, что так беспокоило меня. — Смогу ли я увидеть брата, своих ребят, любимого человека...

При упоминании о любимом человеке Дровосек зло перебил меня:

— Про любимого человека могла бы и не говорить!

— Как не говорить, если я очень за него переживаю. За него и за наши с ним отношения.

— Да хорош врать! Нет у тебя никакого любимого человека, — самоуверенно заявил Дровосек.

— А вот и есть! С чего ты взял, что его у меня нет?!

— Да потому, что ты его придумала. Сама посуди, кому такое сокровище нужно? Мне бы такая и за миллион долларов не нужна была. Кому нужна баба с пушкой? Любому мужику хочется, чтобы баба была домашняя, чтобы вкусно готовила, ждала мужа с работы. А с тебя какой прок? У таких, как ты, любимых людей не бывает, потому что они вообще любить не умеют.

— Откуда тебе знать?! — разозлилась я еще больше. — У меня есть любимый человек, и он очень меня любит.

— Нет у тебя никого, — стоял на своем Дровосек. — Не зли меня своим враньем. В этом нет необходимости. Давай спать. И запомни, если ты не то что сбежать, с кровати попытаешься встать, я тебя собственными руками задушу. Сама знаешь, мне уже терять нечего.

— Скажи, а я для тебя действительно что-то вроде заложницы? — осторожно спросила я.

— Что-то типа этого.

— Ты обещал рассказать мне о том, что будет со мной дальше. Ты это обещал!

— А ты обещала не сбегать и играть роль образцово-показательной хозяйки.

— Я ее и играла!

— А потом сбежала. О твоей дальнейшей судьбе я расскажу завтра. В отличие от тебя я умею держать слово.

— Я бы хотела услышать это сегодня.

— Короче, хорош болтать! Давай спать. И помни, что я тебе сказал. Забудь о побеге.

Я уже́ и не собиралась бежать. Силы покинули меня настолько, что я действительно не думала пока о новом побеге. Дровосек обнял меня покрепче, прижал к себе и засопел.

Я тоже закрыла глаза и тут же провалилась в глубокий сон. Во сне я увидела Лося, который нежно обнимал меня за плечи, целовал мою грудь. Как только он ко мне прикоснулся, у меня исчезли все сомнения и страхи. Я не отвергла его рук и жарких поцелуев. Напротив, я подставила ему свою грудь, потому что отчетливо осознавала то, что мы оба хотим этого. Я дрожала от нетерпения, потому что прекрасно понимала, что я принадлежу только этому мужчине и хочу всегда принадлежать ему.

— Я люблю тебя, — отчетливо прошептала я и протянула руки к улыбающемуся Лосю. — Господи, ты даже не представляешь, как сильно я тебя люблю! Как сильно! Какая же я дура... Какая же я дура, что так долго скрывала свои чувства. Моя любовь чистая, искренняя, и я не могу устоять перед искушением. Я не хочу больше отрекаться от своей любви и от своих желаний. Не хочу и не буду...

Я несла себя навстречу поцелуям мужчины и чувствовала себя по-настоящему счастливой. Счастливой оттого, что мы были наедине́ друг с другом. Оттого, что наша любовь больше не хотела быть тайной, в этом не было необходимости и нам не от кого было больше прятаться. Я была его судьбой, а он моей, и другого мы не хотели. Чем больше Лось меня целовал, тем больше и больше он пробуждал во мне ответную страсть. На моем лице была счастливая улыбка, и я благодарила Всевышнего за его щедрость и за то, что он помог нам встретиться. Я знала, что я обязательно должна отдаться во власть этого мужчины, которого природа создала для меня одной. Связавшая нас когда-то тайна ширилась с каждым днем и в любой момент могла вырваться наружу. Я училась у Лося искусству любви и с каждой минутой нашей близости любила его все сильнее и сильнее. Я даже подумала о том, что, если бы мы начали жить вместе под одной крышей, мы бы понимали друг друга с полуслова, делились бы друг с другом самыми сокровенными мыслями и ощутили такое редкостное и такое гармоничное единение душ.

— Я хочу тебя. Ты даже не представляешь, как сильно я хочу тебя...

А затем эти руки... Эти губы... Эти объятия... Эти ласковые и нежные слова...

— Сашка, Сашенька, Санечка... Девочка моя... Моя любимая девочка... Можно?

— Да, я хочу...

— А можно?

— Господи, дурачок... Ну конечно же, можно... Уже давно можно и всегда... Слышишь, всегда можно! Всегда...

А затем этот сладострастный экстаз. Мне показалось, что я закричала, но мне не было стыдно, да и некого было стыдиться. Я не стыдилась своих чувств и не мучилась оттого, что не могу их сдерживать. Мне было просто хорошо... Мне было потрясающе хорошо, потому что рядом со мной лежал мой любимый, который был мне необыкновенно близок и дорог.

Я счастливо улыбнулась, открыла глаза... и тут же вскрикнула, чуть было не лишившись рассудка. На мне лежал Дровосек и обливался потом.

— А ну-ка быстро пошел отсюда! Быстро! — крикнула я что было сил.

———————

Глава 15

Недоумевающий Дровосек приподнял голову и вопросительно уставился на меня:

— Сашка, ты чего? Чего кричишь-то?

— А что я, по-твоему, песенки распевать должна? А ну слезай с меня, гад проклятый!

— Тише ты, не ори.

— Я сейчас еще громче закричу! Ты что себе позволяешь?

— А что я себе позволяю?

— Как ты посмел!.. Как ты мог... Как у тебя совести хватило...

— Да ты что? Сама на меня накинулась, как тигрица, а теперь орешь на весь дом.

— Я не виновата. Ты сам...

— Ты хоть понимаешь, что это ты меня изнасиловала?

— Кто кого еще изнасиловал?!

— Чудная ты!

— Какая есть! А ну-ка, быстро слезь! Слезь с меня наконец! Думаешь, ты такой легкий? Громила чертов!

Дровосек тут же лег рядом со мной и закрыл мне рот своей мощной ладонью.

— Хорош орать, а то всех корешей разбудишь.

261

Они решат, что я с тобой один справиться не могу, на подмогу придут. Ты этого добиваешься?

— Ты же знаешь, что нет. Зачем спрашиваешь? — замотала я головой.

— Тогда не ори!

— А я уже не ору.

— В тебя будто бес вселился! То орала от кайфа, а теперь от чего орешь, совершенно непонятно! У тебя точно психика нарушена. Планка вообще съезжает непонятно куда. Тебе, дорогушенька, лечиться надо. В хорошей платной больничке. Другого выхода нет.

Убрав тяжелую ладонь Дровосека, я слегка отдышалась и бойко заговорила:

— Какой ты все-таки законченный гад... И как у тебя только совести хватило! Изнасиловать несчастную беззащитную женщину! Как ты мог себе это позволить! Ты хоть знаешь, что тебе за это будет? Ты можешь себе это представить?

— Я не понял, ты мне угрожаешь? — Дровосек тут же изменился в лице, а от его былого добродушия не осталось даже следа.

— Нет... — Я попыталась исправить ситуацию. — Я же не говорю тебе, что сейчас побегу в милицию и напишу заявление об изнасиловании.

— Конечно, не побежишь. Я тебе тут же ноги пообломаю.

— Но это не пройдет для тебя бесследно!

— Хорош орать. Хватит! Говоришь, что я тебя изнасиловал?

— Конечно.

— А может, наоборот?

— Что значит — наоборот? — опешила я.

— Может, это ты меня изнасиловала?!

— Я?!

— Да еще так отчаянно, словно у тебя мужика сто лет не было. Оно и понятно: кто на бабу с пушкой полезет? Благодари, что хоть я на тебя залез...

Я было подняла руку, чтобы отвесить Дровосеку капитальную пощечину, но что-то остановило меня от этого неверного шага. Я осознала, что положение, в которое я попала, уже не исправишь, и, глядя в потолок, заговорила спокойным голосом:

— Знаешь, я уснула. Вернее, я думала, что я уснула, но на самом деле попала в какое-то забытье. Не знаю, бывает ли у тебя такое, но мне кажется, что это бывает у всех. Ты думаешь, что ты спишь, но на самом деле ты все ощущаешь и даже не теряешь способности думать. Я думала о своем любимом человеке... О том, что я очень по нему скучаю, хочу его увидеть и провести с ним ночь. Да и не только ночь. После всего, что со мной произошло, мне кажется, что я хочу провести с ним не только ночь, но и всю оставшуюся жизнь. Хотя, может быть, я ошибаюсь и такие мысли приходят мне потому, что сейчас я слаба, а когда я опять буду сильной, я буду рассуждать по-другому. Совсем недавно этот человек сделал мне предложение, но я ему отказала. Теперь я очень об этом жалею. Я не могла представить, какая из меня получилась бы жена, мать, подруга. Мне казалось, что я не создана для этого, но теперь понимаю, что была не права. Я считала, что у меня одна семья, криминальная, но теперь я стала понимать, что женщина должна иметь настоящую семью. Я говорю все это к тому, что, когда я впала в забытье, я вообще не поняла, где нахожусь и кто рядом со мной. Мне показалось, что меня касается мой любимый человек. — Я помолчала и задумчиво добавила: — Я пришла в себя только после того, как все свершилось, а когда открыла глаза, увидела, что это ты. И сразу пришла в дикий ужас. Ты должен меня понять.

Все время, пока я говорила, Дровосек не сводил с меня глаз, а когда я закончила, сказал недовольным голосом:

— Ну, матушка, ты даешь! У тебя прямо талант вводить людей в заблуждение. Ты хоть смотри, с кем ты трахаешься. Первый раз в жизни вижу, чтобы баба в забытьи трахалась. А уж орала ты как... Я думал, что еще немного, и все мои кореша сбегутся. Это словами не передать. Когда орала, ты точно была не в забытьи. Послушай, а может, ты мне дурочку включаешь?! Может, ты меня разводишь? Ты мне первая сказала, что меня хочешь. А я, между прочим, спать собирался. Спросил тебя, мол, можно? А ты мне затараторила, как попугай, мол, можно, еще как можно!

— Мне незачем врать. Я действительно представляла своего любимого и наши с ним интимные отношения, и я позволила ему, но не тебе. А иначе бы так не перепугалась, когда поняла, что вместо моего любимого был ты. — Я растерянно пожала плечами и с трудом сдержала слезы. — Может, и правда, после этого удушения у меня с психикой отклонения начались? Но с тобой по своей охоте я бы спать не стала ни за какие коврижки.

— А мне показалось, что тебе было хорошо и для тебя не было разницы, с кем ты спишь.

— Для меня это очень большая разница. Спать с любимым или с нелюбимым.

— Ты думаешь, все, что я слышал, мне показалось?

— Я в этом уверена. По поводу оргазма не переживай. Я притворилась и разыграла его, — решила хоть чем-то уколоть я Дровосека.

— Так я тебе и поверил, — обозлился Дровосек.

— Это твое право, а я тебе сказала то, что было на самом деле.

— Говоришь, что замуж собралась? А как хоть твоего любимого зовут, если, конечно, такой у тебя есть в наличии?

— Лось. Его зовут Лось.

— Я так и подумал, — покатился со смеху Дровосек.

— Не вижу ничего смешного, — произнесла я обиженно.

— Я так и подумал, что он у тебя с большими рогами. Наверно, ты ему постоянно их наставляешь.

— Прекрати! Перестань унижать моего любимого человека. А называют так потому, что он высокий, крупный.

— А как у него дела с рогами обстоят? — вошел в азарт Дровосек.

— У него их нет.

— Странно, а разве бывают безрогие Лоси?

— Представь себе, бывают. Его, между прочим, Игорем зовут.

— Да, не повезло этому безрогому Игорю.

— Почему это ему не повезло?

— Потому что ту порцию, которую должен был получить сегодня он, получил я. И мне это очень понравилось.

— Ты все сказал?

— Все. Хочешь еще что-то услышать от меня?

— Ничего я не хочу. — Я отвернулась к стене, закрыла глаза и постаралась уйти с головой в сон.

Дровосек слегка меня приобнял и сказал так, как говорят люди, которые в чем-нибудь провинились и мучаются угрызениями совести.

— Сашка, прости меня, если что не так. Дурак я злой, но мне и в самом деле было с тобой классно. Может, еще разок?

— Я сплю.

— А ты еще разок представь своего любимого, и мы с тобой согрешим...

— Я сплю.

— Ты точно больше не хочешь?

— Я тебе сказала, что сплю.

— Ну спи. Но если тебе захочется, сразу меня буди.

— Я сплю. — Я закрыла глаза и действительно погрузилась в глубокий сон.

К моему удивлению, у меня это довольно легко получилось. Мне больше не снились ни Лось, ни его поцелуи, ни его жаркие объятия. Мне снилась настоящая бездна. Какая-то черная, устрашающая. А я... Я лечу в эту бездну. Лечу вниз и никак не могу остановиться...

Когда мы проснулись, я постаралась избежать испытующего взгляда Дровосека и отвернулась в другую сторону. Чувствуя определенную неловкость после прошедшей ночи, я принялась одеваться. Стоящий рядом со мной Дровосек игриво мне подмигнул и примиряюще проговорил:

— Не торопись ты так. Одевайся спокойно. Что я там у тебя не видел...

— Ничего не видел.

— Я видел даже больше, чем достаточно.

— Больше не увидишь, — быстро проговорила я и натянула на себя блузку.

— А это как сказать... Поживем — увидим.

Полностью одевшись, я немного прокашлялась и прислонилась к стене.

— Ты что? — не понял меня Дровосек. — Пойдем. Там уже все проснулись. Нужно их по-человечески проводить. На стол накрыть. Подогреть чего! Короче, надо похозяйничать малость.

— Ты сказал, поживем — увидим, — повторила я фразу Дровосека.

— Да, я так сказал... А что?

— Я хотела тебя спросить: долго еще мы будем вместе жить? Когда все это кончится?

— Что именно?

— Я, по-моему, ясно спросила. Когда закончится наше совместное проживание?

— Об этом ты узнаешь чуть позже.

— Ты обещал, что об этом я узнаю в самое ближайшее время.

— Узнаешь. Я за свои слова отвечаю. Пошли к гостям.

Несколько часов гости прощались с Дровосеком и давали ему различные советы. Сколько было выпито при этом самогонки, известно одному Господу Богу. Я сидела в углу и пристально наблюдала. Изрядно выпившие мужики отсчитали Дровосеку крупную сумму денег, говорили о каких-то конспиративных квартирах, обсуждали встречи с нужными людьми. Когда все было закончено, самый старший взял мою руку и слегка прикоснулся к ней губами.

— Ну, хозяйка, спасибо за теплый прием. Желаем вам любви, счастья, здоровья и взаимопонимания. Колька — мужик неплохой, толковый. Ты за него держись. Сейчас он со своими проблемами разберется и станет легализованным.

— Каким?

— Легализованным. Свободным, значит, — объяснил мне старший гость.

— А сейчас он, значит, не свободный?

— Смотря от чего. Немного времени, и все будет в порядке, вот увидишь.

— Пусть делает так, как считает нужным. Если ему надо легализоваться, то я ему не помеха.

— Надеемся, что после этого мы обязательно погуляем на вашей свадьбе. Совет вам да любовь!

Я встала, улыбнулась ему в ответ и сама себе под нос пробурчала банальное «спасибо». Дровосек встал рядом со мной, по-хозяйски обнял за плечи и принял такой важный вид, что мне хотелось рассмеяться ему прямо в лицо, но я удержалась, прекрасно понимая, что не стоит этого делать. Наверно, эта идиллическая картина настолько зацепила здоровенных мужиков, что они тут же захлопали в ладоши и заорали дурацкое «Горько». Я слегка растерялась и пожала плечами. Но уж кто не растерялся в этой ситуации, так это Дровосек. Он тут же заключил меня в свои объятия и с жадностью впился в мои губы. Поняв, что деваться некуда, я закрыла глаза, слегка разжала губы и создала иллюзию того, что мы страстно, отчаянно и яростно целуемся.

Мне показалось, что это длилось целую вечность. Когда это все же закончилось и гости наконец-то перестали хлопать, я потерла опухшие губы и посмотрела на Дровосека глазами, полными ненависти. Когда он проводил всех гостей, я вновь потрогала опухшие губы и не могла не выразить свое возмущение:

— У меня чуть губы не отвалились! Зачем ты такое сделал?

— Что такое? — Он прикинулся дураком.

— Чуть губы мне не откусил!

— А если почувствовал страсть? — В голосе Дровосека послышались издевательские нотки.

— Ничего себе страсть. Я чуть без губ не осталась.

— А я и не знал, что ты целоваться не умеешь.

Дровосек сел за противоположный край стола и закурил сигарету.

— Это я-то целоваться не умею? — опешила я от такой наглости.

— Конечно, не умеешь. В таком возрасте могла бы и научиться. Странно, что ты вообще оказалась не девственницей.

— Ты что несешь? Да у меня опыта на любовном фронте намного больше, чем у тебя! Это у тебя раз, два, и обчелся. Я с тобой толком-то и не целовалась. Мне это вовсе не нужно. Я даже рот толком не открывала и губы специально сжала. Да и как с тобой целоваться можно, если от тебя перегаром несет?!

— От меня не перегаром несет, а водкой, — поправил меня Дровосек.

269

— Это одно и то же! Хочешь сказать, что водка не воняет?

— Нет. Она очень вкусно пахнет.

— Так вкусно, что задохнуться можно.

— Я не заметил, чтобы ты задохнулась.

— Я сдержалась с большим трудом. Я вообще не понимаю, как можно водку ведрами пить? Как вы только не посгорали. Это ж какое надо здоровье иметь?

— Я на здоровье не жалуюсь.

— До поры до времени не жалуешься.

— Ладно, хватит нести ерунду!

Лицо его стало серьезным и, как мне показалось, приняло суровое и даже жестокое выражение.

— Хватит пургу нести! Я с тобой серьезно поговорить хочу.

— Наконец-то. Я этого давно ждала.

Дровосек задумчиво посмотрел на часы. Нетрудно было заметить его внутреннее нервное напряжение, которое вырывалось наружу.

— Короче, через два часа на одну из дач в том поселке приедут твои люди, — сказал он.

— Что? — Я не поверила своим ушам и расплылась в счастливой улыбке. — Что ты сказал?

— Я сказал, что через пару часов на дачу приедут твои люди. Я с ними связался, — продолжал Дровосек. — Тебя действительно ищут, и для них ты представляешь настоящую ценность.

— А ты сомневался?

— Если бы я сомневался, я бы не привез тебя сюда.

— Значит, я все-таки твоя заложница?

— Конечно, а кем ты еще могла для меня быть? Твои люди везут мне полмиллиона долларов.

— Сколько? — Я подумала, что он шутит.

— Полмиллиона долларов.

— Я стою намного больше! — Топнув ногой, я тут же прикусила нижнюю губу и поняла, что сморозила настоящую глупость. — Вернее, нет, все нормально!

Дровосек озадаченно почесал затылок и удивленно посмотрел на меня:

— Ты хочешь сказать, что я мало за тебя запросил? Думаешь, я останусь в прогаре? Нужно было просить миллион?

— Нет, нет! — отрицательно замотала я головой. — Это и так много, более чем достаточно. Ты попросил выше крыши. Не пойму, куда тебе столько денег?

— Денег никогда не бывает много. Их всегда бывает мало.

— Ты меня разорил! Полмиллиона долларов!!! Ты хоть представляешь, что это такое? — театрально развела я руками. — Это же совершенно чудовищная сумма. У меня нет столько денег. Попроси меньше.

— Во-первых, я не прошу. — Дровосек перешел на более жесткий тон. — Я никогда ничего не прошу, потому что я не попрошайка. Я не прошу, а требую, и требую эту сумму не просто так, а за твою жизнь. Я, конечно, понимаю, что твоя жизнь стоит дороже, но я решил обойтись этой, более чем скромной, суммой. А во-вторых, твои люди уже набрали эту сумму и сегодня мне ее привезут.

— Ты уверен, что они тебе ее привезут?

— Думаешь, они меня кинут? Ну, если им твоя жизнь по барабану, то может быть...

271

— Они ценят мою жизнь.

— Я тоже так думаю.

— Но ведь эта сумма с общака!

— Мне до этого нет дела.

— Ты хоть понимаешь, что такое общак? — Моему возмущению не было предела. — Ты же грабишь общак! Можно сказать, накладываешь руку на общее дело. Ты хоть понимаешь, что тебе за это будет?

— Послушай, хватит меня пугать! Я прекрасно знаю, что такое общак. Мне совершенно наплевать, откуда взяты эти деньги — из твоего личного сейфа или из общака. Мне нужны деньги!

— А зачем они тебе нужны? — Я прекрасно осознавала, что задала глупый вопрос, но почему-то его задала, хотя внутренне понимала, что не стоит этого делать.

— А как ты сама думаешь, зачем они мне нужны?

— Для того чтобы нормально жить. К тому же ты в бегах, а чтобы подольше побыть на свободе, тебе тоже требуются деньги. Я это понимаю, но ведь твои друзья тебе уже кое-что дали. Тебе этого мало?

— Послушай, заткнись! — окончательно разозлился Дровосек. — Скоро мне привезут деньги, поэтому наша совместная жизнь заканчивается и мы больше с тобой никогда не увидимся. — Он помолчал, успокаиваясь. — Хотя кто знает. Почему-то мне кажется, что все будет совсем по-другому. Но только в том случае, если я оставлю тебя живой.

От этих слов я слегка съежилась и почувствовала, что холодею. Затем сжала кулаки и спросила, не скрывая дрожи в голосе:

272

— Скажи честно, ты меня сейчас убьешь? Ты меня убьешь до того, как получишь деньги, или после? Короче, когда именно ты меня убьешь?

Дровосек слегка ухмыльнулся и посмотрел в мою сторону испытующе:

— А ты сама как думаешь?

— Я не знаю. — Я почувствовала, как сильно закололо в левой груди. — Я не знаю. Как тебе удобнее.

— Как мне удобнее... — повторил он задумчиво.

Дровосек вновь посмотрел на часы и заговорил как бы сам с собой:

— Времени остается все меньше и меньше. Я встречаюсь с твоими людьми на даче под номером шестнадцать. Они дают мне деньги. Я проверяю, что деньги настоящие, и говорю, где они могут тебя найти. Но они на это не пойдут. Они не отдадут деньги просто так. Они захотят убедиться, что ты жива. Но это будет мое условие и они должны его принять, потому что у них не будет другого выбора. В этой игре условия диктую я, и никто другой. Они всего лишь исполнители. Обыкновенные исполнители, и все. Исполнители моей воли. Когда человек хочет увидеть своего близкого живым, он пойдет на все условия похитителей, даже на те, на которые ему совсем не хочется идти. И все же я должен подстраховаться. Но как?.. А впрочем... Впрочем, я знаю, как это сделать.

Мужчина вновь посмотрел на часы и опять заговорил сам с собой:

— А время действительно поджимает и наступает на пятки. Время поджимает, а моя схема до конца не отработана.

— О чем ты? — Я почувствовала, как у меня начали сдавать нервы.

— Да я о своем, — махнул рукой Дровосек.

— Так ты меня убьешь или оставишь в живых? — Меня начало трясти, словно в лихорадке.

Дровосек посмотрел на меня каким-то безумным взглядом. То, что я услышала, совершенно выбило меня из колеи:

— А ты как хочешь?

— Я хочу жить, — не моргнув глазом ответила я. — Ты думал, что я отвечу как-то по-другому?

— Нет. Я не рассчитывал на другой ответ. — Дровосек вновь посмотрел на часы и тут же перевел свой взгляд на меня. Я поняла, что он не в себе, и это напугало меня еще больше. — Послушай, а ты почему развелась со своим мужем? Он сам от тебя ушел? — задал он совершенно неожиданный вопрос.

— При чем тут моя личная жизнь?

— Я задал тебе вопрос, — ударил он кулаком по столу.

— Ты хочешь поговорить о моей семейной жизни? Но ведь ты сам говоришь, что времени практически не осталось.

— Я задал тебе вопрос! — Дровосек стукнул по столу еще сильнее, и я поняла, что должна отвечать на все его вопросы.

— Он ушел от меня сам.

— Почему?

— Потому что мы перестали друг друга любить... — Я не могла скрыть дрожи в голосе. — Он не хотел быть обманутым и не смог вынести наше совместное житье-бытье. Он сам сделал меня разведенкой, а я и не оказала сопротивления. Просто наши чувства не выдержали проверки временем. Я не могла быть просто женой, я всегда хотела быть намного больше, чем жена, но мой муж не позволял мне этого сделать.

— Почему?

— Потому, что он задавил меня своей бытовухой.

— Он был беден?

— В нашей стране не так много богатых мужчин.

— Не хотел или не мог зарабатывать деньги?

— И то и другое одновременно.

— Это тяжелый случай. Это уже клиника.

— Он грузил меня проблемами, которые мне были совсем не нужны. От этих проблем у меня просто опускались руки, пропадала перспектива, о которой я когда-то мечтала. Настал момент, когда у каждого из нас появилась своя отдельная жизнь, а если у каждого есть отдельная жизнь, какой тогда смысл в общей? Семейная лодка получила пробоину, я поняла, что брак отнимает у меня последние силы и последние надежды. То же самое понял и мой муж. Мы не рушили специально нашу семейную жизнь, не прикладывали к этому никаких усилий. Она разрушилась сама. Ее разрушили ежедневные семейные сцены, которых стало слишком много. Они могли начаться с самого небольшого и незначительного пустяка. Мы не были уверены в своей любви. Я слишком во многом сомневалась, а самое главное заключалось в том, что даже в семейной жизни я была страшно одинока. Есть такое понятие, как одиночество вдвоем, и оно очень хорошо мне знакомо. В общем, я мысленно отказалась от того, с кем мне пришлось вместе идти по жизни, а мой бывший муж сделал это реально. Он просто собрал чемодан и ушел.

— А ты?

— А что я?

— Ты не пыталась его остановить?

— Зачем?

— Но ведь тебе было плохо?

— Очень. Но у меня есть чувство гордости и я очень его ценю.

Я бегло взглянула на внимательно следящего за моим рассказом Дровосека и тихо спросила:

— А зачем тебе все это надо? Скоро приедут ребята меня выкупать, а ты спрашиваешь меня о моей личной жизни... Зачем? Не вижу в этом никакого смысла.

— Затем, что я хотел спросить тебя о том... — Дровосек замолчал и буквально впился в меня взглядом.

— О чем?

— Если мы еще когда-нибудь в этой жизни встретимся, ты пойдешь за меня замуж?

— Что? — Я подумала, что еще несколько секунд, и я просто упаду со стула.

— Я говорю, что, если вдруг придет время и нам придется встретиться еще раз, ты пойдешь за меня замуж?

— Но ведь у меня есть любимый человек!

— Я говорю при том раскладе, что в момент нашей встречи ты будешь одна.

— В каком смысле? — совершенно не поняла я Дровосека.

— В смысле того, что ты так и не выйдешь замуж за своего любимого человека.

— Как это не выйду? Именно сейчас, после этого похищения я поняла, что я обязательно выйду замуж за Лося. — Я и сама не могла понять, кого я сейчас хочу убедить, Дровосека или себя. — Я окончательно все решила, а своих решений я не меняю. — Немного подумав, я все же добавила: — Это, конечно, в том случае, если ты меня сейчас не убьешь, а подаришь мне жизнь.

— Сейчас мы обсуждаем именно этот вариант — я решил подарить тебе жизнь, — обнадежил меня Дровосек.

— Хороший вариант.

— А вдруг ты посмотришь на своего любимого человека повнимательнее и поймешь, что он не такой уж и любимый?

— Ты о чем? Любовь либо есть, либо ее нет.

— Любовь — дело преходящее, я тебя уверяю, — покачал головой Дровосек.

— Ты не веришь в настоящую любовь?

— Нет. Не имел чести в ней убедиться. Мы с тобой опять отходим от темы. Сейчас ты рассуждаешь о замужестве только потому, что попала в экстремальные условия. Когда человек попадает в сложную ситуацию и не знает, продолжится ли его жизнь, он всегда о чем-то жалеет, кается и мысленно говорит себе, что если останется жив, то обязательно в корне поменяет всю свою жизнь. Так вот, если ты вернешься домой, внимательно посмотришь на своего любимого и поймешь, что не любишь его, ты выйдешь за меня замуж? И даже если ты выйдешь замуж за своего любимого, а затем с ним разведешься, то ты выйдешь потом за меня?

— Зачем?

— Зачем люди выходят замуж? Наверно, для того, чтобы жить вместе. Короче, если мы с тобой еще раз где-нибудь пересечемся и ты будешь свободна, пойдешь за меня?

— Я надеюсь, что мы пересеклись с тобой один раз в жизни. Если ты оставишь меня в живых, я забуду все, как страшный сон, и вычеркну тебя из своей памяти, — произнесла я тихо и прикусила губу. — Может, я жестоко сказала, но это правда. Чтобы ты сохранил мне жизнь, я должна была сказать, что мечтаю жить с тобой под одной крышей и встречать с тобой старость. Если это как-то повлияет на мою дальнейшую судьбу, то я обязательно это скажу.

— Значит, не пойдешь?

— Нет, — отрицательно покачала я головой.

— А почему?

— Потому что я тебя не люблю.

— А что такое любовь?

— Я не смогу объяснить. Это чувство, которое нельзя выразить словами.

— Ты веришь в вечную любовь?

— Я хочу в нее верить. Человек обязан во что-то верить. Он живет в мире иллюзий.

— Я безумно любил свою жену, но после того, что произошло, я ее ненавижу. Что же произошло? Куда испарилась эта чертова любовь?

— От любви до ненависти один шаг. Я вообще не понимаю, почему мы сейчас говорим про замужество. Это не нужно ни тебе, ни мне. Мы разные, и у нас нет друг к другу никаких чувств.

— А ведь мы с тобой видимся не первый раз... — В голосе Дровосека появилась загадочность.

— Как не первый?

— Мы виделись с тобой раньше.

— Ты хочешь сказать, что мы виделись с тобой до того, как ты меня похитил? — Я буквально впилась в Дровосека испытующим, пристальным взглядом.

— Совершенно верно, дорогая моя. Это уже наша с тобой вторая встреча.

— Не может быть. — Я вновь всмотрелась в лицо Дровосека и отрицательно замотала головой: — Нет! Нет и нет! У меня очень хорошая память на лица. Я не видела тебя раньше. Это исключено. Ты меня с кем-то путаешь. Да и где мы могли с тобой видеться раньше, если ты только что бежал с зоны? Уверяю тебя, ты меня с кем-то путаешь. Может быть, ты меня где-то и видел, но я тебя точно нигде ранее не встречала.

— Я знаю, что говорю. Это наша вторая встреча.

— А где же была первая?

— Я скажу тебе об этом в нашу третью встречу.

— Когда? — Я выдавила из себя легкую улыбку.

— В третью встречу.

— А ты думаешь, она у нас будет?

— Она обязательно будет, и, если на тот момент ты будешь свободна, ты пойдешь за меня замуж.

— А если я не захочу?

— Ты меня сама об этом попросишь.

— Что?

— Что слышала. Запоминай хорошенько — ты меня сама об этом попросишь, а я еще над этим подумаю. Ты же знаешь, что я не доверяю бабам. Кстати, а почему ты улыбаешься?

— Потому что я поняла, что ты даришь мне жизнь.

— Дарю. — Дровосек вновь посмотрел на часы и слегка занервничал. — Дарю только в том случае, если... Еще одно мое условие...

— Если — что? Какое условие?

— Если ты сейчас займешься со мной любовью.

— Что?!

— Ты прекрасно меня слышала. Я хочу, чтобы ты прямо сейчас занялась со мной любовью. У нас осталось слишком мало времени.

— А если я откажусь?

— Не откажешься.

— Почему?

— Потому что я уже сказал тебе — для отказа у тебя нет времени. Скоро решится твоя судьба.

При этих словах Дровосек встал, взял меня за руку и притянул к себе. По моему испуганному лицу он прекрасно понял, что я очень далека от идеи, которую он озвучил, и все же он не остановился, а, напротив, с еще большим желанием решил ее осуществить.

— Сашка, я хочу тебя! — задыхаясь, проговорил он.

— Нет.

— Я хочу, чтобы у нас повторилось то, что произошло той ночью.

— Ты понимаешь, что ты принуждаешь меня сделать то, что идет вразрез с моим желанием? — прошептала я мужчине прямо в ухо.

— Понимаю. А ты понимаешь, что у тебя нет другого выхода?

— Понимаю.

— Ты хочешь жить?

— Очень.

— Так живи...

Я не успела ничего возразить. Дровосек прижал меня к стене и принялся целовать с особенной страстью. Я задыхалась от ярости, дрожала от гнева, но стояла как истукан и боялась пошевелиться. И все же я попыталась увернуться, но мое сопротивление распалило его еще больше. А самое ужасное в этой нелепой ситуации было то, что я действительно была возбуждена и не могла скрыть своего прерывистого дыхания.

— Ты меня хочешь? — уловил мое дыхание Дровосек.

— Нет.

— Ты врешь.

— Я действительно тебя не хочу.

— Ты все врешь! Ты всегда все врешь! Тогда почему ты так дышишь?

— Не знаю.

— Ты дышишь так потому, что ты меня тоже хочешь.

Дровосек расплылся в улыбке, припер меня к стене всем телом и стал медленно вращать бедрами, стараясь надавить между моих ног. Это была какая-то нелепая симуляция полового акта, но я по-прежнему стояла как истукан, без единого движения. А в глубине души я ощущала, что мне это нравилось. Его грубые поцелуи приводили меня в неистовство, и с каждой минутой я хотела его все больше и больше.

— И теперь ты меня тоже не хочешь? — Дровосек принялся тереть между моих ног еще сильнее.

— Я очень тебя хочу.

— А ну-ка, скажи это еще раз.

— Я хочу тебя! Хочу!!!

— Молодец! Хорошая девочка.

Я и сама не знаю, почему я не оттолкнула Дровосека в этот момент. Мне показалось, что меня держала какая-то невидимая сила, которая не позволяла мне этого сделать и призывала отдаться во власть этого грубого, неотесанного, малоприятного и практически незнакомого мужчины. Когда он стал покрывать мое тело поцелуями, я закрыла глаза и... и попыталась представить, что это делает Лось. Несмотря на всю свою грубость и неотесанность, Дровосек старался быть со мной нежен, и у него это очень хорошо получалось. Его мягкие губы шептали необычайно ласковые слова, а мощные руки заставляли меня вздрагивать и покрываться мурашками. Спустя какое-то время я вообще перестала понимать, что со мной происходит. Разум словно улетучился и существовал где-то отдельно от меня. Наверно, именно поэтому я так и не смогла призвать его на помощь. Наши тела переплелись, и мы с обоюдным восторгом отправились в сказочную страну незабываемых ощущений. При этом Дровосек постоянно меня целовал, и от этих поцелуев я потеряла счет времени и уже не хотела возвращаться в реальность.

Глава 16

Когда все закончилось, Дровосек посмотрел на часы и со словами «Пора одеваться» принялся натягивать свои безразмерные трусы.

— У нас времени нет!

— Для чего?

— Для того чтобы заниматься любовью.

— Странно слышать от тебя слово «любовь». И почему ты не сказал «трахаться»?

— Потому что я стал культурным человеком, — громко заржал Дровосек. — Ты меня облагородила.

— Сколько у нас времени? — Я постаралась прийти в себя и, последовав примеру Дровосека, принялась одеваться.

— До твоего выкупа осталось ровно полчаса. Я уверен, что мы уже ничего не успеем.

— Ты о чем? Меня уже не успеют выкупить? — испугалась я.

— Да нет. Выкупить тебя как раз должны успеть. А вот продолжить занятие сексом мы уже вряд ли сможем.

— Я тоже так думаю.

— Я дал тебе норму? — съехидничал Дровосек.

— Даже больше, чем достаточно.

— Не думал, что ты такая слабачка.

— А я не думала, что ты такой рысак, — взаимно подколола я Дровосека.

— Тебе хоть хорошо было?

— Можно подумать, что тебе было плохо!

— Я так увлекся... Похоже, мы с тобой чуть было не пропустили твой выкуп.

Дровосек осторожно взял меня за талию, заглянул мне в глаза и сказал, не скрывая переполнявших его чувств:

— Знаешь, я обязательно тебя найду. Пройдет время, я тебя найду, и мы встретимся с тобой в третий раз.

— Во второй, — поправила я Дровосека.

— В третий. — Он стоял на своем.

— Во второй, — никак не уступала я.

— В третий.

— А я говорю, во второй!

— Вот увидишь, я обязательно тебя найду в третий раз.

Решив не продолжать этот спор, я осторожно спросила:

— А зачем ты меня найдешь?

— Но мы ж с тобой договорились, — удивился моему вопросу Дровосек.

— Ты хочешь еще раз похитить меня и запросить уже миллион долларов? Ты это имеешь в виду? Но извини, если у тебя все так гладко прошло на этот раз, это совсем не означает, что все так же пройдет и в следующий раз. Я же тебе сказала, что теперь буду ходить только с охраной. Ты и так наш общак обокрал.

— Я его не обкрадывал. Эти деньги твои ребята принесут по обоюдному желанию.

— А это и есть воровство.

— Это далеко от воровства. Воруют, когда замки вскрывают и когда что-то плохо лежит.

— Значит, тебе показалось, что наш общак плохо лежит?

— Может, и так...

— Тебе может понравиться меня воровать, и ты будешь делать это постоянно. А в общаке закончатся деньги, и меня нечем будет выкупать? Что тогда?

— Я бы все равно тебя воровал, — засмеялся мужчина.

— Без денег?

— Без денег. Ты мне доставляешь столько приятных моментов, что тебя можно воровать и без денег.

— Идиот! — Я покраснела и отвернулась в другую сторону.

Дровосек повернул меня к себе и очень серьезно сказал:

— В третий раз я найду тебя не для того, чтобы тебя своровать, а для того, чтобы на тебе жениться.

— А если я буду замужем? Да и почему ты так уверен, что я за тебя пойду?

— Ты не будешь замужем.

— Откуда такая уверенность?

— С тобой ни один нормальный мужик жить не может. Я за это спокоен. С тобой сможет жить только такой ненормальный, как я. А что касается того, что ты за меня не пойдешь, то, я повторяю, ты меня сама об этом просить будешь. Я тебя уверяю.

— Я думаю, что ты слишком высокого о себе мнения.

— А я думаю, что я о себе такого мнения, которое и должно быть. Ты не смотри, что сейчас я грубый мужик, бежавший зэк и конченый уголовник. Придет время, и я буду совсем другим. В этом я тебя уверяю. На все нужно время!

Притянув меня к себе, Дровосек крепко поцеловал в губы и уже в который раз посмотрел на часы.

— Мне пора. А ты должна быть хорошей девочкой и посидеть тут немного одна. Как только мне дадут пакет с деньгами, я скажу, где ты, и за тобой приедут твои люди.

— А если они сначала захотят увидеть меня живой, а только после этого отдадут тебе деньги?

— Я похож на конченого лоха? Это моя игра, и я ее затеял, а значит, играть в нее нужно только по моим правилам. Если они не пойдут на мои условия, значит, они просто не получат тебя. Садись вон на тот стул со спинкой.

— Зачем? — испуганно посмотрела я на Дровосека.

— Затем, что мне придется тебя связать.

— Зачем? Мы же договорились с тобой по-мирному. А может, тебе придется меня и убить?

— Я за свои слова отвечаю. Я тебя пальцем не трону. Свяжу для того, чтобы ты была похожа на заложницу.

— Я и так на нее похожа... — В моем голосе появился испуг.

— Я бы этого не сказал.

— Почему?

— Потому что у тебя глаза после секса от счастья светятся. Дураку видно, что тебе еще хочется.

— Не говори ерунды!

— Садись, я сказал! — В голосе Дровосека появилась реальная угроза. — У меня времени нет Я должен тебя связать, чтобы ты не бросилась следом за мной, не прибежала к своим людям, уверяя их в том, что с тобой все в порядке и чтобы мне не давали денег. Мне нужны деньги, и я их получу, чего бы мне это ни стоило.

— Я никуда не побегу... Я буду в доме. Я буду просто смотреть в окно...

— Садись! — прикрикнул Дровосек.

Сев, я облокотилась на спинку стула и с опаской стала наблюдать за тем, как Дровосек достает веревку и начинает обвязывать меня вместе со стулом.

— Сиди спокойно. Тебе же не больно?

— Нет. — Я и сама не знаю, почему на моих глазах появились слезы.

— Я же сказал, что я не причиню тебе боли. Скоро сюда придут твои люди, тебя освободят, и ты поедешь домой. Выйдешь замуж за своего любимого человека, немного поживешь, разведешься, некоторое время побудешь одна, и мы опять с тобой встретимся. Ты уж не обижайся, но руки я завяжу тебе покрепче, чтобы не смогла развязаться.

— Да я и так не смогу, — сквозь слезы выговорила я.

— Кто тебя знает! Ты девушка сильная и совсем не робкого десятка. Таких нужно связывать как можно крепче.

— Кляп-то хоть в рот не будешь совать?

— А ты хочешь?

— Нет. Если можно, избавь меня, пожалуйста, от этого.

— Хорошо, избавляю. Для меня слово женщины — закон.

— Ты в первый раз за все это время назвал меня женщиной, а не бабой.

— Было время, когда я называл женщин дамами. Но это было слишком давно и уже стало неправдой.

— А что будет с солдатом?

— Делай с ним все, что посчитаешь нужным. Скажи о нем своим ребятам. Только учти, что он не в себе. Отпускать его нельзя. Он дальше всех мочить будет. Оружие я у него отобрал, но будет душить голыми руками всех, кого только увидит. У него уже планку сорвало. По-хорошему, его в «дурку» надо. Он же все равно не может ни своего имени назвать, ни часть, где служил, ни адрес, где его предки живут. Поначалу я подумал, что он под дурака косит, а когда присмотрелся, то понял, что он вовсе не косит, а в самом деле головой улетел. Я к нему в чулан заходил, дал ему поесть. Он от страха трясется, кричит, лицо руками закрывает, боится, что я его бить буду. Видимо, его в части били сильно, и это прочно засело в его памяти. Я грех на душу брать не хочу, а возиться мне с ним некогда. Его дальнейшую судьбу ты сама решай. Все, мне пора!

Дровосек немного нервно улыбнулся и потрепал меня по щеке.

— Ну что ты так на меня смотришь?

— Как?

— Так, словно я сейчас тебя на тот свет отправлю.

— А что я, по-твоему, смеяться от счастья

должна? Может, ты мне посоветуешь распевать веселые песенки?

— Ну, не песенки... Тебе радоваться нужно, что скоро тебя спасут и ты увидишь своих, а ты сидишь, будто на похоронах. Может, ты со мной не хочешь расставаться?

— Не говори ерунды! Просто у меня нос чешется.

— Саня, ну потерпи немного. По части комфорта тут немного тяжеловато, но другого выхода нет. Ты же взрослая девочка и должна все понимать. Тебе потерпеть осталось немного, тогда и почешешь...

Дровосек не ушел и начал чесать мне нос, а я давала ему указания:

— Левее. Еще левее. Вот тут хорошо. Осторожно, ты меня сейчас без носа оставишь! Неужели нельзя поласковее?

— Можно, только ты думаешь, что я каждый день носы чешу?

— Коля, развяжи меня, пожалуйста! — Я смотрела на Дровосека глазами, полными мольбы.

— Не могу. Так и мне, и тебе спокойнее. Кстати, ты первый раз назвала меня по имени.

— Не в первый. Я называла тебя по имени перед твоими друзьями. Развяжи меня!

— Нет. Мне пора, я уже опаздываю. Не скучай!

— Счастливого пути! Думаешь, мне приятно сидеть тут одной, привязанной к стулу, в компании с беглым солдатом, который сошел с ума?

— Он надежно заперт. Не бойся.

— А если он выскочит?

— Это исключено. Все, мне пора. Пожелай мне счастливой сделки.

— Не буду.

— Почему?

— Потому что ты меня обкрадываешь.

— Не тебя, а общак.

— Это одно и то же.

— Ты хочешь сказать, что ты и есть общак?

— Что-то типа того.

— И сколько в тебе денег?

— Не знаю, не считала.

— Ладно, как бы там ни было, но я хочу сказать тебе «до свидания».

— Прощай! — Я торопливо кивнула и отвела глаза.

— До встречи! Скажи честно, а ты скучать будешь?

— Что?

— Я спрашиваю: ты скучать будешь?

— С чего бы это?

— А я буду.

— А я нет.

— Все. Меня нет. До скорого!

Наверно, уже в сотый раз Дровосек посмотрел на часы и, помахав мне рукой, вышел из дома. Я набралась терпения и стала ждать... Я тысячу раз пожалела о том, что сейчас у меня нет возможности подойти к зеркалу. Если бы я только могла, я бы обязательно посмотрела на свое отражение и привела себя в порядок. Я, наверно, ужасно выгляжу. Просто ужасно! Не причесывалась, не умывалась и уж тем более не красила губы.

Я представила, как Лось вместе с другими нашими парнями передаст Дровосеку деньги и поедет сюда. Признаться честно, мне показалось, что у меня просто не хватит сил дождаться этой счастливой минуты. Я знала, что первым, кто забежит в дом, будет Лось, и до мельчайших подробностей представила нашу встречу. Он кинется к моим ногам, начнет развязывать веревки и говорить о том, как сильно он за меня переживал и как он меня любит. В его глазах будут стоять слезы, а руки будут дрожать. Он позабудет о конспирации и будет говорить мне о своих чувствах, совершенно позабыв о том, что рядом с ним стоят наши ребята, которые довольно тесно общаются с моим братом и могут рассказать ему о наших отношениях. А я и не буду его останавливать, потому что больше не хочу скрывать свои чувства. Я громко разревусь, брошусь ему на шею и тут же скажу, что с огромной радостью выйду за него замуж и что я уверена в том, что мой брат благословит наш союз и мы проживем в мире и согласии долгие и долгие годы. Все будет именно так, а по-другому не может и быть. Я больше не хочу прятаться от самой себя. Я хочу быть любимой, любить и жить полноценной жизнью, которой живут другие женщины.

Я даже подумала о том, что первым делом я поеду вместе с Игорем к своему брату. Я обниму Женьку за плечи, расскажу ему, как я за него отомстила, и представлю ему его друга, моего будущего мужа, который будет теперь вместе со мной идти по жизни, оберегать, лелеять, холить, любить, пытаться меня понимать и выполнять мои многочисленные капризы... Я улыбалась своим мыслям и думала о том, что сижу слишком долго, что мое затворничество затянулось, что вот сейчас... сейчас это произойдет. Еще немного. Еще капельку терпения...

Когда входная дверь распахнулась, а на пороге появились Вован и Олег, я почувствовала, как сильно заколотилось мое сердце, и закричала:

— Блин, ну что же вы так долго! Я тут уже устала! У меня и руки занемели, и нос чешется! Ребята, родные мои! Вы не представляете, как я счастлива вас увидеть. Как я счастлива!!! Как долго я ждала этой минуты! А где Лось?

— Да он... это... — Вован встал рядом со мной и посмотрел на меня растерянным взглядом.

— Что он?

— Да он, это...

— Что он это? Ну говори, не томи!

— У него от твоего похищения крышу снесло. Так переживал, что напился, сел в машину и куда-то уехал.

— Как это? Куда? Он жив?

— Да жив он, не паникуй.

— Слава богу! — облегченно вздохнула я.

— В гипсе лежит твой Лось. Нога у него сломана.

— Так он в больнице?

— В больнице. Не переживай, оклемается и бегать начнет. Он, когда узнал, что мы тебя выкупать едем, был готов прямо с перевязанной головой и загипсованной ногой к тебе лететь, но он пока даже на костыли встать не смог. Мы его уверили, что все нормально будет. Да не смотри ты так испуганно. Никто тебе не врет. Он скоро как новенький будет. Починят врачи твоего Лося, словно поломанную игрушку. Просто у человека сотрясение и несколько переломов. Ничего из ряда вон выходящего нет.

— Зачем же он пьяный за руль сел?

— С горя. Любит, наверно, тебя.

— С чего ты взял?

— Только слепой этого не заметил бы. Об этом все наши ребята давно знают. Никто против вашей любви ничего не имеет. Что мы, не живые люди!

— Вован, вы деньги отдали? — немного успокоившись, спросила я.

— Отдали. Ровно пятьсот тысяч долларов, как похититель требовал.

— Вы ему не фальшивыми заплатили?

— Настоящими.

— Почему?

— Лось так велел. Он сказал, что человеческая жизнь, твоя, значит, намного дороже любых денег. Мы хотели какую-нибудь постанову слепить, но Лось на дыбы встал. Он даже при своей болезни из обоймы не выпал. И народ весь так настроил. Все проголосовали против того, чтобы деньги фальшивыми были, и даже против того, чтобы этого ублюдка взять за шкирку, привязать к какому-нибудь дереву и выпытать, где ты находишься. Этот похититель сказал, что ты не одна, что его человек рядом с тобой и что в случае провала он не задумываясь отправит тебя на тот свет. Короче, общим собранием решили самодеятельностью не заниматься, выполнить все требования и ни в коем случае не рисковать твоей жизнью. Хорошо, что хоть такие деньги в сейфе лежали. Вчера как раз одна сделка солидная была и эти деньги в сейф положили. Прямо как чувствовали. Да ты насчет денег не переживай. Этот горе-похититель с дачного поселка не выберется.

— Почему? — заметно насторожилась я.

— Он условие поставил, чтобы на передаче денег присутствовали только двое. Вот мы двое и присутствовали. А при выезде еще парочка наших ребят сидят. При одном выезде и при другом. Значит, наших ребят на дачах еще четверо. Они сидят в засаде, их не видно. Вооружены по последнему слову. Так что ты не переживай. Он не уйдет дальше дачного поселка. На двух выходах его ждут. Все чики-чики. Никто ему такие деньги отдавать и не собирался. Как только он объявится, его сразу хлопнут. Дан приказ открыть огонь на поражение.

— Вован, хорош болтать! Может, ты меня все-таки развяжешь?! Сколько, по-твоему, я должна так сидеть?!

— А ты куда торопишься? — У Вована моментально изменился голос, и он посмотрел на меня какими-то полоумными глазами.

— Как куда?! — совершенно не поняла я его. — Почему так воняет бензином?

Обернувшись, я увидела, что Олег медленно льет из канистры бензин по дому. Я обмерла, потом затряслась, как в лихорадке, и тихо спросила:

— Вован, в чем дело? Олег, ты на фиг льешь бензин? Ребята, вы что задумали? Вы меня на тот свет решили отправить? Дом хотите поджечь?!

Вован взял меня за подбородок и сказал, глядя мне прямо в глаза:

— Ты всегда была умной и сообразительной женщиной. Мы действительно хотим поджечь дом.

— Как же так? Зачем? Как же...

— У нас появился реальный шанс от тебя избавиться. Я не хочу, чтобы мной командовала баба. С меня довольно.

— Я хочу выйти замуж за Лося и отойти от дел. Теперь всем будет заправлять он.

— Лось — хороший мужик, и я бы не против, чтобы он всем заправлял, но он тебя любит, а это значит, что он дурак. Ты будешь ему петь на ухо, значит, он будет думать женскими мозгами.

— Вован, ну почему? Что я тебе сделала? Мы ведь всегда с тобой ладили. Всегда! — Я ощутила, что у меня началась истерика.

— Мы никогда с тобой не ладили. Я всегда тебя ненавидел. Я всегда ждал момента, когда смогу с тобой расправиться. Мне не пришлось уговаривать Олега, чтобы он мне помог. Он согласился с радостью. Те четверо, что приехали вместе с нами и сидят у выезда с дачного поселка, ничего не подозревают. Им дано указание сидеть до победного. Их цель — вернуть деньги, а наша цель — вернуть тебя. Я знаю, что они справятся со своей задачей, но только мы не справимся со своей. Сейчас загорится дом, и мы вернемся к ребятам с глазами, полными ужаса. Мы расскажем, как загорелся дом, как мы бросились, чтобы тебя спасти, но было уже слишком поздно и мы ничего не могли сделать. Твой похититель не сможет сказать ни слова, что он не причастен к пожару, потому что его убьют еще до того, как он скажет хоть одно слово.

— Одумайся, пока не поздно! Я тебя умоляю, одумайся! Я про это даже не вспомню, только, пожалуйста, одумайся!.. — истерично кричала я и до крови кусала губы.

— А что мне одумываться? — Вован сморщился от жуткого запаха бензина и стал поторапливать: — Олег, давай быстрее! Время идет. У тебя еще есть канистра? Давай ее выливай, и дело с концом!

Я не могу описать, что испытала в тот момент, когда окончательно осознала, что сейчас я умру, что я умру в жутких мучениях, что меня сожгут близкие мне люди. Люди, с которыми я работала долгое время, которым всегда верила, которых теперь с нетерпением ждала и знала, что вместе с ними придет помощь... Мне не верилось, что еще немного и меня просто не будет, что новая весна уже не моя. И не только эта, но и следующая. Что я уже никогда не увижу, как распускаются почки на деревьях, как появляется первая зеленая травка, что я никогда не посмотрю на голубое небо и не прокричу свою любимую фразу: «Грачи прилетели!»

— Грачи прилетели, — тихо сказала я и почувствовала, как по моему лицу ручьем потекли слезы.

— Что ты сказала? — не понял меня Вован.

— Я тебя спрашиваю, грачи прилетели или нет?

— Кто? Какие, на хрен, грачи?!

— Птицы такие. Они всегда весной прилетают. Я люблю наблюдать за этим. Это так красиво. Мы с братом всегда вешали скворечники и с нетерпением ждали их прилета. Скоро весна.

— Грачей еще нет ни хрена, и неизвестно, когда будут. А что касается твоего брата, то я не ожидал, что он выкарабкается. Я хотел убрать сначала его, а затем уже тебя. Кто ты такая без мозгов своего брата?! Никто! Хер в пальто!

— Так это ты стрелял в Женьку?

— Я уже давно ни в кого не стреляю. Я выполняю совсем другую работу. Есть люди, которым можно заплатить и они сделают это намного лучше меня.

— Значит, ты заказал моего брата?

— Я! — Вован расплылся в самодовольной улыбке. — Я! Я! Я! А ты что, так и не догадалась?

— Нет. Я всегда тебе верила.

— Доверяй, но проверяй!

— А калекой моего брата тоже сделал ты?

— Что ты имеешь в виду?

— Я имею в виду тот взрыв в машине, после которого его буквально сшили по кускам и он потерял способность ходить.

— К этому я не имею никакого отношения, и не стоит сваливать все на меня. Я всегда уважал твоего брата. Я был ему предан. Всегда с огромным удовольствием работал под его руководством. Он действительно классный мужик. Он не раз меня выручал и много чего для меня сделал. Но все это было до того, как он стал калекой. Теперь он просто выпал из обоймы. Я согласен с тем, что у него остались мозги, но этого слишком мало для того, чтобы управлять группировкой и влиять на людей. Твой брат сам это понимал и поставил во главе дела тебя. Извини, но я никогда не подчинюсь бабе. Если в группировке не будет семейки, которая уже давно себя изжила, то есть тебя и твоего инвалида, то мы вновь заживем нормальной жизнью. И будем работать по тем правилам и распорядкам, по которым мы работали раньше.

— А я стреляла в Колесника... Я думала, что это он хотел убить моего брата. Я и представить себе не могла, что это ты.

— Не знаю, как ты там в него стреляла... Возможно, это твои бабские бредни. В Колесника стрелял киллер. Его сейчас ищут. Люди Колесника сняли с тебя обвинения по этому поводу, так что можешь мне не сливать свою бодягу.

— В Колесника стреляла я!

— Хорош врать! У тебя кишка слаба. Не стоит приписывать себе то, что сделали другие. И вообще кончай болтать. Пора прощаться!

К Вовану подошел Олег, и я поняла, что мое время истекло.

— Вов, может, мы ее стрельнем и сразу подожжем? На всякий случай, чтобы она уже точно не рыпалась, — предложил Олег.

— Да как она рыпнется, если она плотно к стулу привязана и даже руками не сможет пошевелить?! Стрелять не надо. Если труп потом найдут, экспертизу сделают, обнаружат пулевое ранение, и начнется... Тем более у нас все оружие паленое, на нем столько всего понавешано. Нужно уже давно стволы поменять. Я знаю, где можно новую хорошую волыну приобрести, и причем очень даже недорого. Просто сожжем бабу, и все. Жалко, конечно, что твой похититель тебя сам не хлопнул. Очень жалко. Признаться честно, мы рассчитывали, что забежим в дом и обнаружим тебя мертвой. Ан нет. Не вышло. Видеть тебя живой нам что-то не очень хотелось.

— Если это так, что ж вы тогда похитителя сразу не убили, а дали ему деньги и возможность уйти? Если он вам сказал, что я не одна и что в случае провала меня убьют, почему вы не устроили этот самый провал?! Почему?

— Потому что мы не одни и все должно быть правдоподобно. На дачах еще четверо наших ребят, и они не имеют к нашем заговору никакого отношения. Ладно, все, хорош болтать. Олег, поджигай, и сваливаем отсюда.

— Ребята, не надо!

— Ты это... Ты глаза закрой, — заметно занервничал Вован. — Ты думай о брате... А хочешь, молитву читай. Проси Господа отправить тебя в рай. Точно, читай молитву! Так легче.

— Ребята! Ребята, прекратите немедленно! У вас еще есть время одуматься! Ребята! Я вас умоляю. Вы представляете, что вам за это будет, если кто прознает?

— А никто и не прознает! — злобно крикнул Вован. — Никто! Потому что мертвые не умеют разговаривать! Дом быстро сгорит! Вот увидишь, тебе совсем не будет больно! Дом-то деревянный! Горит легко и быстро! Ты только закрой глаза, чтобы не видеть! Ты только читай молитву!

Когда я осталась в доме совершенно одна и увидела постепенно надвигающееся на меня пламя, я закрыла глаза и закричала:

— Ребята! Ребята, одумайтесь! Ребята, мы ведь одна семья! Разве так можно?! Мы ведь одна криминальная семья! В чулане беглый солдат! Он сошел с ума. Освободите его немедленно! Его ждут дома родители! Ребята, я в доме не одна!!!

Но меня уже никто не слышал. Больше я уже не могла кричать... Не могла... Я только почувствовала, как мое тело свело в судорогах. Это были судороги от страха, дикого, чудовищного страха. Меня жутко трясло, и я уже не могла себя контролировать. Я не знаю, чего я боялась больше — огня, дыма... Нет, я боялась смерти. Я действительно боялась смерти, такой неожиданной и такой страшной. Мне было страшно умирать. Страшно. Господи, как же мне тогда было страшно!.. Как страшно-то... Я всегда хотела умереть красивой, но после этого огня, когда меня все-таки найдут, я буду обгорелой и страшной. Наверно, даже в гроб класть будет нечего...

...А затем... Затем стало так много света, что он начал слепить глаза и я уже не могла ничего видеть. Свет меня слепил, выжигал глаза и приносил самую настоящую боль. Господи, ну почему так светло? Ну почему? Только бы немного темноты... Совсем немного...

Мне было страшно умирать еще и оттого, что где-то там, в какой-то больнице, на больничной койке лежал человек, который ждал этой встречи, считал минуты, а я так и не успела сказать ему о своей любви... Он попал в нелепую аварию, потому что понял, что его жизнь без меня просто разваливается. Ему не хватает меня, как собственных рук, как собственных глаз и как собственных мыслей... Где-то там остался мой брат, который тоже ждет этой встречи, который знает, что я очень сильная, что я всегда смогу за себя постоять и что во мне столько духа, что мне может смело позавидовать любая, даже самая отчаянная девушка.

А совсем рядом умирает беглый солдат... Несмотря на то что он сошел с ума, он ведь тоже чувствует смерть... Он ощущал запах дыма и видел огонь... Он так и не пришел в себя и не обрел разума. И все же он почувствовал смерть. Он тоже осознал, что пройдет немного времени, и его уже не будет.

А вообще я очень любила жизнь. Несмотря на

весь трагизм, который она мне преподнесла, я очень сильно ее любила. Ведь жизнь прекрасна! Несмотря ни на что, она все же прекрасна! Я испытала, что такое молодость, и мне очень жаль, что мне никогда не узнать, что же такое старость. Жизнь не так страшна и убога, как о ней говорят, несмотря на тот малоприятный факт, что за рождением человека следует его смерть, что если человек что-то обретает, значит, придет время, и он обязательно что-то потеряет, что за самым лучшим может последовать самое худшее. Несмотря на все это, я очень любила жизнь!

Мне очень жаль, что я многое не успела в этой короткой и так быстро развалившейся жизни. Не успела по-настоящему выйти замуж, не узнала, что же такое материнство. Мне очень жаль, что время, которое мне было отпущено, так быстро закончилось и что для меня в нем больше нет места! А ведь я даже не почувствовала, что я умру. Если бы я знала, что это произойдет так быстро, я бы поспешила жить. Я бы обязательно поспешила.

Наступил момент, когда я уже плохо что-либо понимала и что-либо видела. Я не закрывала глаз, просто на них была какая-то пелена, которая очень сильно мешала зрению. Я уже ни о чем не думала, ничего не ощущала. Мне было ясно, что если бы я заранее знала, что скоро умру, Я БЫ ПОСПЕШИЛА ЖИТЬ. Я бы обязательно поспешила.

Еще немного, и мне откроется тайна, которую все боятся и о которой боятся даже говорить вслух. Мне откроется тайна смерти. Еще немного, и я узнаю, как останавливается сердце и как по жилам перестает течь кровь... Еще немного... Мне кажется, что я уже вижу... Я вижу то, что находится за порогом смерти, я отчетливо это вижу... Если я умираю, значит, я прожила все, что мне отпущено. Как жаль, что мне так мало отпущено... Как же жаль! Другим отпущено много, но они сами уходят из жизни. Они просто устают и не хотят жить. Они не видят смысла жизни и постоянно его ищут. Они не понимают, что смысл жизни в отсутствии всякого смысла. Они уходят из жизни, сводя с ней окончательные счеты. А я так хочу жить! Господи, как же сильно я хочу жить... Как сильно! Ведь я еще не нажилась. Я еще ни черта не нажилась... Мне хотя бы еще немного... Самую малость. Если бы Господь отпустил мне еще, я бы так ценила жизнь... Так бы ее ценила...

А где-то там по-прежнему будут жить другие люди, и у каждого из них будет своя жизнь. Но в этой жизни не будет меня. Меня просто больше не будет! Меня помянут... Меня будут вспоминать... Обо мне будут говорить... Меня будут помнить. Но это будет только вначале. В самом начале. Когда еще будут свежи воспоминания и близки разговоры обо мне... Но пройдет время, и меня забудут. Будут пролетать весны. Кто-то другой будет смотреть на небо и громко кричать: «Грачи прилетели!» Кто-то другой будет вешать скворечники и рвать первые подснежники. Это будет кто-то, но это буду не я... Потому что меня нет и меня уже почти не стало... Как жаль, что я уже не смогу услышать красивую музыку, поставить свой любимый диск и СТАНЦЕВАТЬ ТАНЕЦ ДИКИХ.

Впереди неизвестность. Я уже перестала испытывать страх перед неизвестностью. Мне было горячо, но ничего не жгло. Было странное состояние, я никогда не испытывала ничего подобного раньше. Словно что-то непонятное появилось у меня внутри, постепенно съедая меня по кусочкам, и это что-то было настолько сильное, что оно пустило в меня свои мощные корни. А затем мне стало неимоверно легко... Что-то отпустило меня без боли... И все... Провал... Я ПОНЯЛА, ЧТО МЕНЯ БОЛЬШЕ НЕТ. МЕНЯ НЕ СТАЛО...

———————

Глава 17

Когда я открыла глаза, я тут же попыталась понять, где именно я нахожусь, в аду или в раю. Увидев перед собой стены, выкрашенные в голубовато-белый цвет, я сразу поняла, что это больничные стены, а если это больничные стены, то это значит, что я осталась жива. Я попробовала немного пошевелиться, но у меня ничего не получилось. Я не могу пошевелить ни рукой, ни ногой, потому что мое тело какое-то неподвижное. Но я могу слегка повернуть голову, самую малость. Я вижу, что из моей забинтованной руки, из совсем маленького окошечка между бинтами торчит игла капельницы, по которой стекает лекарство. Я вижу солнечные зайчики на стене. Значит, на улице светит солнце.

Я делаю попытку припомнить все, что со мной произошло в последнее время, и... вспоминаю себя привязанной к стулу. А затем этот огонь. Такой сильный, яркий... Он пожирал на своем пути все... А затем... Затем я вспомнила, как меня не стало... И вот я уже здесь. Я попыталась приподнять голову, но почувствовала совершенно невыносимую боль.

— Ты как, дочка? Никак пришла в себя? — Надо мной склонилась пожилая женщина.

— Кто вы?

— Называй меня просто Глаша.

— Где я? — Я задала вопрос и снова ощутила страшную боль, которая пронзила все мое тело. — Я в преисподней?

— На грешной земле, — улыбнулась бабуля.

— Странно... У меня не было шансов выжить.

— Тебе больно?

— Очень.

— Потерпи. Главное, что осталась жива. Я тебе сейчас уколю обезболивающий.

После того как женщина сделала мне укол, она погладила меня по голове и сказала ласковым, ободряющим голосом:

— Потерпи, моя хорошая. Потерпи. Теперь долгое время будет больно, но нужно терпеть. Главное, что тебе подарена жизнь, а все остальное приложится.

— Но я помню, как меня не стало...

— Ты не умерла. Бог решил, что ты еще не должна умирать, что слишком рано, и он дал тебе силы для того, чтобы выжить. Все наладится. Вот увидишь, все наладится.

Я закрыла глаза и почувствовала, что очень хочу спать.

— Мне кажется, я умираю... — В моем голосе появился испуг.

— Я сделала тебе укол, и сейчас ты должна уснуть.

Я провалилась в глубокий сон и очнулась, когда на улице было уже темно. Рядом с моей кроватью висела лампа дневного освещения, от которой у меня тут же заслезились глаза. Около меня сидела та же женщина, держала на коленях открытую книгу и посапывала во сне. Я по-прежнему чувствовала боль, но на этот раз она была уже более тупая, можно сказать, терпимая.

— Вы спите? — Я и сама не знаю, почему задала именно этот вопрос, хотя прекрасно видела, что женщина спит.

Бабуля тут же вздрогнула и открыла глаза.

— Вы спите? — повторила я свой вопрос и ощутила, что сейчас мне хочется просто с кем-то поговорить, услышать чей-нибудь голос.

— Да нет... Я читала и задремала немного.

— Хорошая книга?

— Хорошая. Про любовь.

— Я тоже люблю читать про любовь. Когда в реальной жизни не хватает любви, ее всегда приятно находить в книгах.

— Верно, доченька. Я люблю за книгой проводить свободное время. За книгой или за спицами.

— Вы вяжете?

— Это мое любимое занятие. Оно всегда успокаивает нервы.

— Я в детстве тоже вязала. А потом бросила.

— Почему?

— Терпения не хватает, чтобы довязать вещь до конца. — Я попыталась изобразить что-то наподобие улыбки, но, как только я попробовала растянуть губы, почувствовала жуткую боль. — Я до конца ни одной вещи не довязала, — превозмогая боль, продолжила я.

— А я, наоборот, спать не лягу, если не довяжу вещь до конца. Зато внуки потом так радуются... Как же они радуются... Большей благодарности мне и не надо. У тебя есть детки?

— Нет.

— Деткам обязательно нужно что-нибудь вязать. Я своим все подряд вязала. Шапочки, носочки, шарфики.

— Да это когда было... Сейчас все купить можно.

— Тоже верно.

Женщина поправила очки и уставилась в книгу. Видимо, чтение ее так увлекло, что она перестала обращать на меня внимание. Одиночество снова захлестнуло меня.

— Глаша, — тихо позвала я.

— Что, дочка? — Женщина приспустила очки и улыбнулась.

— Который час?

— Почти два часа ночи.

— А сколько я уже здесь лежу?

— Второй месяц.

— Сколько?! — Я чуть было не потеряла сознание.

— Второй месяц.

— А почему так долго?

— Как почему? Ты же вся обгорела...

— Я была в коме?

— Ты то приходила в себя, то опять впадала в забытье. Просто сейчас ты этого не помнишь.

Женщина опять открыла книгу, и я не выдержала и сказала ей:

— Давайте с вами поговорим, а то мне страшно.

Женщина тут же отложила свою книгу и посмотрела на меня внимательным взглядом:

— Страшно? Доченька, тут тебе нечего бояться. Поверь мне, тут тебе ничего не угрожает. Тут ты в безопасности.

— Расскажите мне, пожалуйста, как меня

спасли? Как мне удалось выжить? Где я сейчас? Какие будут последствия? Мои близкие знают, что я здесь?

— Я думаю, что тебе еще рано что-то знать. Слишком рано. Придет время, и ты все узнаешь.

— О чем вы?

— Тебе нельзя нервничать.

— Но я хочу знать все сейчас. Я в полном порядке. Глаша, умоляю вас, расскажите мне, как все произошло. Как я попала сюда? Мои нервы в порядке, поверьте.

— Тебе кажется.

— Больше всего на свете я боюсь неизвестности. Она действительно пугает меня. Умоляю, расскажите мне все. Чем больше вы будете держать меня в неизвестности, тем хуже я буду себя чувствовать.

Видимо, мои слова убедили бабулю, и она надо мной сжалилась.

— Хорошо. Сюда тебя привез мужчина. Его зовут Николай.

— Николай?! — У меня все поплыло перед глазами, и я с огромным трудом удержалась, чтобы скрыть свое состояние.

— Его зовут Николай, — еще раз повторила женщина и внимательно посмотрела на меня. — Ты должна его знать.

— У него шрам во все лицо? — спросила я на всякий случай.

— У него на лице большой шрам... — На морщинистом лице женщины появилась неподдельная боль. — Теперь у него не только на лице большой шрам. У него очень сильно обгорела кожа.

— Обгорела кожа?

— Это случилось, когда он тебя спасал. Приехал сюда совсем обессиленный, еле живой. Я хотела уговорить его немного отдохнуть и полечиться, но он отказался. Сказал, что у него целая куча дел, хотя еле стоял на ногах.

— И он уехал?

— Сразу уехал.

— А когда он вернется?

— Не знаю. Иногда он уезжает на годы.

— Я даже не поблагодарила его за то, что он меня спас. Непонятно, как он вернулся. Ведь его должны были убить. Быть может, он почувствовал опасность, а может, почувствовал, что что-то случилось со мной?!

— Так вот, Николай просил тебе передать, что ты можешь мне доверять. Он привез тебя сюда еле живую на какой-то попутной машине, ему помогал человек, которому он хорошо заплатил. Я не знаю подробностей, что произошло, но он вытащил тебя из огня. Я сказала, что тебя нужно бы в центральную клинику, но Коля боялся, что вряд ли тебя довезет. Сказал еще, что это очень опасно. Не знаю, что именно он имел в виду.

— А где я сейчас?

— В деревенской больнице. Деревенька небольшая, всего несколько домов, но все же есть фельдшерский пункт. Коля просил, чтобы я тебя выходила, а как только тебе станет лучше, ты сама решишь, где будешь лечиться дальше. Ты можешь позвонить своим родственникам, и они перевезут тебя в клинику. Скорее всего у тебя впереди много пластических операций. Ты ведь страшно обожжена. У нас тут и лекарств нужных нет. Тут в основном от самогонки умирают или от старости, редко кому приходится какую-нибудь помощь оказывать. Но Коля знал, куда тебя вез. Он знает, что я хорошая травница. Вот и выходила тебя различными волшебными травками да корешками, которые сама собирала и заговаривала.

— А почему вы эти травки и корешки называете волшебными?

— Я собираю их в полнолуние, настаиваю и говорю им волшебные слова. Ты не первая, кого я уже выходила. Я этими травами тебя постоянно поила. Я сделала для тебя все, что могла. А что касается твоей внешности, тут я сделать ничего не могу. Тут нужны другие врачи.

— Я ужасно выгляжу?

— Не очень хорошо.

Я не могла видеть следы ожогов — перебинтована была не только голова, но и руки, ноги, все тело. Я напоминала кокон.

— А что там, под этими бинтами? — испуганно спросила я пожилую женщину и почувствовала, как набегают слезы.

— Под этими бинтами твое изуродованное лицо и тело.

— Что?

— Дочка моя, ты же обещала мне, что в состоянии услышать правду. Мне трудно ее скрывать.

— Я хочу снять бинты!

— Мы снимем их через неделю. Ты еще слишком слаба. Завтра я снова начну отпаивать тебя отварами, и ты увидишь, как быстро пойдешь на поправку и наберешься сил.

— Но я хочу сейчас снять эти бинты! Я хочу видеть, что под ними!

— Нет, — отрицательно покачала головой женщина. — Нет. Если мы снимем их сейчас, то можем нарушить ход лечения. Все мое лечение расписано по дням. Мои травки хорошо действуют на твои раны. А если мы снимем бинты сейчас, то они не окажут своего главного влияния, которое тебе так нужно. Потерпи, дочка. Потерпи и послушай меня. Я не сделаю тебе хуже. Я сделаю тебе лучше. Коля не зря сказал, что ты можешь мне доверять.

— А откуда вы знаете Колю?

— Мы с ним давние знакомые. Он очень хороший человек.

— Вы думаете?

— Я это знаю. А ты разве думаешь по-другому? Ведь это он спас тебе жизнь!

— Один раз он у меня ее чуть было не забрал, а сейчас спас.

— Коля — самый благородный человек, которого я только знала.

— Может быть. Он сюда вернется?

Глаша растерянно пожала плечами, а в ее глазах появились слезы.

— Он сказал, что не знает сам. Даже если он когда-нибудь сюда и вернется, это будет совсем не скоро. И еще... — Женщина замолчала и отвела глаза.

— Что еще? Что может быть еще?

— Коля сказал фразу, которую ты должна понять сама.

— Что он сказал? — Я начинала терять терпение. — Ну говорите же, не молчите! Что он сказал?

— Он сказал, что ЕСЛИ ТЫ НЕ ЗАХОЧЕШЬ ВОЗВРАЩАТЬСЯ В ПРЕЖНЮЮ ЖИЗНЬ И В ТОТ МИР, В КОТОРОМ ТЫ ЖИЛА ДОЛГОЕ ВРЕМЯ, И РЕШИШЬ НАЧАТЬ ВСЕ СНАЧАЛА, ТО НЕ БОЙСЯ. НИКОЛАЙ СКАЗАЛ, ЧТОБЫ ТЫ НЕ БОЯЛАСЬ НАЧАТЬ ВСЕ СНАЧАЛА. НИКОГДА НЕ ПОЗДНО В КОРНЕ ИЗМЕНИТЬ СВОЮ ЖИЗНЬ. НИКОГДА НЕ ПОЗДНО...

— Что он имел в виду? — Я смотрела на женщину в полном отчаянии. — Что он имел в виду?

— Не знаю. Дочка, я ничего не знаю! Он сказал, что ты догадаешься сама. И еще...

— Что еще?

— Еще он оставил тебе пакет.

— Пакет? Что за пакет?

— Он оставил тебе пакет, сказал, что с деньгами.

— С какими деньгами?

Женщина встала со своего места, ушла в другую комнату и вернулась ровно через минуту с черным пакетом. Она положила пакет на тумбочку рядом с моей кроватью, улыбнулась мягкой домашней улыбкой и тихо сказала:

— В этом пакете ровно пятьсот тысяч долларов. Коля сказал, что он не взял оттуда ни копейки. Это тебе на пластические операции, чтобы восстановить свою внешность, и на тот случай, если захочешь начать новую жизнь.

— Он вернул деньги? — Мне показалось, что я теряю разум.

— Он велел передать этот пакет тебе и сказал, что ты сама распорядишься деньгами, как захочешь. А теперь спать. Ты же очень устала. После того как я сниму бинты, можешь смело звонить своим родственникам, просить их за тобой приехать и устроить тебя в лучшую клинику. Если захочешь остаться у меня, я буду рада. Коля просил передать, что ты можешь считать мой дом своим. Если и уедешь, то можешь приезжать сюда в любое время, я тебе всегда буду рада, тут ты всегда найдешь тепло и покой.

Женщина замолчала и погасила свет.

— А теперь спи. Твоему организму нужен отдых.

— А вы где будете? Вы будете сидеть рядом со мной всю ночь?

— Я буду в соседней комнате, но если что — обязательно меня зови. Я же говорила, что деревенька у нас маленькая, поэтому фельдшерский пункт находится прямо в моем доме. Я здесь и живу, и людей принимаю. Постарайся побыстрее уснуть.

— Постараюсь, — пообещала я.

Когда женщина вышла из комнаты, я дала волю своим чувствам и сразу заплакала. Правда, я старалась делать это как можно тише, чтобы не расстроить эту добрую бабульку. Когда я наконец смогла успокоиться, я очень долго размышляла о Дровосеке, представляла, как он вытаскивает меня из пламени, задавала сама себе вопросы и не находила на них ответы. Я прокручивала в голове его слова по поводу того, что должна начать новую жизнь, и размышляла над тем, что именно Дровосек имел в виду. На что он намекал? О чем предупреждал? На что рассчитывал... Только вопросы и ни одного ответа.

Когда мне все-таки удалось уснуть, мне приснился Лось. Он целовался с другой женщиной, говорил ей ласковые слова и поглаживал ее округлившийся животик. А я пряталась за какую-то колонну и боялась показать свое лицо, потому что оно было обезображено ожогом, а все окружающие показывали на меня пальцами и называли уродом. Я громко плачу, беспомощно стучу кулаками по колонне и чувствую неимоверную душевную боль. Я стучу по колонне так сильно, что у меня начинают болеть руки. Я стучу и не могу остановиться. Мне становится страшно оттого, что на моем лице нет мимики, что я не могу улыбаться, не могу собрать волосы под резинку и открыть необычайно красивую форму своего лица, что я не могу подойти к Лосю на близкое расстояние и сказать ему, как же сильно я его люблю... Как сильно... Я кричу от бессилия и все так же стучу по колонне. Руки мои в синяках и ссадинах. От дикого, раздирающего меня крика опухло мое лицо и перехватило горло. Совершенно обессиленная, я съехала вниз и села на землю, вытянув вперед свои длинные ноги, которые были закрыты плотными брюками, несмотря на то что на улице стояла жара... Брюки скрывали рубцы. Я совсем ослабела от слез, от отчаяния, от непонимания, от боли утраты и от того, что я уже ничего не могу изменить. Во мне уже ничего не осталось. Ничего, кроме страшного изнеможения. От тяжелого и жесткого дыхания мне показалось, что мои легкие поднялись до самой гортани, что еще немного, и я выплюну их наружу. К черту! Все к черту! Мне они не нужны. Зачем нужны легкие изуродованному человеку? Зачем ему легкие, если у него отняли любовь, ведь это то же самое, что отнять жизнь. Зачем жизнь без любви? Зачем такая жизнь, где над тобой смеются, где смотрят на тебя глазами, полными ужаса, где от тебя прячут своих детей и просят их не подходить близко к страшной тете. Но это не проказа. Это всего лишь ожоги... Я сидела на земле и глазами, полными ужаса, смотрела на гуляющую между колоннами романтическую парочку. Высокий мужчина по кличке Лось и беременная симпатичная женщина, которую заботливый муж ласково кормит мороженым, словно ребенка. Я смотрю на ее лицо и поражаюсь тому, какое же оно гладкое, какая же на нем бархатистая кожа, без единого изъяна. И я ей завидую. Как же я ей завидую! Она может пользоваться косметикой и смотреть на себя в зеркало. А еще... еще она может по праву гордиться мужчиной, который с ней рядом. Я уверена, что он не только хороший муж, но и хороший отец. И я не могу больше на них смотреть, потому что мне очень больно. Господи, как же сильно мне больно. И я не выдерживаю этой боли. Я встаю и иду к этой парочке. Завидев меня, девушка вскрикивает, испуганно закрывает лицо ладонями и со словами «Игорь, что нужно этому чудищу?» бросается на грудь к своему мужу. Я хочу улыбнуться, но не могу даже слегка растянуть губы, потому что мое лицо окаменело. Я бью себя кулаком в грудь, прикрытую плотной темной кофтой, и говорю:

— Лось, я не чудище. Это я, Сашка.

Лось смотрит на меня с нескрываемым отвращением и говорит:

— Какая еще Сашка?

— Та Сашка, которую ты любил и которой ты предлагал выйти за тебя замуж.

Мужчина нахмурил брови и сплюнул.

— А ну проваливай отсюда в музей уродов! Та Сашка, которую я любил и на которой хотел жениться, давно умерла. Она сгорела в пожаре. Мы ее похоронили.

— Как же сгорела? Лось, я жива! Посмотри на меня, я жива! Кого же вы в гроб положили? Тела ведь не было? Солдата, что ли, беглого? Женщину от мужчины неужели нельзя было отличить?! Или вы гроб пустым закопали? Лось, ну скажи мне, пожалуйста, не томи душу! Что было в гробу?!

— Не знаю, похороны Вован организовывал. Он молодец, все взял на себя. Я тогда в больнице был и даже на костыли встать не мог.

— Вован — предатель!

— Я тебя за такие слова урою! — точно взбесился Лось. — Вован — мой близкий друг! Он мне почти как брат!

— Лось, ведь это я, Сашка!

— Я тебе последнюю кожу с твоей страшной рожи сниму, — все больше свирепел Лось. — А ну катись отсюда, самозванка несчастная! Санька была красивая, а ты страшна, как атомная война!

— Но ведь я горела тогда! Сгорела вся моя красота!

— Сашка умерла! Пошла отсюда, уродина! Не травмируй мою беременную жену! Ты что к нормальным людям цепляешься?! Может, ты попрошайка? Может, тебе денег дать?

В этот момент девушка убрала лицо от груди мужчины и посмотрела на меня все тем же испуганным взглядом.

— Лось, что она несет? Ты же мне говорил, что

316

никогда и никого не любил, кроме меня... Ты же мне клялся, что чувства, которые ко мне испытываешь, ты испытал первый раз в жизни. Ты же мне клялся...

— Я никого никогда не любил, — успокоил свою жену Лось. — Если я кого-то и любил в этой жизни, то только тебя одну. Все остальное — это просто мусор! — Лось взял свою жену за руку, отошел от меня и заорал что было сил: — А ну-ка проваливай отсюда, уродина! Если ты деньги своей рожей зарабатываешь, то проси милостыню и не лезь к нормальным людям в душу!!! Поняла, не лезь! Иди работай, а то с твоей рожей больше никакой работы не найдешь! Ты меня поняла?!

— Поняла... — Я всхлипнула, развернулась и пошла прочь...

Я проснулась. Открыла глаза и поняла, что лежу вся в слезах. Мне не хотелось думать, что сон этот вещий, я гнала эту мысль, как только могла. И все же... Все же именно благодаря этому сну я поняла фразу, которую передал мне Дровосек. Он сказал, что ЕСЛИ Я НЕ ЗАХОЧУ ВОЗВРАЩАТЬСЯ В ПРОШЛУЮ ЖИЗНЬ И РЕШУ НАЧАТЬ ВСЕ СНАЧАЛА, ТО Я НЕ ДОЛЖНА БОЯТЬСЯ. Я НИЧЕГО НЕ ДОЛЖНА БОЯТЬСЯ... А ведь Дровосек был прав, я и сама не знаю, смогу ли я вернуться в ту жизнь и в тот мир после того, как Глаша снимет с меня бинты и я подойду к зеркалу...

———————

Глава 18

За те дни, пока я ждала, когда же Глаша снимет мои бинты, я слишком много думала, представляла, страдала, и мои нервы расстроились окончательно, несмотря на то что Глаша поила меня различными успокоительными травками, делала различные успокоительные уколы. Эту неделю я жила как под наркозом. Чем ближе подходил момент снятия бинтов, тем больше я впадала в депрессию и теряла последние жизненные силы. Я не чувствовала себя живой, мне казалось, что я вряд ли смогу достойно ответить на брошенный судьбою вызов. Я потеряла способность что-либо чувствовать, кроме горя...

За день до того, как снять с меня эти злосчастные бинты, Глаша села рядом со мной, взяла меня за руку и сказала ласковым голосом:

— Так нельзя. Что бы ты ни увидела завтра, ты просто обязана взять себя в руки. У тебя есть любимый человек?

— Есть.

— Если он тебя по-настоящему любит, то даже в самые страшные и ужасные периоды жизни он будет с тобой. Если он действительно тебя любит, то никогда не отвернется.

— Его отпугнет моя внешность.

— Напротив. Он вместе с тобой будет бороться за твою внешность.

— Тут слишком много сложностей, — со слезами отвечала я. — Слишком много... Мне приснился сон, что я умерла, что меня уже похоронили, что меня нет. Все поверили в то, что меня нет. Никто не знает о том, что я осталась жива. Мне кажется, что это вещий сон.

— Ты можешь позвонить своим близким людям завтра, сразу же после того, как я сниму с тебя бинты. Ты можешь сказать им, чтобы они тебя забрали. Они устроят тебя в лучшую клинику, и я уверена, что все наладится и все пойдет своим чередом.

— В этом же сне мне приснилось, что близкие люди от меня отвернулись. Вернее, от меня отвернулся любимый человек. Он нашел себе другую женщину. Конечно, от меня никогда бы не отвернулся мой брат... Он примет меня любой... Это я знаю точно. Но другие... Мой сон быстро закончился, но я уверена, что, если бы он продолжился дальше, и они бы тоже от меня все отвернулись.

— Это всего лишь сон, — попыталась успокоить меня Глаша.

— Но ведь это вещий сон.

— Это всего лишь сон. И запомни, девочка, Коля оставил тебе деньги, значит, ты можешь восстановить свою внешность. У тебя есть на что ее восстановить. Человеку дано столько страданий, сколько он может вынести.

— Но ведь это неправда! Разве можно вынести столько!

— Поверь, человеку дается именно столько

страданий, сколько он может вынести. Каждый сам знает глубину своих страданий. Но пойми, что если Господь вернул тебя с того света, то нужно жить, в этом есть смысл. Ты должна справиться со всеми своими трудностями и страданиями, и у тебя есть на это силы, потому что ты очень сильная женщина. Я это вижу. А я никогда не ошибаюсь в людях.

Я не очень хорошо запомнила момент, когда Глаша сняла с меня эти злосчастные бинты. Я закрыла глаза и ждала. Не хотела видеть это страшное зрелище, к тому же мне было ужасно больно, хотя меня накололи различными обезболивающими. В некоторых местах раны еще не зажили и начали кровоточить. Сначала мне разбинтовали руки, затем ноги, а потом и тело. Я уже не напоминала кокон, и мое тело вновь задышало. Я ощутила прохладный воздух, который лился из соседней комнаты, где было открыто окно. Когда сняли бинты с моего лица и я подошла к зеркалу, я вскрикнула и потеряла сознание... Я даже не могу сказать, что именно я почувствовала в тот момент. Мне показалось, что кто-то взял большой нож, оголил мое сердце и полоснул по нему. Я ощутила это острое холодное лезвие... Я очень хорошо его ощутила...

Прошло не меньше двух недель, прежде чем я смогла привыкнуть к себе такой, какой стала. Но я привыкла. Я смогла, и у меня получилось. Но с этих пор я разлюбила свет и зеркала, потому что от света у меня страшно слезились глаза, а от зеркал мне не хотелось жить, хотелось наложить на себя руки. При свете мне становилось холодно, неуютно и одиноко. Я никогда ранее не могла подумать о том, что придет время, и я полюблю кромешную тьму. Ту тьму, которую боятся нормальные люди. В такой темноте я пила чай, разговаривала с Глашей. Я рассказывала Глаше о том, какой красивой я была раньше, сколько мужчин пытались заполучить мое сердце, скольких я отогнала от себя прочь после того, как поцеловалась с ними всего один раз. Я выбирала мужчин по поцелуям. В одних поцелуях были чувства и страсть, а другие были какими-то пресными. Ведь именно губы рождают слова. А если губы скучны, то с этим человеком будет действительно скучно не только в жизни, но и в постели. Мужчина должен быть приятен во всем. В своих речах, в своих поступках и в своих действиях.

Я рассказала это Глаше и потрогала свои губы или то, что от них осталось. Тяжело вздохнув, я начинала рассказывать Глаше о своих похождениях, о том, как я любила кружить головы мужчинам. Как я по молодости и неопытности вышла замуж, как поняла, что мой брак — это просто ошибка и что в моем браке была не любовь, а влюбленность, которая имеет свойство со временем проходить и навсегда исчезать. Как семейная жизнь стала для меня кошмаром и мучением, но после того, как мой муж избавил меня от этого кошмара, я вместо облегчения почувствовала страшную пустоту и на себе ощутила тягостное одиночество. Однажды, когда я замолчала, Глаша погладила меня по руке и осторожно спросила:

— Саш, а с Колькой-то у вас что?

— С Колей... С Колей у нас ничего...

— Вы с ним просто друзья? — допытывалась она.

— Друзья?! Нет, — покачала я головой. — Мы с ним просто знакомые.

— Просто знакомые, — разочарованно повторила за мной женщина и подлила мне чаю.

— А почему вы спрашиваете?

— Просто когда Коля тебя сюда привез, он сказал мне, что дороже тебя у него никого нет.

— Так и сказал? — Я чуть не поперхнулась вареньем.

— Прямо так и сказал. — Глаша постучала меня по спине. — Сказал, что это самый близкий, родной и дорогой человек.

— Может, он меня с кем перепутал? — подозрительно посмотрела я на Глашу.

— Да нет. Он про тебя говорил. Сказал, что обязательно тебя найдет и на тебе женится.

— Да, это он про меня говорил. — На моих глазах вновь показались слезы. — Это про меня. Он так шутил обычно.

— Тебе казалось, что он шутил, но я сразу поняла, что он тебя любит. По-настоящему любит.

— Да это вам показалось. У нас и не было ничего. Мы всего-то два раза переспали, и все, — выпалила я и тут же прикусила язык.

Глаша расплылась в довольной улыбке и сказала загадочно:

— Два раза переспать с человеком — это не так уж и мало для отношений.

Прошла еще одна неделя, и я собралась в дорогу: оделась в одежду, принесенную Глашей, причесала все, что осталось от моих волос, осторожно, чтобы не повредить те участки, где воспалилась кожа. Затем повязала черную косынку, надела огромные черные очки, почти во все лицо, и взяла пакет с деньгами.

— Ты на монашку похожа, — заметила Глаша, когда мы с ней по обычаю присели на дорожку. — Вся в черном до пола. Ни рук, ни ног не видно.

— Я так и хотела. У монашек менты документов не проверяют. А у меня их как раз и нет.

— Только монашки очки черные не носят.

— Скажу, что глаза больные, на яркий свет смотреть не могу. Так мое страшное лицо меньше видно.

— Может, останешься все же? У меня поживешь? Родным и близким так и не позвонишь?

— Нет, — покачала я головой. — Не могу. Я и домой не могу вернуться с таким лицом... Коля был прав. Мне нужно начать все сначала. Я должна выпасть из обоймы на какое-то время. Спрятаться в клинике, сделать себе новую кожу, новое тело и новую внешность. Что толку, что я у вас жить буду, если мне на улицу выйти стыдно? Я и к своим близким не могу такой вернуться. Они знают меня красивой.

— А как же любимый?

— Боюсь, что любимый меня не поймет. У меня все тот сон из головы не выходит.

— Какой же он тогда любимый, если не поймет? Любимый всегда понимать должен...

— Я и сама не смогу. Сама не смогу переступить через это. Если он действительно меня любит, то обязательно меня дождется. Кто любит, тот умеет ждать. Я обязательно объявлюсь. И к своим близким вернусь, но только после того, как смогу чувствовать себя, как и раньше, нормальной, пол-

323

ноценной женщиной. Я вернусь, но для этого нужно время, а сколько, известно только одному Господу Богу... Только ему одному. Я вернусь, потому что там, в прошлой жизни, у меня остались не только друзья, но и враги, с которыми я обязательно должна рассчитаться. Сейчас я совершенно бессильна, но я наберусь сил и уничтожу их. Я обязательно их уничтожу! Пройдет время, и я вернусь в ту жизнь. Даже если меня похоронили, я все равно вернусь еще более красивой, более интересной и еще более сильной. И если тот сон и в самом деле вещий и меня уже похоронили, я скажу, что я встала из гроба, потому что была обязана вернуться к тем людям, которых люблю, и наказать тех, кто сотворил со мной это зло. Я умею ждать. У меня есть терпение. И я умею платить по счетам.

— Будь осторожна, дочка! Будь осторожна.

— Я буду стараться. Я всегда буду помнить о вас, Глаша. Давайте я оставлю вам немного денег. Вы ведь столько меня выхаживали и вытащили меня с того света. Я обязана вас хоть чем-то отблагодарить.

Глаша тут же переменилась в лице, и оно стало суровым.

— Ты мне деньги предлагаешь, что ли? — Она моментально разозлилась.

— Да, конечно.

— Зачем меня так обижать?! Что плохого я тебе сделала? Почему ты все измеряешь деньгами?! Я же делала от души! Для меня слово Коли закон! Да как ты можешь такое мне предлагать?! Ты ж мне как дочь!

Увидев на глазах Глаши слезы, я поняла, что

сделала большую глупость, и попросила у нее прощения.

— Глаша, ради бога, простите. Сейчас жизнь такая...

— При чем тут жизнь?

— Мне действительно стыдно. Нужно знать, кому предлагать деньги.

— Для меня большей наградой будет, если ты приедешь ко мне еще раз, если навестишь меня. Ты должна знать, что здесь твой второй дом. Здесь тебя всегда ждут. Пообещай мне, когда выполнишь все свои задачи, обязательно ко мне приедешь. Я буду ждать, что когда-нибудь откроется дверь моего дома и на пороге появишься ты.

Я вытерла выступившие слезы и обняла мою спасительницу.

— Я обещаю. Глаша, родная, я обещаю. И еще...

— Что?

— Если Колька объявится, передавайте ему огромный привет и поцелуйте его за меня.

— Обещаю, — улыбнулась старушка.

Как только мы вышли из дома, Глаша постучала в соседнюю калитку к своему соседу, который должен был отвезти меня в город на своем небольшом грузовике.

— Щас, иду! — донеслось из соседнего дома.

— Сань, я с соседом договорилась, — прошептала мне Глаша. — Он тебя до города довезет. Ты на него внимания не обращай, он немного чудной. Между прочим, бывший журналист.

— Бывший журналист?!

— Да, — важно ответила Глаша. — Юрка Стройков. Не слышала про такого?

— Нет, — покачала я головой.

— Оно и понятно. Хоть он и хвалится, что был когда-то известным, но никто у нас про него не слышал, несмотря на то что ему скоро полтинник. Ты не пугайся, он выглядит на все восемьдесят. С молодости такой страшный. А сейчас вообще лучше не смотреть. Бывают люди страшные, но добрые, а у этого внутри злоба кипит. И все из-за того, что он так себя и не нашел нигде. Говорят, в районном центре даже на телевидении немного поработал. Так погнали его. Сама посуди, куда с такой рожей в ящик! С такой рожей только на огороде ворон отпугивать. Вот этим и занимается в последнее время. Неудачник, одним словом. Неудачником был, им и остался. Когда самогонки выпьет, себя в грудь начинает бить и кричать на всю деревню, что он журналист с большой буквы, что в свое время большие статьи в «Сельских вестях» писал. Белая горячка начнется, так он материт, ненавидит всех, кто чего-то в этой жизни добился и из села уехал. У неудачников всегда зависти выше крыши. Он сам про себя слухи распускает, будто он ВГИК закончил, да только куда с такой внешностью?! Одних леших да сумасшедших играть. Закончить можно все, что угодно. Короче, ты его не пугайся. Он чудной, но, когда трезвый, спокойный.

— А меня до города живой довезет? — подозрительно посмотрела я на Глашу.

— Не переживай, он за рулем не пьет. На днях из запоя вышел. Значит, какое-то время без стакана продержится. Приставать к тебе не будет, его мужчины больше интересуют.

— А он что, этот Стройков, гей?

— Он самый.

— И как к нему в вашей деревне относятся? Ладно бы в городе... А в деревне?

— Привыкли уже. Он гей пассивный. Губы накрасит, бусы наденет, пуговицы на рубашке расстегнет и давай перед механизаторами задом вилять. Наши мужики привыкли, внимания не обращают. Бывает, кто со злости ему пинка даст, а кто спьяну его по этой самой заднице и погладит. Человек все-таки, хоть и с отклонениями. Теперь, когда он совсем не у дел, осталось только наших трактористов соблазнять.

К калитке подошел здоровенный детина колхозной национальности с рыжей бородой и помятым лицом. Он действительно выглядел намного старше своих пятидесяти. Я обратила внимание на его накрашенные губы и слегка улыбнулась.

— Юр, что так долго?! — поругала его баба Глаша.

— Я заметки писал для «Сельских вестей», — деловито объяснил спившийся горе-журналист Стройков и направился к своему грузовику.

— Кому ты писал, если твои заметки никому не нужны?

— Я прославиться хотел.

— Завидуешь, значит?

— Завидую, — не скрывал своих чувств Стройков. — Я раньше рубрику вел «Наши люди в Москве». Вот сейчас что-нибудь интересное напишу и опять буду ее вести.

— Что это за название такое придурковатое? Наши люди на селе, а те, кто в Москве, уже давно не наши люди, а москвичи, — поправила Стройкова Глаша. — Улавливаешь разницу?

— А чем такие люди лучше меня?!

— Тем, что у них крылья есть, а ты чурбан бескрылый, и от зависти из тебя желчь брызжет. Таких людей уважать нужно, они смогли вырваться, изменить свою жизнь и достигнуть того, что тебе даже во сне не приснится. Пользуешься тем, что тебе никогда не дотянуться до них, и обливаешь всех грязью. Благо, сынок, что ты не в Москве, а то бы тебе ой как по рукам досталось, да и не только по рукам, но и по заднице твоей развратной, которую ты при любом удобном случае подставляешь. Смотри, сынок, с огнем играешь, а то пробьет час, разозлишь какую-нибудь звезду и без задницы своей точно останешься. Нечего тебе для дальнейшей работы подставлять будет.

— И все же я не могу успокоиться. Я целыми днями жизнь звездных людей изучаю и думаю, где бы в них изъяны найти и как бы для них хоть маленькую гадость сделать.

— Юр, да кому ж твои пакости-то нужны? Известные люди привыкли к своей публичности, и им на твои дешевые заметки наплевать. Их и так различными статьями донимают, и от этого они еще более толстокожими становятся и вообще ни на что не реагируют.

— Зато я стану знаменитым и денег заработаю, — мечтательно произнес Стройков. — Почему одним все, а другим ничего?! Ненавижу я этих звезд! Чем я хуже их?!

— Юр, ну куда тебе с такой неудачной внешностью знаменитым быть? Ты бы забыл про свою идею и огород копать начал. Все люди уже землю возделывают, а ты все заметки строчишь про известных людей, все думаешь, как нагадить. Гаденышем в этом возрасте нехорошо, Юра, быть.

— А я и в семьдесят буду гадить, — заржал рыжий безобразный великовозрастный детина. — Ну что, Глаша, я с собой могу поделать, если я по жизни гаденыш. Раньше был совсем маленьким, а теперь немного подрос, — вновь дико заржал Стройков. — Почему в жизни такая несправедливость?! Почему кто-то из нашего села уехал и стал звездой?! За какие заслуги?! Почему я, журналист «Сельских вестей» Юра Стройков, навсегда остался журналистом «Сельских вестей»?! Я ведь для нужных людей и на ласки никогда не скупился...

— Потому что люди, которые стали известными, заработали себе славу непосильным, кропотливым трудом и талантом! И знай, настоящим талантливым людям в этой жизни можно простить все за их талант. А ты, Юра, мало того что личиком не вышел и талантом никогда особенным не отличался, так еще не тем местом попытался свою никчемную карьеру двигать. Ты давай лучше смирись со своей участью, забудь про известных и великих, потому что твои заметки ничего, кроме приступа смеха и стыда за тебя как несостоявшуюся личность, копающуюся в грязи своим рыжим пятаком, не вызывают. А грязь эту создали и придумали точно такие же журналюги, как ты, только намного повыше рангом. С завтрашнего дня бери лопату и начинай заниматься посевными. В деревне работы непочатый край. Ты ведь всю жизнь гаденышем был, так постарайся хоть свой остаток жизни прожить более достойно, чтобы не пакостить и не гадить.

— Я с этим сам разберусь... — Бывший горе-журналист Стройков достал из кармана платок и смачно высморкался.

Я не смогла сдержать своего отвращения и отвернулась.

— А губы-то зачем накрасил?

— Затем, что я мужчина одинокий и мне ничто человеческое не чуждо.

— Смотри, осторожно! В городе нынче заразы много всякой!

— Где наша не пропадала! Я ж с кем попало не знакомлюсь, а только с людьми, имеющими отношение к средствам массовой информации.

Глаша покачала головой и произнесла себе под нос:

— В семье не без урода, и в нашей деревне тоже.

Спившийся журналист-неудачник Стройков завел мотор, и я тут же села в машину. Глаша заплакала и перекрестила меня.

— Глаша, не плачь, все будет хорошо, — пыталась я успокоить старушку и сама заревела навзрыд.

— Да хранит тебя бог! Только дал бы тебе силы вынести все, что легло на твои хрупкие плечи. Возвращайся, дочка. Буду ждать.

Высунувшись из окна, я поправила очки и крикнула:

— Кольке привет!!! Поцелуй его за меня!

— Береги себя, дочка...

———

Глава 19

С ТЕХ ПОР ПРОШЕЛ РОВНО ГОД...

Я сидела напротив доктора, который внимательно осматривал мою шею, лицо.

— Я считаю, что с этим материалом уже можно работать.

Он поднес зеркало, но я резко закрыла лицо руками.

— Нет! Я же сказала, что не могу видеть себя в зеркале!

— Нужно привыкать. Нужно учиться. — Доктор был неимоверно спокоен, наверное, привык к моим ежедневным истерикам.

— Я не могу...

— Нужно учиться... Вы же женщина, а разве женщина может обойтись без зеркала?

— Сейчас я еще сама не пойму толком, кто я такая. Вот когда я действительно стану женщиной, я обязательно привыкну к зеркалам. Обязательно.

— Ваше лицо стало намного лучше. А о такой шее можно было только мечтать. Завтра еще одна операция на лице.

— На моем лице останутся шрамы?

— В основном они спрятаны выше линии волос. Если где-то и останутся, они будут незаметны, а это уже не так страшно. С тем диагнозом, с которым вы поступили, тут ничего не сделаешь идеально. Пересадка кожи на всем теле — довольно непростая вещь.

Доктор ушел, и я осталась в своей палате люкс одна. Я подошла к окну, прижалась лбом к стеклу и попыталась улыбнуться, потому что с некоторых пор я уже начала улыбаться и, несмотря на легкую боль, старалась растягивать губы все шире и шире. Я смотрела на распускавшиеся листочки на деревьях в красивом больничному саду и хвалила себя за то, что дожила до весны, не сломалась, пережила целую серию рискованных операций, терпела страх и боль реабилитации, соблюдала все предписания врача и всегда свято верила в окончательный успех.

Это была небольшая элитная клиника, которая славилась своими талантливыми специалистами и неимоверно высокими ценами. Она была по карману только успешным, богатым и влиятельным людям. Они выходили из стен клиники совершенно другими, без прежних страхов и комплексов, с высокой самооценкой со всеми вытекающими отсюда последствиями. Я примкнула к числу богатых и влиятельных пациентов клиники, потому что у меня были деньги и огромное желание получить новую внешность и НАЧАТЬ ВСЕ СНАЧАЛА.

Доктор обещал сделать мне новое лицо, сконструированное из кожи, взятой из моих ягодиц, которые, к моему удивлению, почти вовсе не обгорели.

Палата люкс, в которой я лежала уже чуть больше года, выглядела как самый дорогой номер в пятизвездочном отеле. Больничная палата стала моим пристанищем и настоящим домом, а красивый сад с разноцветными поющими фонтанчиками вызвал в моей душе необходимое мне спокойствие. Я любила проводить в этом саду время за чтением, наблюдать, как красив закат, разговаривать с другими пациентами, которые иногда выходили из своих палат и были расположены к общению. Самое главное, что в этой клинике я была сама собой и совершенно не комплексовала по поводу своей внешности. Я не прятала свое лицо, не старалась скрыть свои рубцы и шрамы. Я вела себя совершенно естественно, потому что я была тут не одна. Многие выглядели значительно хуже меня. Немногочисленные пациенты клиники относились друг к другу с уважением, почтением, переживали друг за друга, желали друг другу терпения, сил и, конечно же, скорейшего выздоровления.

Я уже не боялась операционной и, когда меня везли на каталке на очередную операцию, просто смотрела в потолок, разглядывала лампы. Я даже не волновалась, потому что свято верила, что все будет хорошо. Правда, я очень плохо переносила послеоперационные периоды, страдала от боли, иногда теряла сознание. Но доктор успокаивал меня, что по-другому просто невозможно, что все, кто поступил в эту клинику, должны запастись терпением, ибо без него здесь никуда...

Незаметно для самой себя я так привыкла к этой больничной жизни, что уже плохо представляла себе, что же творится за пределами этой клиники. Все, что находилось за забором, по ту сторону жизни, меня откровенно пугало и наводило на самые печальные мысли. В моей палате был телевизор, но я включала его крайне редко. Что бы ни показывали, будь то фильм, музыкальный видеоклип или какая-нибудь передача, все это не вызывало во мне ничего, кроме раздражения. Мне было обидно, что судьба распорядилась подобным образом. Где-то там, совсем недалеко, люди живут обыкновенной жизнью. Встают, чистят зубы, завтракают, провожают детей в школу и идут на работу... Затем приходят с работы, проверяют у детей уроки, смотрят телевизор, ложатся спать и иногда занимаются сексом. И так изо дня в день. Все понятно и привычно. Я же лишена возможности жить, как все, чувствовать, что жизнь продолжается.

Правда, иногда я подхожу к машине женщины-врача, которая дает наркоз при операциях, и с интересом расспрашиваю ее о том, как ведут себя на дорогах гаишники, каким образом они теперь вымогают штрафы, как у них загораются глаза жаждой наживы, когда они видят за рулем женщину, как ввели автогражданку, обкрадывая несчастных автомобилистов в очередной раз, и как страшна жизнь за воротами, потому что там много злости, зависти и корысти...

Обычно я сажусь на лавочку в саду и думаю о том, что пока мне больше нравится в клинике, потому что здесь я смогла укрыться от прошлой жизни, от ее сложностей. Именно тут я смогла полюбить свое одиночество, найти к нему дорожку и навсегда подружиться с ним. И мне действительно понравилась эта жизнь, когда мне не нужно думать об одежде, потому что мне хватает тапочек и махрового халата... Мне не нужно думать, что я сегодня буду есть, тут всегда вкусно кормят... Единственное, о чем здесь нужно думать, так это о том, чтобы у тебя не закончились деньги.

С другими пациентами я не особенно общалась. Жила воспоминаниями. Я вспоминала своего брата, Лося, наших ребят, Кольку, которого мне почему-то не хотелось больше называть Дровосеком, и, конечно же, добрую Глашу... Я вспоминала и удивлялась тому, сколько же во мне жизненной силы. Раньше я бы никогда не подумала, что смогу перенести такое количество операций и выдержать любую боль и муку. Оказывается, в этой жизни можно вынести многое, почти все, если у тебя есть конкретная цель. А у меня она есть. Я хочу получить пусть не прежнюю, но новую внешность и вернуться в ту жизнь, которой я жила раньше...

...Однажды я набрала номер телефона брата. Услышав его «алло», я тут же положила трубку. Я долго плакала, мне хотелось звонить еще и еще, чтобы каждый день слышать его голос, но я понимала, что нельзя этого делать, потому что на его телефоне стоит определитель номера и он может докопаться до правды. Самое главное, что я услышала его голос, а это значит, что он жив и, дай бог, здоров. Вован решил оставить брата в живых, подумав, что калека совсем не помеха новой жизни группировки. Я также набрала номер Лося, но не услышала его голоса. По всей вероятности, он поменял свой мобильный, а его домашний я позабыла.

Я не испугалась и следующей операции, и, по мнению специалистов, она прошла очень даже удачно. Я уже не боялась ни синяков, ни кровоподтеков, ни опухолей. Единственное, чего я боялась по-прежнему, так это зеркал. Но доктор старался приучить меня к ним и постоянно помогал преодолевать этот страх.

Наступил долгожданный момент, когда после последней, заключительной операции мне должны были снять все бинты и показать мое новое лицо и тело. Сказать, что я нервничала, — значит не сказать ничего. Я вспомнила тот день, когда Глаша сняла с меня эти злосчастные бинты в своем доме, как при этом я испугалась, закричала и потеряла сознание. И теперь мне опять предстояло пройти через то же самое еще раз. Перед этой процедурой со мной поработал психолог, который попытался меня убедить, что мне нечего больше бояться, что мое лицо и мое тело уже не будут такими страшными, как ранее, просто... просто они будут совсем другими, не похожими на те, которые были раньше. Я должна себя полюбить, хотя бы постараться себя полюбить, а если это не получится, то я должна себе хотя бы понравиться.

После этой беседы психолог принес в мою палату зеркало и повесил его на стену. Он пытался сделать это и ранее, но увы... Все его попытки были обречены на провал, несмотря на то что зеркало завешивали тканью, чтобы меня не раздражать. В диком приступе ярости и отчаяния я все равно его разбивала.

— Сегодня ты должна посмотреться в зеркало, — вежливо сказал мне психолог и протер его тряпочкой.

— Я ненавижу зеркала и отражения в окнах!

— Я не заставляю тебя смотреться сейчас, но ты должна посмотреться после того, как с тебя снимут повязки. Ты должна собраться с духом и сделать это. В нашей клинике для тебя сделали все, что могли. Больше мы ничего не можем. На днях тебя выпишут, и ты вернешься в большой мир. Ты помнишь, что большой мир полон зеркал, окон и витрин магазинов. Даже если ты не захочешь смотреть, все равно посмотришь случайно и увидишь свое отражение.

После того как со всего моего тела и лица сняли все бинты и повязки, все, кто был при этом, почему-то закричали «Браво!!!» и захлопали в ладоши.

— Браво! Браво! Браво!

Я смутилась и потрогала свое лицо ладонями. К моему удивлению, оно было гладкое.

— С твоей кожей было приятно работать, — похвалил меня доктор. — Она у тебя очень эластичная.

А затем меня повели к зеркалу, и чем ближе я подходила, тем больше испытывала настоящий ужас. Когда меня все же подвели, врачи крепко держали мои руки, боясь того, что я снова его разобью. Но я не разбила зеркало, я пристально посмотрела на свое отражение и улыбнулась. У меня уже двигались и растягивались губы, при этом я не испытывала никакой боли и ни малейшего дискомфорта. Из зеркала на меня смотрела симпатичная девушка, но это была не я. У нее были большие, чувственные губы, я бы даже сказала, вызывающе сексуальные. Изменилась форма глаз, век и даже носа. Глаза стали поуже, немного раскосыми и понравились мне намного больше, чем раньше.

Видеть себя новой было по меньшей мере странно. Правда, у правого уха так и осталось красное пятно, которое стало похоже на родимое, таких родимых пятен у меня раньше не было.

— А как же это пятно? — Я вопросительно посмотрела на ведущего хирурга.

Он поспешил меня успокоить:

— Сюда уже просто не хватило кожи. Это пятно тебя не уродует. Это твоя метка, и она отличает тебя от других. Оно похоже на родимое и придает тебе особую нежность. Посмотри на себя еще раз. Практически шрамов и рубцов не осталось. Мы прятали их как только могли. Жаль, что нам не хватило немного кожи для операции на животе, но в этом нет ничего страшного. Будешь носить закрытый купальник. А в остальном все идеально.

Я вновь всмотрелась в свое лицо и попыталась оценить себя со стороны. Мне показалось, что я стала еще милее и даже красивее, чем раньше. Мои черты стали мягче, утонченнее.

— Результат превзошел все ожидания! — восторженно воскликнул доктор. — Признаться честно, мы боялись, что будут проблемы с волосами, но все обошлось. Участки кожи на голове, которые сильно обгорели, все же восстановились. После комплексного лечения они ожили и пришли в норму. У тебя стали расти волосы! Завтра перед выпиской с тобой поработают косметолог, парикмахер и визажист. Тебе подберут косметику, которая будет соответствовать твоему стилю и имиджу. А как тебе самой, нравится?

Немного помолчав, я постаралась сдержать слезы, тронула свое новое лицо.

— С таким лицом можно жить! Просто нужно время, чтобы привыкнуть к себе такой. Эффект потрясающий. Я нравлюсь сама себе! Черт побери, я сама себе нравлюсь!!!

Ближе к вечеру, увидев меня в саду, врач подошел, сел рядом со мной на лавочку у пруда и сказал восторженным голосом:

— Ты стала просто красавица. — Он был искренне рад за меня. — Знаешь, такого эффекта я еще никогда не добивался.

— Доктор, вы сотворили чудо. — Я благодарно улыбнулась.

— Завтра ты отправишься в большой мир. Тебе страшно? — понимающе спросил пожилой врач.

— Страшно, — честно призналась я. — Очень страшно!

— Я думаю, после всего того, что ты перенесла в этой клинике, тебе уже ничего не страшно.

— Клиника — это одно, а жизнь — совсем другое, — произнесла я задумчиво.

— Я тебя понимаю. Вот твоя выписка.

— А зачем она мне нужна?

— Да так, на всякий случай.

— На какой еще случай?

— Я ж говорю, что на всякий. Может, когда-нибудь еще что-то захочешь сделать...

— Да куда ж мне еще что-то делать, если на мне места живого нет?

— Может, что-нибудь беспокоить начнет. Поэтому выписка у тебя на руках должна быть обязательно. Конечно, мы искренне верим, что у тебя все пройдет без последствий. Но все же надо быть начеку. Выписка — важный и жизненно необходимый документ. В ней описана вся схема операций. Все очень подробно.

Я взяла из рук врача выписку, положила ее к себе на колени и посмотрела куда-то вдаль.

— Для тебя наша клиника уже родным домом стала, — понимающе сказал врач. — Полтора года — срок не маленький. Полтора года жизни в одних стенах... У нас не принято обсуждать проблемы пациентов, но я заметил, что за полтора года тебя ни разу никто не навестил и даже по телефону никто не позвонил. Я не ошибся?

— Нет, — улыбнулась я грустно. — Вы правы. Я общалась только с врачами и пациентами вашей клиники. Другого общения у меня не было. Правда, иногда телевизор включала...

— А мне кажется, что ты его слишком редко включала. В других палатах он работал круглосуточно. Ты сознательно отгородилась от внешнего мира?

— Все, что я делаю в последнее время, всегда осознанно. Телевизор я не могу смотреть потому, что в нем показывают реальную, настоящую жизнь, а я, когда о ней начинаю думать и анализировать, так паршиво себя чувствую, прямо волком выть хочется. У меня в прошлой жизни любимый человек остался, брат, ребят много знакомых... Как о них подумаю... Они где-то здесь рядом живут полноценной жизнью, а меня с ними нет... Иногда руки наложить на себя хочется. Телевизор включу, там какой-нибудь фильм идет, и у меня нервы начинают сдавать. Этот фильм может кто-то из моих близких людей смотреть... а меня рядом нет...

— Ты вернешься в свою прошлую жизнь или хочешь начать новую?

— Что вы имеете в виду? — Я посмотрела на врача с опаской.

— Может быть, тебе и новые документы нужны? Если нужны, мы поможем. Обычно, когда человек делает себе новую внешность, ему нужны и новые документы. У нас здесь есть такая эксклюзивная услуга, за соответствующую плату, естественно.

— Вы можете сделать мне новый паспорт?

— Да, — кивнул врач. — Ты можешь купить у нас новый паспорт. Если ты захочешь начать новую жизнь, без него никак не обойтись. Знаешь, у нас в клинике разные пациенты. Некоторые скрываются от властей и переделывают себе внешность для того, чтобы их уже никто и никогда не узнал. Мы умеем хранить тайны. У нас такая работа. Мы храним не только врачебные тайны, но и житейские. И нам не важно, кто наш пациент. Ты заметила, что у нас анонимное лечение. Чтобы лечь в нашу клинику, не нужно никаких документов. Человек должен назвать свое имя, и все. Чтобы стать нашим пациентом, достаточно иметь деньги, но они должны быть немалыми. Наше лечение дорогое, но оно стоит этих денег. У нас работают лучшие специалисты страны. Они делают уникальные операции, и делают их в высшей степени профессионально. Естественно, что профессиональный, качественный труд должен хорошо оплачиваться. Если в нашу клинику поступит даже рецидивист, который сделал много зла, нас это никаким образом не касается. Для нас он прежде всего пациент, которому требуется экстренная помощь и который готов заплатить за эту помощь нешуточные деньги. И нам не важно, откуда у пациента эти деньги. Мы не налоговая инспекция. Мы частная клиника, которая известна качественной, хорошей работой.

И даже если наш пациент ограбил банк, нам это безразлично. В общем, если ты решишь начать новую жизнь с новыми документами, мы можем оказать тебе посильную помощь. Подумай.

— Я буду иметь в виду, — задумчиво сказала я. — Но сейчас я бы хотела вернуться в жизнь с прошлыми документами. А они у меня дома. Доктор, скажите, я сильно изменилась? Очень отличаюсь от прежней Александры?

— Не стану тебе врать, — пожал плечами доктор. — Я не видел даже на фотографии тебя прежнюю. Ты сюда поступила после страшных ожогов. Не скажу, что ты была самым тяжелым пациентом нашей клиники, но ты была одной из тех, лечение которых принесло потрясающий результат. Он и в самом деле превзошел все наши ожидания. При операции могут измениться нос, губы, щеки, разрез глаз, но только не сами глаза. Их выражение — это всегда внутреннее содержание, настроение человека. Это не меняется. Недаром же говорят, что суть человека можно определить по глазам. Они всегда выдают. Так что если ты думаешь, что тебя не узнает любимый человек, можешь из-за этого не переживать. Ему стоит только заглянуть в твои глаза...

— И что? — В моем вопросе послышался испуг.

— Если он заглянет в твои глаза, он все поймет и все в них увидит...

— Вы думаете?

— Я в этом уверен.

Подумав немного, я посмотрела на доктора и еле слышно сказала:

— Мне не нужны документы. По крайней мере пока я считаю именно так. Быть может, я ошибаюсь. И думаю так потому, что уже давно не была в большом мире. Возможно, я пойму, что, помимо новой внешности, мне действительно нужны новые документы. И тогда я обязательно к вам обращусь. Но сейчас мне нужно нечто другое.

— Что тебе нужно? — с интересом посмотрел на меня врач.

— Мне нужно то, что у вас, я уверена, есть, и мне очень нужно то, за что я могу заплатить большие деньги.

— Что же тебе нужно?

— Мне нужен яд.

— Что?!

— Мне нужен любой яд. Я не знаю, какой именно порошок мне нужен, но вы специалист и вам виднее. Мне нужен яд, который я могла бы подсыпать в питье или пищу своим врагам, чтобы они как можно быстрее отправились на тот свет. Это должно быть такое средство, от которого было бы невозможно спастись. Человек должен умереть мгновенно. Вернее, их двое. Мне нужна двойная доза. Я заплачу за это любую сумму, которую вы мне назовете.

— Это невозможно, — решительно отказал мне доктор. — Если я предложил тебе новые документы, это не значит, что я предоставлю тебе орудие убийства. Таких заказов мы не выполняем.

— Признаться честно, я и не рассчитывала на другой ответ. Но если это сделаете для меня не вы, то это сделают в другом месте.

— Пусть это сделают для тебя в другом месте. Мы не имеем на это морального права.

— Я это знаю. На все наши действия, которые мы совершаем в этом мире, нужно иметь мораль-

343

ное право. Существуют неблаговидные поступки людей, которые они не должны были совершать, но совершили. И во многих случаях этим поступкам можно найти оправдание. Я попала в эту клинику ходячим обожженным трупом, и те люди, которые сотворили со мной подобное, тоже не имели на это морального права, но они это сделали. Вы сами знаете, сколько всего я пережила. Я не смогу жить в этом мире, пока не отомщу за себя.

— Мне кажется, что ты начиталась романов. Постарайся начать все сначала и простить своих врагов. Мщение — это удел слабых.

— Мщение — это удел сильных. Только слабые могут закрыть на все глаза и простить тех, кто покалечил их жизнь.

— Тем не менее ты должна всех простить, чтобы начать все сначала. Ты слишком много в этой жизни страдала, и тебе ни к чему проводить остаток жизни за решеткой. После выхода из этой больницы твои страдания должны закончиться.

— У меня на этот счет свое мнение, и я не хочу попадать за решетку.

— Все, кто попадает за решетку, совсем не стремятся туда попасть. Они попадают туда против желания. По неосторожности, по импульсивности или необдуманности поступков, которые они совершили. Я всего лишь доктор и занимаюсь не тем, о чем ты меня просишь.

— Я куплю эти таблетки в другом месте. Просто я хотела дать вам возможность заработать.

— Спасибо, мне не нужен такой заработок. Я никогда не торговал смертью. Торговцы смертью совсем другие люди, и им не место в клинике.

Поняв, что говорить с доктором бесполезно, я опустила глаза, решив больше не развивать эту тему. Но к моему удивлению, сидевший рядом со мной доктор через пару минут продолжил эту тему сам:

— Я немного подумал и взвесил все «за» и «против». Я готов тебе помочь, но, что бы с тобой ни случилось, ты должна знать, что я тебе ничего не давал и ни в чем не содействовал.

— Я тоже умею хранить тайны, — облегченно вздохнула я.

— Когда ты вернешься к себе в палату, я принесу тебе двойную дозу лекарства, которое растолку в порошок.

— А как оно называется?

— Тебе не обязательно это знать. Да и название не скажет тебе ни о чем. В этом порошке будет слишком много компонентов, которые в совокупности составляют настоящую ядовитую смесь, и в течение нескольких минут у человека останавливается сердце. Диагноз — сердечная недостаточность. Мгновенная смерть. На приготовление мне потребуется около часа. Я принесу его тебе в палату перед сном. Это очень редкие лекарства, и в России их практически нет. Они стоят недешево. Проще нанять киллера.

— Я не хочу посвящать постороннего человека в свои дела и ждать, что меня потом начнут шантажировать.

— Смотри сама. Если сделать все по уму, тебя никто не начнет шантажировать.

— Мне больше нравится тот способ, о котором я вам только что рассказала.

— Значит, деньги для тебя не вопрос?

— Я заплачу любую цену.

— Пять тысяч условных единиц за каждый бумажный пакетик лекарства. Общая сумма десять. Тебя устроит?

— Вполне.

— В действии этих компонентов можешь не сомневаться. Они безотказны. И еще. Давай побыстрее закроем эту тему. Ни о чем подобном мы с тобой не говорили. Ты меня ни о чем не просила, а я ничего для тебя не делал.

— Само собой.

Врач по-дружески пожал мне руку и одобряюще произнес:

— Я не знаю, кто ты, чем ты занимаешься, в какую ситуацию ты попала и от кого пряталась здесь полтора года... И не хочу это знать. В конце концов, ты платила нам за это большие деньги. Единственное, что я хочу тебе сказать, ничего не бойся. Никогда и ничего не бойся. Ты поступила в нашу клинику не только с израненным и обожженным телом, но и с израненной и обожженной душой, а теперь передо мной сидит красивая, интересная девушка, на которую будут заглядываться мужчины и говорить ей комплименты. Единственное, чего недостает этой девушке, так это уверенности в себе. Тебе нужно отогнать все страхи прочь и попытаться вступить в жизнь, не оглядываясь назад. И пожалуйста, постарайся подружиться с зеркалом.

— Я постараюсь, доктор. Я обязательно постараюсь.

— Думаю, что у тебя все получится. И еще. Когда выйдешь за ворота нашей клиники, пожалуй-ста, улыбнись солнышку и пожелай себе приятного дня. Обещаешь?

— Обещаю, — проговорила я сквозь слезы.

— За тобой никто не приедет? Никто не будет тебя встречать?

— Нет, — покачала я головой. — Я возьму такси.

— Ты должна выйти за ворота клиники уверенным шагом, широко и твердо, и пусть твоя походка всегда будет от бедра. И выше голову, девочка! Выше голову! И как бы в дальнейшем ни обходилась с тобой судьба, обязательно улыбайся. Как бы ни била по щекам и какие бы подножки она тебе ни подставляла, обязательно улыбайся и смотри на этот мир с широкой улыбкой победителя.

— Спасибо. За все вам спасибо...

Врач сдержал свое обещание и прямо перед сном принес в мою палату два маленьких розовых свертка, которые я тут же положила в свою тумбочку, предварительно заплатив обговоренную сумму.

— Спасибо вам, доктор, — с благодарностью поцеловала я врача.

— Удачи тебе, девочка, и сил для борьбы.

К обеду следующего дня я переоделась в одежду, которую выбрала в каталоге одного респектабельного магазина и которую мне доставили прямо в клинику. В ярко-сиреневом платье и туфлях точно такого же цвета, сжимая в руках маленькую яркую сумочку, я выпила на дорогу бокал шампанского, распрощалась с людьми, с которыми общалась в клинике на протяжении полутора лет и которые ни разу не задали мне того вопроса, который бы я не хотела услышать.

У ворот больницы я не выдержала и оглянулась. В каждом больничном окне стояли люди. У многих не было лиц, а только белые тугие бинты с разрезами для глаз, носа и рта... Эти люди смотрели мне вслед, пытались улыбнуться, но не могли, потому что при этом испытывали страшную боль. Они трогали свои бинты, плакали, благо, что никто не видел их слез, слишком узкими были разрезы для глаз, и верили... Они смотрели на меня и верили, что, если набраться терпения, желанный результат можно получить...

Помимо людей в бинтах, на меня смотрели и люди в белых халатах, да и не только они, меня провожал весь обслуживающий персонал. Кто-то вытирал слезы платком, кто-то махал мне рукой, кто-то посылал воздушные поцелуи, а кто-то поднимал руки и показывал жестом — победа, несмотря ни на что, мы обязательно победим!..

Остановившись, я не могла оторвать взгляд от этих людей и махала им руками.

— ВСЕ БУДЕТ ХОРОШО! ВСЕ ОБЯЗАТЕЛЬНО БУДЕТ ХОРОШО! — закричала я тем, кто стоял в бинтах, не надеясь, что они меня услышат. — У меня вновь есть красота! Господи, у меня вновь есть красота! Красота — это власть и уверенность в себе! Раньше я никогда не ценила свою красоту! А теперь... Господи, как же я буду ценить ее теперь!

Люди в бинтах высовывались из окон и в знак согласия снова махали мне.

— Красота — это оружие и инструмент для достижения цели!!! — прокричала я что было сил и поставила свою яркую сумочку на асфальт. — Однажды я уже была красива! — кричала я слушав-

348

шим меня пациентам в бинтах. — Но тогда я не знала, что мне с ней делать. Я не знала, что красота — это власть! Черт побери, я совершенно этого не знала! Теперь все будет совсем по-другому! Теперь я буду жить так, как хочу, и так, как считаю нужным!!! Я буду использовать все преимущества своей красоты!

В одной из больничных палат заиграла громкая музыка. Я поправила свое платье, смахнула выступившие на глазах слезы и почувствовала, как сильно МНЕ ХОЧЕТСЯ ТАНЦЕВАТЬ ТАНЕЦ ДИКИХ.

Я танцевала прямо на аллее перед воротами клиники. Я танцевала потому, что у меня уже были красивые ноги, красивая грудь, красивое лицо и... гладкая кожа. Я танцевала потому, что у меня выросли новые волосы, и потому, что в моей душе появилась надежда. Надежда на то, что все будет хорошо...

Пациенты в бинтах хлопали в перевязанные ладоши, в глубине души они, конечно же, улыбались. В глубине души, потому что в реальной жизни они не смогли этого сделать. А затем они стали спускаться в парк и пытались танцевать вместе со мной. Кто-то из них держал меня за руку, кто-то не скрывал своих слез, а кто-то смотрел на меня глазами, полными благодарности...

Когда музыка закончилась, я подняла с земли свою сумочку, повесила ее на плечо и вышла за пределы клиники твердым, уверенным шагом, стараясь идти от бедра...

———————

Глава 20

Приехав в город, я первым делом позвонила домой брату. Домработница, мамина подруга, знающая меня с детства, не узнала моего голоса и попросила перезвонить позже, потому что Женя устал и в данный момент отдыхает, а точнее, спит. Я не могла положить трубку и, не скрывая волнения в голосе, задала еще более глупый вопрос:

— А когда он проснется?

— Не знаю, — немного растерялась женщина.

— Я звоню ему на мобильный, но никто не отвечает.

— Я же вам объясняю, он спит.

— Он плохо себя чувствует? — встревожилась я.

— Простите, но кто вы такая, чтобы я отвечала на ваши вопросы?

Я совершенно не обиделась на домработницу. Я не злилась на нее за то, что она меня не узнала. Я любила эту женщину с детства, всей душой, потому что знала, что, несмотря ни на что, она испытывала ко мне самые теплые, материнские чувства. Просто она как может оберегает моего Женьку и не знает, кто ему звонит.

— Я... я...

— Говорите же... Вы не можете назвать свое имя?

Услышав ее вопрос, я поняла, что и в самом деле не могу это сделать. Я не могу открыть карты, пока не приду в этот дом, потому что если я открою их сейчас, мне никто не поверит и меня туда не пустят. Я должна любой ценой попасть в дом, сесть на пол рядом с Женькиной инвалидной коляской, взять его за руку и сделать так, чтобы он заглянул в мои глаза. Когда он в них поглубже посмотрит, он все поймет... Он обязательно все поймет и все увидит сам... Я расскажу ему о нашем детстве. О том, как он водил меня в кино, как покупал мне мороженое, как побил одного мальчишку, который обзывал меня нехорошими словами и отобрал у меня во дворе велосипед. Я расскажу ему, как мы с мамой ждали его приезда после того, как он перестал с нами жить и стал жить отдельно. Я могу описать ему каждую золотую вещицу, которую он мне подарил. Я могу рассказать ему о заснеженном саде, о том, как я везла его на инвалидной коляске, как мы дурачились и кидали друг в друга снежки, как я притворилась, что он меня по-настоящему убил, и как после этого Женька испугался. А затем эти выстрелы... Я тащу Женьку в дом и зову на помощь... Я расскажу ему все, и он сразу поймет, что я — это я. Я расскажу ему многие, никому не известные факты из нашего детства и из нашей юности. Эти факты не известны никому другому, потому что они касаются только меня и только его. А быть может, и не нужно будет что-то рассказывать и искать повод для того, чтобы родной человек признал твое родство. Быть может, это совсем не нужно. Я уверена, что Женьке будет достаточно посмотреть в мои глаза. Просто пристально посмотреть и прочитать в них все без слов.

— Девушка, ну что вы молчите? — Женщина на том конце провода теряла терпение. — Кто вы?

— Я... я...

— Вы будете говорить или нет? У меня слишком много дел.

— Я даже не знаю, как сказать...

— Говорите, как есть.

— Мы с ним учились в одной школе. Он всегда мне очень нравился. Меня зовут Таня. Я бы хотела его увидеть и хоть немного поговорить. Я уверена, он будет мне рад.

— Это исключено, — тут же отрезала женщина.

— Почему? — Мой голос был полон отчаяния.

— Потому что на сегодняшний день Евгений — калека и очень плохо себя чувствует.

— Он болен?

— Я же вам говорю, он плохо себя чувствует. Он не принимает гостей.

— Любовь Викторовна, я вас умоляю, разрешите мне, пожалуйста, сегодня навестить Женьку. Я знаю, что он инвалид, что он ездит на инвалидной коляске, но поймите меня, я здесь проездом. У меня нет времени, но я бы так хотела его увидеть! Вы не представляете, как Женька мне обрадуется. Мы не виделись со школьных лет, и нам есть о чем поговорить.

— Откуда вы знаете мое имя? — вконец растерялась озадаченная женщина.

— Я помню вас с детства. Вы близкая подруга Жениной мамы. Вы к нам в школу приходили. Я вас помню. Женька закрылся в четырех стенах, но ему нужно общение. Я уверяю вас, он мне очень обрадуется.

— Я, конечно, польщена тем, что вы меня помните, Татьяна, но вы должны меня понять. Калеки не любят встречаться со здоровыми людьми, они боятся, что их будут жалеть. Я, конечно, поговорю с Женей после того, как он.проснется, но не думаю, что он будет в восторге от вашей идеи встретиться.

— А вы ему не говорите.

— Как?

— Ну просто не говорите, и все.

— Я так не могу. Женя будет меня ругать. Он не любит сюрпризов.

— Уверяю вас, что этому сюрпризу он обрадуется. Если вы ему скажете, он может отказаться от встречи, а если я приеду сама, у него не будет возможности отказываться.

— Таня, но вокруг столько здоровых парней... — никак не сдавалась женщина.

— Женька — мой друг. Любовь Викторовна, не говорите ему ни о чем. Я сама приеду часа через три. Как раз он поспит. Он так обрадуется, что от счастья будет вас на руках носить.

— Женя не сможет носить меня на руках, потому что он ездит на инвалидной коляске.

— Тогда он будет вас катать на этой самой коляске по всему дому!

Женщина замолчала. Видимо, она не разделяла моего черного юмора, и я сама поняла, что сказала глупость.

— Извините.

— Приезжайте ближе к вечеру, — наконец сдалась домработница. — Записывайте адрес.

— Я знаю ваш адрес.

— Откуда?

— Я Игоря, по кличке Лось, знаю. Он дал мне и этот телефон, и адрес.

— Понятно. Это тоже ваш друг?

— Тоже.

— Тогда почему вы не на свадьбе?

— На какой свадьбе?

— Как же так? Лось женится. Во Дворце бракосочетания сегодня торжество, а затем всю ночь гулять будут в ресторане на Ленинском проспекте. В их ресторане, где ребята всегда собираются.

— Как свадьба?

— Ну как... Обыкновенно.

— А на ком он женится?

— На любимой девушке, на ком же еще! Женя поехать не смог, хотя очень хотел. Лось его уговаривал. Но я же говорю, он чувствует себя плохо. Даже на свадьбу к близкому другу не поехал. Так что ребята два дня гуляют, а Женя дома. Не ходок он по свадьбам.

Я слушала домработницу и с трудом сдерживалась, чтобы не выронить трубку. Я дрожала и старалась не дышать, боялась, что женщина уловит мое состояние и не позволит встретиться с братом.

— А почему он женится? — снова задала я глупый вопрос.

— Как это — почему? Я вас не поняла...

— Я говорю... Зачем он женится?

— Не знаю. Если двое любят друг друга, то они хотят жить под одной крышей. Это нормальный и совершенно закономерный процесс. Лось — видный мужчина. Я очень за него рада. Ему уже давно нужно остепениться. Они с Лизой к нам вчера заезжали. Мы с Женькой от души их поздравили.

— С кем заезжали?

— С Лизой.

— Так его невесту зовут?

— Да. Очень милая девушка. Я Игорю честно, по-матерински сказала, что ему повезло. Действительно на редкость красивая пара.

Дальше я уже ничего не слышала. Трубка выпала из моих рук, а мое лицо исказили рыдания. Мне было страшно поверить в то, что человек, который очень меня любил, предлагал мне выйти за него замуж и хотел от меня ребенка, сегодня женится... Человек, который клялся мне в верности и обещал ждать меня всю свою жизнь, сегодня женится....

Когда я вышла из телефонной будки, в моих глазах стояли слезы. Они были такие соленые, отчаянные и такие горячие. Не долго раздумывая я села в такси, заехала в первый попавшийся дорогой магазин и купила себе сногсшибательное вечернее черное платье с пышной, до пола юбкой и глубоким декольте. Верх платья был украшен черными перьями и придавал моему наряду еще более экстравагантный вид. Я надела на голову маленькую черную шапочку с прозрачной черной вуалью, посмотрела на себя в огромное зеркало еще раз и отметила, что стала похожа на настоящую фею, одетую во все черное. Мой наряд был чересчур вызывающим и подходил для чего угодно, но только не для свадебного торжества. Наверно, на ярком фоне нарядных гостей и белоснежного наряда невесты он будет смотреться несуразно и просто шокирующе, но именно этого я и хотела... Я хотела обратить на себя внимание... Что-то из области женщины-вамп... ЖЕНЩИНЫ, КОТОРОЙ СМОТРЯТ ВСЛЕД... Женщины, при появлении которой мужчины теряют головы, бросают своих спутниц, смотрят на тебя в упор и не могут отвести свой взгляд...

Осталось дело за малым. Заехав в ближайший магазин, купила целую охапку малиновых роз и поехала в ресторан на Ленинском проспекте, тот самый, который мне назвала Любовь Викторовна. Это был тот самый ресторан, где мы с ребятами справляли все торжества, где Лось танцевал со мной все медленные танцы и украдкой, так, чтобы никто не слышал, говорил о своей огромной любви...

Я подъехала к ресторану, когда торжество уже потихоньку набирало обороты. На стоянке было множество машин, номера некоторых я знала наизусть, потому что это были машины наших ребят.

Прижав охапку роз к груди, я подошла ко входу и сразу столкнулась с грозным швейцаром.

— Добрый день, а у вас есть приглашение? — расплылся в улыбке швейцар и уставился на мою грудь.

— Приглашение?!

— Ну да, приглашение. — Швейцар буквально ел глазами мое декольте.

— Есть. Конечно же, есть.

Протянув заранее заготовленную стодолларовую купюру, я сунула ее в потную ладонь стоявшего напротив меня швейцара и игриво спросила:

— Такое приглашение вас устроит?

Счастливый швейцар довольно закивал и сунул купюру в карман.

— Конечно, побольше бы таких приглашений, и можно действительно радоваться жизни.

— Радоваться жизни нужно независимо от приглашений. На то она и жизнь.

— А вы радуетесь жизни?

— Всегда.

— Тогда почему вы в черном? Вы ж на свадьбу приехали...

— Потому что сегодня черный — мой цвет.

— И все же скажите, от кого вы? Это так, на всякий случай.

— На какой случай?

— Я должен знать, с чьей вы стороны. Вы со стороны жениха или со стороны невесты?

— Я подружка жениха, — мило ответила я и вошла в зал.

Я чувствовала, как удивленный швейцар сверлил меня взглядом, но даже не обернулась, потому что с некоторых пор я дала себе установку никогда не оборачиваться назад.

Зал был полон гостей. Посреди стояли сдвинутые столы, накрытые белоснежными скатертями, украшенные бумажными алыми розами. Не успела я войти в зал, как услужливый официант подвел меня поближе к гостям и усадил на свободное место.

— Приятного вам дня. Что будете пить?

— Шампанское.

Налив мне полный бокал, официант слегка покраснел, бросив откровенный взгляд на мое декольте, и удалился. За столом, кроме родственников с обеих сторон, были и все наши ребята, по которым я страшно соскучилась и при виде которых мне захотелось разрыдаться и громко крикнуть им, кто я такая. Тут же были Вован и Олег, от вида которых меня затрясло. Для них я была готова к неминуемой мести. Я с трудом взяла себя в руки. На сцене стояла молодая певица, которая неплохо пела и буквально из кожи лезла вон, чтобы понравиться собравшимся гостям и слупить с такой грандиозной свадьбы как можно больше. В перерыве между пением торжество вел тамада и веселил народ различными стихами, шутками и конкурсами.

Я внимательно посмотрела на Лося. Он выглядел именно так, как выглядит роскошный жених. Хорошо уложенные волосы, белоснежный костюм и вызывающий красный галстук. Наверно, другого такого жениха не сыщешь на всем белом свете. Уж больно он был хорош, а самое главное, что он вызывал только положительные эмоции. Невеста была тоже необычайно хороша собой, а ее красивое белоснежное платье стоило немалых денег. Домработница была права. Это была потрясающая пара. Со стороны казалось, что они по-настоящему счастливы. Лось шептал своей невесте на ухо какие-то ласковые слова, а она... Она просто пылала от счастья. В момент их страстного поцелуя на моей щеке судорожно дернулась жилка, и мне показалось, что у меня упало сердце.

Я сидела, расправив черные перья на платье, пила шампанское, которое мне постоянно доливал официант, и понимала, что мне здесь нет места.

— А вы почему не дарите свои цветы? — спросила меня женщина, сидящая рядом, которая с нескрываемым интересом разглядывала мой черный наряд и целую охапку роз, которую я держала у себя на коленях.

— Сейчас подарю.

После того как гости в очередной раз прокричали «Горько!», я встала со своего места, расправила свой черный наряд и, стараясь не показывать леденящую дрожь, направилась к жениху и невесте. Подойдя к ним вплотную, я вручила невесте букет и внимательно посмотрела на Лося.

— Этот букет передал вам Евгений. Он извинился, что не смог приехать на свадьбу, потому что очень болен.

— Да мы вчера у него были, — защебетала невеста. — Он и в самом деле выглядел неважнецки. Да он и не собирался на свадьбу... — При этом невеста подозрительно придирчиво рассматривала мой черный наряд, чересчур глубокий вырез, который полуобнажил мою грудь.

— Женя не смог не передать вам цветы с пожеланием счастливой семейной жизни.

— А мы очень надеемся, что она именно такой у нас и будет, — уверенно заявила новобрачная. — По-другому просто не может быть. Мы же безумно любим друг друга, а там, где есть любовь, будет счастливая семейная жизнь, — мило улыбнулась невеста и поцеловала Лося в щеку. — Правда, Игорек?

— Конечно, правда.

Я смотрела Лосю в глаза и искренне надеялась, что он обязательно меня узнает. Ведь изменилась моя внешность, слегка изменился мой голос, изменился разрез моих глаз, но не изменился мой внутренний мир. Перед самой выпиской из больницы доктор сказал, что мне не нужно бояться любимого человека и что-то ему доказывать, потому что любимый он и есть любимый. Ему не нужно ничего объяснять. Ему стоит только заглянуть в мои глаза... Он все поймет, все увидит и прочитает в них сам. Вот я и смотрела на Лося широким, открытым взглядом и ждала... Но ничего не происходило. Он разглядывал меня с нескрываемым интересом, так, как смотрят на красивую незнакомку, но... Я не улавливала в его взгляде хоть какого-нибудь намека на замешательство.

— Простите, а вы Евгению кто? — неожиданно спросил меня Лось.

— Я его родственница.

— Родственница?

— Да, сегодня только приехала.

— Откуда?

— Издалека.

— Откуда — издалека?

— Это настолько далеко, что я даже не могу вам сказать... Вы никогда не бывали в тех краях.

— Откуда вы знаете?

— Я знаю, что говорю.

— Значит, вы родственница Евгения и вы приехали издалека?

— Совершенно верно.

— Дальняя или близкая родственница?

— Близкая.

— А я смотрю, вы мне кое-кого напоминаете...

— Правда? Кого? — В моем взгляде появилась надежда.

— Вы мне напоминаете близкую родственницу Евгения! — громко рассмеялся Лось и перевел взгляд на мое декольте.

— И все? — Я подняла легкую вуаль, закрывающую мое лицо, и слегка улыбнулась.

— Что — все? — не понял меня Лось.

— Больше я вам никого не напоминаю?

— Что вы хотите этим сказать?

— Я просто задала вам вопрос.

Уставшая наблюдать за нашими искрометными взглядами и уже начавшая ревновать невеста почувствовала опасность и, отдав мою охапку роз своей матери, отчетливо произнесла, растягивая каждое слово:

— Большое спасибо за цветы. Передайте, пожалуйста, Евгению большое спасибо. Мы его очень любим и были безумно рады знакомству с его близкой родственницей, но нас ждут гости и нам нужно продолжать свадьбу. — Речь ее напоминала упражнение провинциалки, которая пыталась научиться говорить, как коренная москвичка.

— Конечно... — Я опустила глаза и хотела было уйти, но Лось не дал мне этого сделать.

— Постойте, я прошу у вас всего одну минутку.

— Да, я вас слушаю.

— Вы спросили, кого мне напоминаете? Вы хотите сказать, что мы виделись с вами раньше? Женя нас с вами знакомил? И почему вы оделись во все черное?

— Я хочу сказать, что вас ждут гости. А что касается черного цвета, то я всегда надеваю то, что близко моей душе. Этот цвет отражает, что в ней творится. Сегодня я приехала издалека, а если быть точнее, я приехала из ада. Я же вам сказала, что вы там никогда не были, и не советую вам когда-нибудь туда попасть.

— Вы шутите? — смутился Лось и посмотрел на меня так, словно я была не в себе.

— Я действительно приехала из ада. Это не так трудно определить по моей одежде. А на вашу свадьбу попала случайно, я ничего о ней не знала. Женя попросил передать вам цветы.

— А вы в наши края надолго?

— Не знаю, как получится.

— Желаю вам остаться тут навсегда. Поверьте, на земле не так плохо.

— Я пытаюсь.

— Что именно вы пытаетесь?

— Пытаюсь поверить, что на этой земле не так уж и плохо.

— Не хотите попытаться жить в нашей цивилизации?

— Я бы очень этого хотела. Попытаюсь начать все сначала. Я уже жила здесь когда-то, но испытала слишком много потерь.

Я смотрела на Лося таким пронзительным взглядом... Если бы он постарался, он мог бы смело прочитать в моих глазах: «Я твоя... Я приехала к тебе, потому что я люблю тебя... Я должна быть на этом месте, а не она. Она чужая. Она заняла мое место, ты сам мечтал видеть на этом месте меня. Ты ее не любишь, потому что невозможно любить двоих. Ты любишь только меня. Возьми меня за руку и поставь рядом с собой. Я хочу тебя любить... Хочу с тобой жить... Хочу быть матерью наших еще не родившихся детей... Я твоя. Я твоя любимая Сашка... Неужели ты этого не видишь? Неужели ты ничего не чувствуешь?»

Лось стоял как истукан, а его невеста заметно нервничала.

— Не буду отнимать у вас время. Счастливого торжества! Вас уже действительно заждались гости.

Я развернулась на сто восемьдесят градусов и направилась на свое место.

— Она душевнобольная, — донеслась мне вслед реплика невесты. — От таких людей нужно держаться подальше. Не понимаю, почему Женька, зная, что у его родственницы не все в порядке с головой, попросил ее приехать на свадьбу и привезти нам цветы. Она хоть бы оделась нормально. А то вырядилась, как ворона, словно у нас не свадьба, а похороны.

— Она действительно странная. И очень мне кого-то напоминает. Словно я знал ее раньше и был с ней когда-то знаком. А может, все это мне только кажется...

Заиграла громкая музыка, и молодая певица принялась показывать свое мастерство. После того как появились первые танцующие парочки, я подошла к уже изрядно подвыпившему Вовану, который скучал в обществе своего друга Олега. Увидев меня, Вован поднял голову и посмотрел на меня глазами, полными восторга и ужаса.

— Красивая, но вся черная! Блин, ну свадьба же все-таки. Ты чё так оделась? Хоронить, что ли, кого-то пришла? Пиковая дама, в натуре.

— Я хотела пригласить вас на танец.

— Меня? — не на шутку удивился Вован.

— Вас.

— Пошли.

Вован обнял меня и стал пытаться попасть в такт музыке.

— Послушай, а чё у тебя за тряпка на лице?

— Это не тряпка.

— Ну сетка какая-то.

— Это вуаль.

— Зачем она тебе?

— Я не могу смотреть на свет, у меня начинают слезиться глаза. А тут слишком много света.

— Ты не могла бы ее поднять? Я не привык разговаривать с девушками, у которых на лице сетка.

Я подняла вуаль и посмотрела на Вована пронзительным взглядом.

— Красивая, — покачал он головой. — Очень даже красивая. Несмотря на то что ты вся в черном, но ты — красивее всех, и даже невесты, — пьяно бормотал он. — Ворона. Ну просто шикарная породистая ворона...

———

Глава 21

Окончательно потерявший голову Вован не сводил с меня глаз и при любой возможности так и норовил поцеловать меня — то в шею, то в лицо.

— Послушай, а ты меченая.

— Какая?

— У тебя метка большая на шее. Прямо как породистая самка. Тебя, наверно, Бог специально пометил. Это что, родимое пятно?

— Оно самое.

— Я еще таких пятен не видел.

— Оно тебе не нравится?

— Напротив. Очень даже сексуально. К нему так и хочется губами припасть, — заржал пьяный Вован.

— Ты что, вампир?

— Я же сказал не зубами, а губами...

Я чувствовала, что танцующий рядом Лось, нежно обнимающий свою невесту, наблюдает за каждым моим движением и практически не сводит с меня глаз. Что это? Он меня узнает? Скорее всего нет. Скорее всего его просто заинтересовала слегка помешанная родственница Евгения. А я... Я открыто флиртовала с Вованом и чувствовала, что просто неотразима. Эдакая загадочная барышня в черном. Это заметила не только я. Это заметили все мужчины, которые следили за каждым моим движением и останавливали свои взгляды на моей соблазнительно открытой груди. Мой черный наряд на равных конкурировал с белоснежным нарядом невесты, но смотрелся намного эффектнее и даже вызывающе.

— На тебя все так смотрят, — не мог не заметить это Вован.

— Как?

— Мне все завидуют.

— Значит, я тебе нравлюсь?

— Нравлюсь — это слишком мало сказано. Я в тебя уже влюбился. Ты будешь моей, я тебя никуда не отпущу.

— Еще скажи, что ты на мне женишься... — рассмеялась я озорным смехом.

— А почему бы и нет? Я, собственно, не против. Хоть и говорят, что красивая жена — это чужая жена, но так говорит лишь тот, кто завидует. Красивая жена — это моя жена.

— Тогда закажи для меня быструю музыку. Я хочу показать тебе, как красиво я умею танцевать.

— Ты хочешь станцевать специально для меня? — чуть было не лопнул от гордости Вован.

— Я хочу станцевать специально для тебя.

— Тогда я закажу музыку.

Вован, опьяневший от водки и еще больше от внимания такой роскошной незнакомки, залез на сцену, забрал у молодой певицы микрофон и проговорил, с трудом ворочая языком:

— Дорогие мои! Прошу минуточку внимания. Сегодня я познакомился с шикарной женщиной, от которой я теперь без ума. Так что следующая за вашей свадьбой будет наша. На такой не грех и жениться! Я хочу, чтобы зазвучала быстрая музыка, потому что сейчас дама моего сердца хочет для меня станцевать!

Уловив заинтересованный взгляд Лося и ревнивый, полный ненависти взгляд невесты, я вышла в центр зала и приготовилась к танцу. Все парочки тут же разошлись и выстроились в круг. Вконец заинтригованный Вован встал недалеко от меня и, придав себе важности, еще раз объявил собравшимся вокруг меня людям:

— Это моя будущая жена! Сейчас будет танцевать моя будущая жена! Она будет танцевать специально для меня!

Но Вована никто не слушал. Заиграла быстрая музыка, я тут же завладела всеобщим вниманием гостей и принялась ТАНЦЕВАТЬ ТАНЕЦ ДИКИХ. Мои бедра соблазнительно ходили из стороны в сторону, мои руки призывали к любви, а лицо исказилось от страшной боли, которая тесно переплелась с огромной любовью. Это было настоящее безумие! Я чувствовала себя безгранично свободной, безгранично раскрепощенной, безгранично красивой, безгранично манящей и безгранично сексуальной! Я смогла превратиться в ЖЕНЩИНУ, КОТОРОЙ СМОТРЯТ ВСЛЕД... в женщину, которая растворилась в яростном и отчаянно вызывающем танце. Я бросила вызов своей судьбе, вызов этой свадьбе, вызов Лосю, его невесте и вызов всем, кто имел хоть малейшее ко мне отношение.

Окружавшие меня люди смотрели на меня широко открытыми глазами, и почти все они аплодировали в такт музыке. Почти все, кроме одного человека — невесты Лося. И в этом я уловила хоть маленькую, но все же победу. Победу над той, которая захотела получить то, что по праву принадлежит мне. Подняв подол своего пышного черного платья как можно выше, я оголила свои длинные стройные ноги и продолжила танцевать с такой страстью, что со стороны казалось, будто я без оглядки отдаюсь всем мужчинам этого зала. И это не выглядело пошло. Это завораживало. Я всегда красиво танцевала, любила танцевать и наповал сражала тех, кто на меня смотрел, своей пластикой, страстью и танцевальной фантазией. Но на этот раз я превзошла самое себя. Моя голова кружилась от той власти, которую я взяла над залом и которой упивалась сама.

Когда мой танец закончился, гости разразились громкими аплодисментами и громким свистом. В этом выражении эмоций был просто сумасшедший восторг. Это был настоящий триумф.

Еще более важный, немного протрезвевший Вован выпятил грудь колесом, постучал по этой груди и на всякий случай напомнил гостям:

— Это моя женщина! Моя будущая жена! Прошу не забывать! У нас скоро свадьба! Это моя будущая жена!

Украдкой бросив взгляд на сверлящего меня испытующим взглядом Лося, я села между Олегом и Вованом и закинула ногу на ногу.

— Олег, познакомься, это моя женщина, моя будущая жена, — на всякий случай напомнил вдупель пьяному другу Вован. — Ты понял?

— Да я уже тысячу раз это слышал.

— У нас скоро свадьба. Это моя жена, — словно попугай, твердил перевозбужденный Вован и держал меня за руку. — Это моя женщина, и я никому ее не отдам. Я на ней женюсь.

— Я уже это понял. Да и не только я, но и весь зал. Давай лучше выпьем.

— Давай выпьем за мою женщину. За мою будущую жену и за наш крепкий союз.

— Это правильно. Лучше пить, чем языком трепать, — обрадовался Олег. — Давай выпьем за твою благоверную. Как хоть ее зовут?

— Как ее зовут? — Вован почесал затылок и растерянно пожал плечами. — Сейчас спросим.

Обняв меня за талию, он наклонился ко мне как можно ближе, понюхал аромат моих убойных духов и, пребывая в блаженстве, спросил:

— Как тебя зовут?

— Татьяна.

— А меня Вова. А это мой друг Олег.

— Очень приятно.

— А ты пойдешь за меня замуж? Ты поняла, что ты моя женщина?

— Конечно, уже все всё поняли. Я поняла, что я твоя будущая жена.

— А ты откуда здесь взялась?

— Из ада, — загадочно улыбнулась я.

— Откуда? — нахмурил брови Вован.

— Я же сказала, из ада.

— Значит, оттуда? — Вован показал пальцем на потолок.

— Оттуда, — совершенно серьезно ответила я на его вопрос.

— И как там?

— А ты сам представляешь, как может быть в аду?

— Не знаю, не бывал.

— У тебя еще будет возможность.

— Да ну на фиг! Уж если я куда и попаду, то сразу в рай. В аду мне не место.

— Я тоже мечтала попасть в рай, а попала в ад. Не всем нашим желаниям суждено сбыться. Некоторые наши желания так и остаются только желаниями.

— Ой, да она у тебя с юмором! — заметил Олег. — Так мы что сегодня, пьем или нет?

— Конечно, пьем.

Выпив бокал шампанского, я улыбнулась сидевшим рядом со мной мужчинам и спросила загадочным голосом:

— А хотите, я приготовлю вам вкусный алкогольный коктейль?

— Я коктейли терпеть не могу, — отрезал Олег. — Я лучше водочку.

— А ты умеешь? — заинтересовался Вован.

— Умею. Я умею готовить обалденно вкусный коктейль «Кровавая Мери».

— А ты вообще по хозяйству все умеешь? Во всем шаришь? — еще больше заинтересовался Вован.

— Я все могу, — принялась нахваливать я сама себя. — И борщ, и свекольник, и суп с галушками.

— Вот это жена мне достанется!

При этих словах Вован наклонился ко мне и попытался поцеловать в губы. Я слегка отстранилась и встретилась взглядом с Лосем. Он смотрел на меня изучающе.

370

— Так как же насчет «Кровавой Мери»? — напомнила я Вовану.

— Ты хочешь сама приготовить этот коктейль? Может, в следующий раз? Где ты его будешь готовить?

— В бар схожу. Ты готов выпить необычайно вкусный коктейль из рук любимой женщины?

— Да я из твоих рук хоть смерть приму, — противно захихикал Вован, не подозревая, что попал в самую точку.

Я направилась в бар, дала бармену сто долларов, чтобы он позволил похозяйничать десять минут и не стоял за спиной. Бросив в два бокала по пачке порошка, которые я купила у доктора, я сделала коктейли, поставила их на поднос и принесла в зал. Поставив один бокал перед Олегом, другой перед Вованом, я взяла в руки свой и таинственно произнесла:

— Я хочу, чтобы вы выпили это до дна. Уверена, что вам очень понравится. А затем вы получите незабываемые ощущения, я вам обещаю.

— Да я не пью коктейлей! — Олег попытался отодвинуть бокал подальше и налить себе рюмку водки, но я посмотрела на Вована несчастными глазами и сказала обиженно:

— Скажи, почему твой друг меня обижает? Ведь я так старалась. Я же это от души делала.

— Он просто коктейли терпеть не может, — попытался успокоить меня Вован.

— А может, он меня терпеть не может?! Может, он из моих рук пить не хочет?

— Не говори ерунды!

— Но я это чувствую...

Вован понял, что попал в неловкое положение, и пододвинул коктейль поближе к Олегу.

— Ты мне друг или не друг?

— Я тебе братан, — пьяно закивал Олег.

— Точно, братан. Ты мой настоящий, стопроцентный братан. Так?

— Так.

— Тогда скажи мне, братан, тебе западло выпить коктейль из рук моей будущей супруги?

— Да не западло. Я водки хочу.

— Если не западло, то порадуй мою будущую супругу.

— Да я щас намешаю всего, и меня мутить начнет.

— Моя женщина старалась, душу вкладывала, а ты... Неужели тяжело пойти ей навстречу, да и мне тоже?

— Ладно, давай свой коктейль!

Вован повернулся ко мне, расплылся в улыбке и дыхнул на меня перегаром.

— Мой братан будет пить, потому что он чтит мою женщину.

— Замечательно. Так давайте выпьем до дна!

— За мою женщину! За ту женщину, которую я так долго искал! За мою счастливую семейную жизнь!

— За твою женщину! — сказал Олег заплетающимся языком и стал пить.

Когда все три коктейля были выпиты до дна, Олег потянулся к любимой рюмке водки, а Вован вновь полез ко мне целоваться.

— Вкусный коктейль. Ты у меня прямо мастерица. Настоящая рукодельница. Представляю, какая рукодельница ты в постели! Я как про это подумаю, у меня сразу встает.

— Мне нужно выйти. — Я резко встала.

— Ты куда?

— В туалет.

— Тебя проводить?

— Справлюсь сама.

— Побыстрее возвращайся. Я жду.

— Непременно.

Я направилась в коридор и уже хотела было выйти из ресторана, но почувствовала, как кто-то взял меня за руку. Я резко обернулась и увидела стоящего рядом с собой Лося.

— Куда вы? — В его голосе прозвучало волнение.

— Мне пора.

— Вы решили нас покинуть?

— Да.

— Почему так быстро? А как же ваш будущий муж?

— Мой будущий муж уже дошел до кондиции. Боюсь, что еще немного, и он положит свою голову прямо в салат, а затем уснет беспробудным сном.

— Вы так думаете?

— Я в этом просто уверена.

— А вы неплохо танцуете...

— Спасибо. Мне всегда нравились комплименты.

— И все же почему вы так рано нас покидаете?

— Потому что я очень хочу увидеть Женьку, — тихо сказала я с дрожью в голосе. — И еще...

— Что еще?

— Еще мне противно все, что здесь творится... — На моих глазах показались слезы.

— Что именно? — не понял меня Лось.

Я почувствовала, как сильно дрожу, а внутри у меня все горело. Хоть я и не хотела плакать и показывать своих слез, но они сами, против моей воли брызнули из моих глаз.

— Мне противно, что ты так быстро женился! Что ты так быстро меня позабыл, несмотря на то что обещал ждать всю жизнь! Мне противно, что ты держишь в своих объятиях другую, что ты говоришь ей те слова, которые должен был сказать мне! Мне противно, что ты больше не мой Лось, а чужой! Мне противно оттого, что ровно полтора года назад ты клялся мне в любви, просил выйти за тебя замуж, говорил, что не можешь без меня жить. А теперь... Как же быстро все ушло, Лось, как же быстро... Какие-то полтора года, и все сошло на нет, и ничего не осталось. Словно ничего и не было вовсе! Словно я сама все придумала! Еще мне обидно за то, что на свадьбе веселятся Вован с Олегом, а ведь они предатели! Мне обидно, что здесь нет моего брата! Ты не представляешь, как мне обидно! Даже если он плохо себя чувствует, ты должен был принести его сюда в инвалидной коляске и поставить ее во главе стола! Мне страшно обидно за все! И за то, что у нас с тобой так вышло! Запомни, ты был единственным мужчиной, который был способен излечить мою боль!!! Все полтора года, пока я лежала в клинике, я верила, что твоя любовь, твое понимание, твоя снисходительность помогут мне вернуться в жизнь! А теперь все распалось, как карточный домик, ушло навсегда! Ты меня предал... Лось, ты меня предал... Когда я увидела тебя в свадебном костюме за праздничным столом, я поняла, как все безнадежно. Как у нас с тобой все безнадежно! — Смахнув слезы, я судорожно прикусила нижнюю губу и глухо произнесла: — Вот и все, Лось... Вот и все. Прощай! Я еду к брату. Желаю тебе счастливой семейной жизни!

Выдернув свою руку из руки Лося, я пробежала мимо наблюдавшего за моим монологом швейцара и бросилась прочь.

— Кто ты?! — прокричал мне вслед Лось, но я даже не обернулась. — Кто ты такая?! Кто ты?!

Я тут же поймала такси и, не долго раздумывая, села в машину. Я смотрела в окно и боялась, что Лось побежит за мной. Но он не побежал. Он стоял как вкопанный и тупо смотрел, как я отъезжаю от ресторана. Он не бросился следом за мной и не попытался остановить машину. Оно и понятно, ведь у него свадьба, и его ждала молодая и красивая невеста.

Поправив подол черного платья, я прижала к себе свою дамскую сумочку и назвала адрес своего брата.

— И если можно, то побыстрее, пожалуйста. Мне дорога каждая минута!

Таксист кивнул и надавил на педаль газа до самого упора.

— Знаете, на кого вы похожи? — улыбнулся таксист и посмотрел в зеркало заднего вида.

— Не знаю, — безразлично ответила я и стала смотреть в окно.

— Вы похожи на Золушку! Вы похожи на Золушку, несмотря на то что вы в черном.

— На Золушку?

— Ну да. Я даже видел вашего принца. Он стоял в дверях и провожал вас растерянным взглядом. Он громко кричал: «Кто ты?» Вы сбежали с бала?

— Можно сказать, что с бала.

— А вы, случайно, туфельку не потеряли?

— Туфельку?!

— Ну да. У вас же должна быть хрустальная туфелька.

Я слегка приподняла свои ноги, посмотрела на туфли, они были в порядке, и я рассмеялась.

— Мои туфли на месте! Черт побери, мои туфли на месте! — смеялась я и смахивала слезы.

— Жаль. — Таксист посмотрел в зеркало заднего обзора и игриво мне подмигнул.

— Почему?

— Как же ваш принц будет вас искать? Нужно было оставить ему хотя бы одну туфельку.

— Мой принц не будет меня искать.

— Почему?

— Потому, что сейчас у него свадьба и у него есть невеста, а вернее, уже жена. Увы, но не все сказки заканчиваются хорошо. Бывает и такой печальный конец, как у меня.

— И что теперь будет делать принцесса?

— Что теперь будет делать принцесса? — повторила я вопрос и задумалась.

— Будем надеяться, что принцесса не будет долго лить слезы и найдет себе нового принца. — Таксисту явно хотелось меня утешить.

— Принцесса не будет лить слезы и не станет искать себе нового принца. Она уйдет в монастырь.

— Что?! — Таксист широко открыл рот и чуть
было не въехал в столб. — В какой монастырь?

— В самый обыкновенный. Куда уходят разоча-
ровавшиеся в жизни люди. Уходят вполне осознанно и навсегда.

— Но принцессы разве уходят в монастырь?

— В монастырь уходят все, кто угодно, независимо от пола, положения и национальности. И даже
принцессы...

———————

Глава 22

Когда я подъехала к дому брата и нажала на кнопку домофона, мое сердце готово было выпрыгнуть из груди. Услышав в трубке знакомый голос домработницы, я постаралась сдержать слезы и произнесла, словно в тумане:

— Любовь Викторовна, это Таня.

— Какая Таня? — вновь не узнала меня домработница.

— Я вам сегодня звонила. Женька уже проснулся?

— Да, но он себя плохо чувствует.

— Мне нужно его увидеть.

— Я не сказала ему о вашем приходе.

— И не стоит. Давайте сделаем так, как договорились.

— Заходите.

Я не могу описать чувства, которые охватили меня, когда я вошла в дом, который знала как свои пять пальцев. Увидев глаза хорошо знакомой мне женщины, я с трудом удержалась от того, чтобы не броситься ей на шею и не разрыдаться.

— Здравствуйте, Любовь Викторовна!

— Вы Таня? — спросила она.

— Да.

— Я вас провожу в Женину комнату, только не пугайтесь, он очень сильно болен.

Я шла следом за домработницей, смотрела на знакомые комнаты и думала о том, что меня не нужно никуда вести, я могу найти дорогу сама, даже с закрытыми глазами.

— Вы так странно одеты, — осторожно заметила женщина.

— Как?

— Вся в черном, словно фея из сказки.

— Я была на свадьбе у Лося.

— Правда? — искренне обрадовалась женщина. — Да разве на свадьбу в черном ходят?

— Ну, если я пошла, значит, ходят.

— Наверно, роскошная свадьба... Ребята к ней так долго готовились.

— Обыкновенная свадьба.

У дверей Жениной комнаты Любовь Викторовна остановилась и с тревогой сказала:

— Татьяна, я и сама не знаю, почему вас сюда пустила. Возможно, это неправильно, а может, Евгению и в самом деле нужно хоть с кем-то пообщаться. Только, пожалуйста, не занимайте много времени, он слишком слаб.

— Уверяю вас, я ненадолго. У меня самой нет времени, так как я уезжаю.

— И не пугайтесь. Я не хотела говорить, но он умирает...

— Как умирает?

— Евгений медленно угасает на протяжении последних месяцев. Он не любит, когда его обхаживают, поэтому постарайтесь говорить с ним на равных, старайтесь не видеть ни его худобы, ни его бледности, ни его запавших глаз.

— Он настолько слаб?

— Врачи говорят, что надежды нет.

Услышав последние слова, я и сама страшно побледнела, замерла, и казалось, что в меня вогнали кол.

— Надежда есть всегда. Надежда умирает последней, — произнесла я с отчаянием и сжалась.

— Это сказала не я. Это сказали врачи. — Любовь Викторовна достала платок и промокнула выступившие слезы. — Это ужасно несправедливо. — Она тихонько всхлипнула, а ее лицо исказилось от душевной боли. — Совсем молодой. Сначала от нас ушла Александра. Теперь Евгений.

— А что с Александрой?

— Она погибла при пожаре... — Последние слова прозвучали словно пощечина.

Я закрыла глаза и вспомнила вещий сон, который мне приснился у Глаши. А ведь он действительно вещий. Лось женится, и я не удивлюсь, если его жена уже беременна, просто живот еще не очень видно. Я погибла при пожаре. Похороны организовал Вован, и, по всей вероятности, в землю положили пустой заколоченный гроб. Видимо, Вован сказал, что я так сильно обгорела, что в гроб нечего было класть. Лось меня не признал как во сне, так и в жизни. Но брат... Брат должен меня признать, а по-другому просто не может быть...

— У него все органы потихоньку отказывают, — вновь всхлипнула домработница. — Врачи сказали, что ему осталось совсем немного. Я не знаю, как мне это пережить! Как пережить?

Я слегка приобняла женщину, она положила голову мне на плечо и дала волю своим чувствам.

— Теть Люба, хорошая моя, родная, не плачь.

Теть Люба, все будет хорошо. Все обязательно будет хорошо.

Женщина вытерла слезы, спрятала скомканный платок и тихо произнесла:

— Простите. Я обычно всегда держусь, а тут и сама не знаю, что на меня нашло.

— Ничего страшного. Самое главное — никогда не сдаваться. Скажите, Женька сам не сдается?

— Я думаю, что он уже давно сдался. Он слабеет день ото дня и сам отчетливо это понимает. С тех пор как Сашенька погибла, в этом доме настали трудные времена. Женя знает о том, что он умирает. Когда я ухожу к себе спать, он всегда прощается со мной навсегда. Я начинаю его ругать, а он говорит, что в жизни может случиться всякое. Быть может, я утром проснусь, а его уже нет, и я буду казнить себя за то, что не успела с ним попрощаться.

— Теть Люба, пустите меня к нему.

— Иди, — грустно улыбнулась женщина и обняла меня за плечи. — Ты говоришь, точно как Сашенька.

— А как говорила Сашенька?

— Она всегда говорила не «тетя Люба», а «теть Люба». Ты даже чем-то на нее похожа.

— Чем?

— Глазами, — ни минуты не раздумывая, ответила женщина. — У тебя Сашенькины глаза.

Мне в очередной раз захотелось броситься этой милой женщине на шею и на весь мир закричать ей о том, что я и есть Сашенька, но я прекрасно понимала, что не должна этого делать.

Любовь Викторовна открыла дверь в Женькину комнату.

— Женя, у нас гости.

Я тут же вошла и закрыла за собой дверь, оставив домработницу по ту сторону двери.

— Какие еще гости?! — Я услышала слабый голос брата.

— Привет... — Я с болью в душе посмотрела на человека, сидевшего в инвалидной коляске, и почувствовала, как от дикой, раздирающей боли мое сердце сжалось в комок. Уж больно он был бледен и слаб. В этом человеке не было ничего от того Женьки, который хоть и ездил в инвалидной коляске, но вел активную жизнь. С которым я ругалась по поводу женских трусов, валяющихся у двери, горы пустых бутылок из-под спиртного и его помятого внешнего вида. Теперь же этого внешнего вида не было вообще. Выпирающие кости были обтянуты белой прозрачной кожей, такой тонкой, что казалось, если к ней прикоснуться, она просто порвется.

— Ты кто и как ты сюда попала?

На коленях брата лежал мой портрет, на котором я улыбалась своей широкой яркой улыбкой, обнажив свои белоснежные зубы, и держала огромный букет орхидей, подаренных мне братом. Я вздрогнула от того, что мой портрет был обрамлен черной рамкой, и, несмотря на то что на фотографии я смеялась, он наводил только на грустные мысли.

— Это Саша? — Я подошла к брату и взяла из его рук портрет.

— Моя сестра. Откуда ты ее знаешь?

— Она сгорела на пожаре?

— Она была похищена и погибла. Ты с ней знакома?

— Она была славная девушка.

— Я задал тебе несколько вопросов, но не получил ни одного ответа.

Я встала напротив брата, прижала к себе свой портрет и негромко запела, смахивая мешающие петь слезы:

> Как Женька Саньку любил,
> Как Женька Саньку боготворил,
> Потому, что мы одна семья,
> А она в ней младшенькая...

— Женька, ты помнишь, как я сочинила эту песенку и пела на день рождения мамы? Ты мне еще за это подарил пластик жвачки. Такой желтенькой, со вкусом лимона? Ты помнишь? Эта жвачка потом моей самой любимой стала. Я на нее подсела, и ты мне ее упаковками таскал. А помнишь, как в нашем дворе появился новенький мальчишка, который меня возненавидел, стал говорить про меня всякие гадости, а один раз сделал мне подножку, и я упала. Так сильно, что разбила себе лицо в кровь. Я пришла домой и отчаянно плакала. А ты сжал кулаки и пошел разбираться. Ты помнишь, как ты побил этого мальчишку? Как его родители пришли к нам домой и устроили грандиозный скандал?! Я очень хорошо это помню. Мне кажется, что все это было буквально вчера. А вообще мне в этой жизни повезло, потому что у меня всегда был человек, который мог за меня заступиться. Это был мой брат. Мне все завидовали, а тебя все боялись. Я пугала всех твоим именем и чувствовала себя неимоверно смелой.

Я слегка помолчала, поймала пристальный взгляд брата и продолжила:

— А помнишь, как ты таскал мне апельсины сетками и даже ящиками? Тогда они были дефицитом, их в свободной продаже не было. Ты это помнишь? Как ты мне чистил каждый апельсин и кормил меня с рук? А хочешь, я открою тебе секрет? В тебя с самого детства была влюблена моя подружка Ритка. Ты ей безумно нравился. Правда, с возрастом у нее это прошло. Она полюбила моего бывшего мужа. Я их давно не видела, но думаю, что они счастливы вместе. А помнишь...

— Замолчи. Я все хорошо помню, — остановил меня брат. Он подъехал ко мне в своей инвалидной коляске, и я бросилась к нему на шею и громко заревела, словно провинившаяся школьница.

— Женька! Женька! Жень, ты меня узнал?

— Я узнал тебя сразу, как только заглянул в твои глаза. Я многое в них прочитал. Они совсем не изменились, разве что разрез другой. А выражение осталось то же. Я безумно тебя люблю, как же я мог тебя не узнать!

— А Лось не узнал.

— Ты была у него на свадьбе?

— Была. Он меня не узнал, значит, он меня никогда не любил.

— Лось действительно тебя любил, просто он понял, что тебя больше нет.

— Ты знал, что между мной и Лосем что-то было?

— Конечно, я же не дурак. Я все знал, только делал вид, что ничего не знаю. Я ждал, как события будут развиваться дальше.

— Лось не узнал меня. Он меня больше не любит.

— Лось тебя любит. — Брат посадил меня к себе на колени, как в детстве, стал гладить по голове. — В жизни все так сложно. Лось любит тебя мертвую...

— А живую?

— Для него ты никогда не будешь живой. В его сердце появилась новая любовь, и она тесно переплелась со старой. Расскажи мне, где ты была?

Я уткнулась брату в плечо и рассказала обо всем, что со мной произошло, стараясь ничего не скрывать, ничего не преувеличивать, а рассказывать так, как оно было. Я рассказала ему о том, как стреляла в Колесника, как меня похитили, о пожаре, о долгом лечении в клинике, о череде серьезных операций, о свадьбе Лося и о том, как я отомстила, отправив на тот свет двоих предателей.

— Ты убила Вована с Олегом? — встревожился мой брат.

— Я отомстила.

— Ты думаешь, что их уже нет?

— Доктор уверял меня, что лекарство действует быстро.

— Кто-нибудь знает, что ты поехала ко мне?

— Я сказала об этом Лосю.

Слегка испуганный Женька тут же позвал домработницу, и та не заставила себя долго ждать, тут же вбежала в комнату.

— Женечка, что случилось?

Увидев, что я сижу у брата на коленях, женщина приоткрыла рот и растерянно захлопала глазами.

— Люба, если кто-нибудь захочет меня видеть, никого сюда не пускай. Скажи, что я сплю и никого не хочу видеть! Ты поняла?! Никого не пускать! Никому не открывать дверь.

— Хорошо, хорошо. Никого не пускать, никому не открывать дверь и не звать тебя к телефону! Женечка, я все поняла.

— И даже если Лось и ребята приедут, их тоже никого не пускать!

— Да как же Лось приедет, если у него свадьба?! Он теперь раньше чем через месяц не объявится. Они же с Лизой в свадебное путешествие собрались. Когда они еще вернутся...

— Люба, ты слушай, что я тебе говорю. Я тебе повторяю, если Лось с ребятами появится, не пускай, — потихоньку выходил из себя Женька. — Ты все поняла?

— Я все поняла.

— Я сплю, и я дома один. Саньки здесь нет.

— Какой Саньки? Может, Татьяны?

По лицу брата потекли слезы.

— Люба, это наша Сашка. Она не погибла, а была в клинике полтора года. Она восстанавливала свою внешность, а в результате ей сделали новую. Посмотри внимательно в ее глаза. Это же наша Сашка!!!

Женщина вскрикнула и бросилась мне на шею.

— А я сразу поняла, что она на Сашеньку похожа... Она даже говорит, как наша Сашенька. Я ее первой признала. Только она так меня и звала: «Теть Люба». Прямо как наша Сашенька.

— Так это и есть наша Сашенька.

— Ой, я никак привыкнуть не могу! — заголосила женщина.

Когда мы вновь остались с братом одни, Женька взял меня за руку и проникновенно сказал:

— Санька, родная, теперь я могу умереть спокойно. Ты вернулась. В глубине души я всегда верил и ждал, что ты обязательно вернешься. Я чувствовал, что ты жива. Я это чувствовал. Ведь мы ж с тобой одной крови...

— Теперь ты не умрешь... Теперь я рядом, — обливалась я слезами.

— Теперь я могу умереть спокойно. Ты не должна бояться этого. Ты должна представить, что я не умер, что я просто далеко уехал. В какое-нибудь путешествие, из которого вернусь не скоро. Врачи сказали, что мои дни сочтены, и я прекрасно об этом знаю.

— Но почему?!

— Последнее огнестрельное ранение привело к заражению, а дальше покатилось... Потом обнаружили опухоль...

— В тебя стрелял Вован. Вернее, не он сам. Он кого-то нанял. Я за тебя отомстила. Женька, я за тебя отомстила... Вована больше нет и его напарника Олега тоже.

Я плакала и не пыталась скрыть слез. Я наконец встретилась с братом, встречи с которым ждала так долго.

— Почему ты не звонила мне из клиники? Я бы тебя забрал. Все было бы совсем по-другому...

— Я не могла. Я и представить себе не могла, что ты так страшно болен. Я не могла себе это представить... не знала, что ты умираешь.

— Если я умру, это не значит, что я исчезну. Я никогда не исчезну. Я стану невидимкой и по-прежнему буду рядом. Мы же с тобой одной крови, а это значит, что мы не сможем потерять нашу с тобой связующую нить даже тогда, когда я буду на том свете. Я буду всегда незримо присутствовать с тобой рядом. Я буду по возможности тебе помогать и оберегать тебя.

А затем... Затем в комнату вернулась тетя Люба. Мы обнялись и заплакали. Брат держал мою руку.

Через несколько минут он улыбнулся, поблагодарил меня за то, что я позволила ему увидеть меня перед смертью, попросил Любу никого не впускать и, не отпуская моей руки, умолк...

— Женька, надо бороться! — убеждала я. — Так нельзя. Надо бороться! Я покажу тебе клинику, где люди борются, несмотря ни на что... Где люди не опускают руки... Слышишь? Есть такое место на этой земле, где люди борются. Несмотря ни на что...

— Завтра же поедем в эту клинику, — тихо плакала Любовь Викторовна. — Завтра же поедем.

— Женька, ты слышишь?

Но Женька уже ничего не слышал, потому что он умер. Люба посмотрела в его глаза и закричала. Я потрогала его руку и заголосила следом за ней:

— Женька, Женечка... Если он умер, это еще не означает, что его нет... — Я обняла брата. — Женька здесь. Просто он стал человеком-невидимкой. Он все видит, все слышит, и он с нами!

Зазвонил домофон. Люба хотела было встать, но я не позволила ей этого сделать.

— Женька велел никого не пускать.

Звонок повторился, потом еще раз и еще... Люба взялась за голову и тихо сказала:

— Сюда никто не может зайти, но у Лося есть ключи. Я забыла сказать Жене о том, что дала ему запасные ключи.

В комнату ворвались Лось, его невеста и все

наши ребята. Я по-прежнему крепко обнимала брата и не обращала на них никакого внимания.

— Там двое наших парней погибли! — сказал кто-то из них. — Они умерли прямо за столом. Ресторан полон ментов. Мы не захотели отдавать тебя ментам. Мы решили разобраться с тобой сами.

— Это ты их отравила? — Один из ребят достал пистолет и направил его на меня.

— Да, — сказала я совершенно спокойно.

— Почему?

— Потому что это они убили меня. Сожгли в доме. Да и не только меня, сначала они убили моего брата... Он выжил, но каковы последствия...

Слово «брат» произвело на всех ошеломляющее впечатление.

— Это наша Санечка, — объяснила домработница. — Она тогда не сгорела. Она чудом спаслась и все это время лежала в больнице, восстанавливала свою внешность. Она стала новой Санечкой, но глазки у нее остались те же. Кто не верит, посмотрите в ее глазки.

— Саша, это ты?! — Лось сделал шаг вперед и встал как вкопанный. Его невеста встала рядом с ним и, показав, что он ее собственность, взяла его за руку.

— Все нормально, Лось. Все нормально. Извини, что испортила тебе свадьбу.

— Саша, я и подумать не мог, что ты жива...

— Все нормально, Лось, считай, что меня нет.

— Лось, кто это? — заметно занервничала его невеста.

— Это... это...

— Кто это?

— Это... Моя любимая девушка...

— Но ведь у нас с тобой будет ребенок! Я ношу твоего ребенка под сердцем уже три месяца... Какая любимая девушка?!

Я посмотрела на перепуганную Лизу и повторила:

— Лиза, все хорошо. Лось твой. Все нормально. Я знала, что у вас будет ребенок.

— А что с Женькой? — испуганно спросил Лось.

— Мой брат умер. Он дождался встречи со мной и умер. Он не мог умереть, не встретясь со мной. Он ждал этого часа, потому что только он один верил, что Я НЕ УМЕРЛА. Я ГДЕ-ТО ЕСТЬ. — Я встала и сказала то, во что действительно верила: — Мой брат не умер! И пусть кто-нибудь только попробует сказать, что он умер! Он здесь. Рядом с нами. Я его чувствую. Он улыбается. Просто он стал невидимый, но я ощущаю его присутствие. Нас связывает с ним неразделимая нить, которую никто и никогда не сможет разрубить. Сегодня я вернулась в большую жизнь и попала сразу на два мероприятия. На свадьбу и на похороны. Это слишком много для одного дня. Я хочу уйти.

— Куда? — с недоумением спросил Лось.

— Я хочу уйти для того, ЧТОБЫ НАЧАТЬ ВСЕ СНАЧАЛА... И никто, слышите, никто не вправе меня остановить...

Эпилог

Я смотрела на отца Дмитрия и улыбалась. В глубине души я прекрасно понимала, что должна уйти в монастырь, что в моей жизни наступил момент, когда я больше не могу управлять своей судьбой и должна вручить ее тем людям, которые это умеют.

Я устала получать удары судьбы и свято верила в то, что в монастыре меня обязательно поймут, приютят. Отец Дмитрий одобрил мой выбор и даже сказал мне о том, что у меня светлая душа. Я любила беседы с ним, потому что именно из них я многое черпала, многому училась. Например, я никогда не думала о том, что Бог есть любовь, а оказывается, это так, и что любовь сама по себе не падает к нам с небес, ей нужно учиться. Мое сердце подсказало мне, что я должна молиться. Когда я молилась, я верила, что с Божьей помощью все образуется. Я любила петь «Ave Maria!».

По вечерам я пела и мысленно прощалась с демоном, прощалась с ним навсегда. Я отказывалась не от одного демона, я отказывалась от всех демонов, искушающих душу человека. Я окончательно решила для себя постричься в монахини и полностью посвятить себя Христу.

Я пела эту песню, потому что так просила моя

душа, которая обливалась слезами, изливая пением свои чувства. Игуменья не хотела, чтобы я пела подобные песни. Она говорила мне о том, что это пение католическое, а я должна петь православное. Но я ничего не могла с собой поделать. Я это делала не сама, просто об этом просила меня моя истерзанная душа...

Я не отрицала, что я великая грешница. Я слишком много грешила, много любила и много страдала, а теперь для того, чтобы искупить все грехи, мне придется набраться много сил... Слишком много... И все же, несмотря ни на что, я стала послушницей. Просто в моей жизни наступил момент, когда Я ПОНЯЛА, ЧТО Я ДОЛЖНА ПРИЙТИ К БОГУ.

В монастыре я научилась вставать очень рано, на рассвете, и всегда начинала свой день с обращения к Богу. Я всегда прятала свои слезы, потому что плакать тут было нельзя. Слезы считались грехом уныния, а больше я не могла грешить. Я проходила послушание и готовилась к постригу. Я перестала петь католические песни и разучила православные песнопения. Жизнь текла своим чередом, и я сама ее выбрала. Это был мой выбор, и никто не вправе его осудить. Где-то там осталась другая, мирская, жизнь.

Перед самим постригом я почувствовала однажды, как сильно забилось мое сердце, и вышла за монастырские ворота. Прямо у ворот монастыря стояла машина, в которой сидел мужчина и читал газету. Увидев меня, он тут же выскочил из машины, уронил газету и крикнул:

— Девушка, можно вас на минутку?

— Нет, — покачала я головой, — я не должна ни с кем общаться.

— Почему?

Я не ответила на этот вопрос и постаралась пройти мимо машины к обрыву, чтобы полюбоваться на реку и еще раз посмотреть на большой мир. Подойдя к обрыву, я обхватила руками дерево и вновь почувствовала, что меня одолел грех уныния. По щекам потекли слезы. Я плакала оттого, что большой мир уже переставал для меня существовать и больше не был для меня моим домом. Теперь моим домом был Борисоглебский женский монастырь, который находился под Звенигородом. Моя жизнь заключалась в том, что я очень много молилась, много работала. На сегодняшний день у меня была одна цель — устроиться торговать в церковный киоск свечками. По крайней мере это была бы хоть какая-то связь с большим миром. В монастыре бывает много экскурсий, в церковный ларек приходят люди за свечками, я бы украдкой рассматривала этих людей, слушала, о чем они говорят, смотрела, во что они одеты, узнавала о том, что творится в большом мире, за стенами этого монастыря. Но работать в киоск меня пока не брали, говорили, что у меня еще недостаточно знаний.

— Девушка, вы плачете? — Мужчина встал рядом со мной и невольно заставил меня вздрогнуть.

— Я не хочу ни с кем общаться. Уходите!

— Уйду. Только ответьте мне на один вопрос. Почему вы ушли в монастырь?

Я украдкой посмотрела на мужчину и отметила про себя его респектабельную одежду. Его руку украшали дорогие массивные часы. Помолиться приехал, подумала я.

— Я ушла в монастырь, потому что на все промысел Божий.

— А понятнее вы можете ответить?

— Я прошла много испытаний, слишком много нагрешила. Я думала, Господь меня не простит, но я покаялась. Я долго каялась и просила прощения. Я прошла церковное таинство покаяния. Я была уверена, что Господь меня покарает, но он меня простил. Простил и теперь ведет к лучшему. Бог указал мне путь, и я верю, что с Божьей помощью все образуется. Я за это целыми днями молюсь.

— А вам не кажется, что вам еще рано отрекаться от всего мирского?

— Нет, — покачала я головой и хотела было уйти, но мужчина взял меня за руку и, волнуясь, очень сбивчиво заговорил:

— Ну, здравствуй, Санечка! Здравствуй! Я тебя не сразу узнал. Ты в этом платье и в этом платке сама на себя не похожа. Мне сердце подсказало... Ты больше похожа на девочку-подростка. Ничего от твоей сексуальности не осталось, сплошное целомудрие...

— Что? Да как вы смеете? Кто вы такой???

Я еще раз попыталась вырваться, но мужчина не позволил мне этого сделать.

— Санька, Санечка, родная, любимая... Если бы ты только знала, как я тебя искал... Если бы ты только знала! Я же обещал, что обязательно тебя найду. И я искал, но никогда бы не подумал, что ты решишь закончить свою жизнь в монастыре. Я обещал тебя найти и жениться. Так вот, моя любимая девочка, после того, как я тебя нашел, дело не закончится монашеским постригом. Оно закончится свадьбой.

Я вскрикнула и посмотрела на мужчину глазами, полными ужаса. Передо мной стоял красивый, дорого одетый мужчина, и на его лице не было безобразного шрама. У него был совсем другой нос, более раскосые глаза, но их выражение... Передо мной стоял Дровосек, только в новом обличье. Я узнала его по глазам...

— Колька?!

— Колька, — обрадовался Дровосек.

— Как ты меня нашел? Как ты меня узнал? — На моих глазах появились слезы.

— Я лежал в другой клинике, но несколько операций я сделал в той же клинике, что и ты. Я увидел твою фотографию в папке у врача, попросил назвать твое имя.

— Но ведь это могла быть не я?

— Я это почувствовал. Я видел твои снимки обгорелой и то, какой ты стала. Не каждая обгорелая женщина по имени Александра может позволить себе полтора года пролежать в дорогой клинике. На это нужны деньги. Тем более я видел тебя обгорелой, когда вытащил из огня и привез к Глаше.

— А почему ты вытащил меня из огня? Почему ты тогда вернулся?

— Я почувствовал, что ты в беде, что тебе угрожает опасность. — В глазах мужчины стояли слезы. — Я увидел лица тех людей, которым передавал деньги, и я это понял... Я очень долго тебя искал...

— А как ты вышел на этот монастырь?

— На все промысел Божий, — засмеялся мужчина. — Это просто случайность. Я знал, что у тебя умер брат, что твой любимый человек женился и что ты ушла... Пропала... И я подумал про монастырь. Я ездил по всем монастырям, а однажды мне повезло. Мне встретился отец Дмитрий...

— Меня невозможно было найти! — воскликнула я. — Это произошло против теории вероятности.

— Я тебе обещал... Я верил, что тебя найду. Если есть цель, ее всегда можно достичь, если свято в нее верить и не опускать руки. Если я нашел тебя против теории вероятности, это знак свыше. Это судьба. Мы должны быть вместе.

Я провела ладонью по щеке Дровосека и тихонько всхлипнула.

— А как сложилась твоя судьба? Где твой шрам?

— Мой шрам там же, где и твои ожоги. Я проходил лечение за границей. Мне не только убрали шрам, но и подарили новую внешность. А пару заключительных операций я сделал в Москве. У меня новые документы. Правда, я оставил свое имя, и меня зовут Николой.

— А как твоя жена?

— Она уже давно живет в новом браке и родила третьего ребенка. Она по-настоящему счастлива. Она ни в чем не виновата. Она нашла свою половинку. Мы с ней были случайные люди, а случайные люди не могут долго жить под одной крышей. Они все равно будут искать свои половинки.

— А мой муж тоже женился, — рассмеялась я.

— Правда?

— Да. Я Ритке звонила. У них родилась девочка, а теперь они ждут мальчика. Он устроился на хорошую работу, и они ни в чем не нуждаются. Он старается изо всех сил. Они безумно счастливы. Я действительно поверила в то, что они половинки единого целого. А мы с ним... мы были тоже случайные люди, а ты сам сказал, что случайные люди не могут долго жить под одной крышей.

— Вот и я нашел тебя потому, что знаю, что ты моя половинка. Я это сразу почувствовал. Ты меня за прошлое прости, если что-то было не так. Я ведь только с зоны сбежал. Одичавший был, озлобленный. Жена только к другому ушла... Все одно к одному. Я обещал найти тебя в третий раз и нашел.

— Но почему в третий, а не во второй?

— Потому что в первый раз я увидел тебя в ресторане, когда ты убила Колесника. Я стоял за шторкой. Я и был тот киллер, которого все искали.

— Это был ты?!

— Конечно. Это была наша с тобой первая встреча. Тогда я на тебя злой был. Я ведь с зоны бежал, мне нужно было подзаработать, и мне предложили это дельце, а ты мне тогда все испортила. Меня тогда чуть не взяли. Думал, найду тебя и разорву собственными руками. Я тогда тебя выследил, но, когда узнал, кто ты такая, решил на тебе заработать денег. Да ладно, это все дело прошлое. Я больше криминалом не занимаюсь. Я стал совсем другим. Я на зоне познакомился с одним очень влиятельным человеком, и он мне помог. Оказалось, я когда-то спас его сына, который чуть было не утонул в реке. Мы с ним с зоны вместе бежали. Мы с ним как братья. Он и себе новую внешность сделал, и мне помог. — Мужчина помолчал и продолжил: — В общем, Саня, решать тебе. Мы с тобой жили неправильной жизнью, а очиститься от всего сможем только вместе. Если ты уйдешь из мирского, что тогда мне делать? Мне без тебя не жить. ДАВАЙ ПОПРОБУЕМ НАЧАТЬ ВСЕ СНАЧАЛА. ВЕДЬ ГОВОРЯТ, ЧТО НАЧИНАТЬ СНАЧАЛА НИКОГДА НЕ ПОЗДНО. НИКОГДА. ДАВАЙ

ПОПРОБУЕМ ЭТО ВМЕСТЕ. Ведь мы половинки единого целого и судьба не зря соединила нас вместе. Сними с себя этот платок. Мы уедем из Москвы в другой город... Мы сможем... У нас еще есть силы... У нас все получится...

Я сняла платок, тихонько всхлипнула, уткнулась в Колькино родное плечо и почувствовала, что у меня еще много сил для земной любви, что мне еще и в самом деле рано отрекаться от мирского. Я знала... Я точно знала, что человек, который сейчас стоял рядом со мной, и есть моя судьба и любовь, потому что он послан мне самим Богом. Я знала, что мы обязательно попробуем начать все сначала и у нас все получится. Демоны уже отступили от нас и подарили нам эту встречу.

И нам можно простить все. Буквально все... Потому что все отступает, прощается и меркнет перед большой, настоящей любовью.

Когда к обрыву подошла экскурсионная группа, все уставились на нас, словно на привидение. Экскурсовод замолчал, да и туристы не произносили ни единого слова. Они смотрели на плачущих мужчину и женщину... Дорого одетый мирской мужчина прижимал к себе плачущую женщину из монастыря, а в реке плавала ее косынка... Все смотрели, как завороженные, и все понимали, что, несмотря ни на что, эти люди из разных миров счастливы... Они неимоверно счастливы...

— Мы повенчаемся, — шептала я Николаю и целовала его заплаканное лицо. Ведь у мужчин тоже есть слабости и наступают моменты, когда они не просто выдавливают мужскую слезу, они плачут... Они по-настоящему плачут...

— Мы обязательно повенчаемся, — повторил мою мысль Николай. — И ты будешь красива. Ты будешь самая красивая невеста на этой земле... А повенчает нас отец Дмитрий... Он поймет. Он нас обязательно поймет... Он поймет, что мы тоже имеем право на счастье...

Когда и мы заметили стоявшую рядом с собой экскурсионную группу, мы смутились, а я прошептала:

— Извините нас!

Но туристы были настолько растроганы, что захлопали в ладоши и закричали:

— Горько! Горько!!!

Мы засмеялись и начали целоваться. В моей жизни это было уже второе «Горько!». Первое и на самом деле оказалось горьким, но я свято верила в то, что второе «Горько!» у меня обязательно будет сладким.

А еще... Еще мне обязательно захотелось снять черное платье и надеть белое. Жаль, что Женька нас не видит и не может порадоваться вместе со мной. Хотя нет... Он все видит. Он же стал человеком-невидимкой. Он всегда рядом. Он где-то здесь... Он с нами и одобряет мой выбор... Он улыбается нам...

— Сашка, пойдем, я познакомлю тебя со своей мамой, — сказал Николай, взял меня за руку и повел к машине.

Из машины вышла немного постаревшая Глаша. Она громко заплакала и бросилась мне на шею...

———

ПОСЛЕСЛОВИЕ

Вот вы и перевернули последнюю страничку моего романа. Как и прежде, я с нетерпением жду ваши дорогие моему сердцу письма. Я предлагаю вам свою дружбу и обещаю, что не оставлю без внимания ни одно из ваших писем. Если вы не хотите, чтобы оно было опубликовано, просто дайте мне знать. Я ничего не сделаю против вашей воли. С вашего разрешения я могу поменять ваше имя и город, чтобы не доставить вам неприятностей. В первую очередь я отвечаю на те письма, которые разрешены к публикации. Надеюсь на ваше понимание. Я очень ограничена во времени.

Я жду ваших писем. Пишите мне о своих победах и поражениях, о трудностях и несправедливостях этого мира. Пишите о хамстве, жестокости, произволе и вымогательстве. Пишите о том, о чем просто нельзя молчать, потому что с любым позорным явлением необходимо бороться, и мы вместе посмотрим, как книга может повлиять на нашу жизнь.

Мне очень важно, чтобы все мы стали хоть чуточку счастливее, но нельзя сделать человека счастливее вопреки его воле. Нужно просто распахнуть свою душу для любви и притягивать к себе все доброе, светлое и положительное. Я считаю, что счастье в нас самих, в нашей гармонии с окружающим миром. Давайте просто радоваться всему хорошему! Я очень хочу, чтобы мои книги помогали вам найти ключ к пониманию собственных проблем и приносили в ваш дом тепло.

Я всегда буду рада вас выслушать — как автор, как юрист, как психолог и просто как обыкновенная женщина. Также вы можете задавать вопросы, на которые я с удовольствием отвечу в конце одной из следующих книг.

Пишите обо всем, что вас окружает. О том, какая сегодня погода, и о том, что творится у вас на душе. О том, что вы счастливы и любимы, или о том, что сейчас вы одна, от вас ушел муж и вам необходима поддержка. Я хорошо знаю, что означают уязвленное самолюбие, давящая пустота в квартире, когда не с кем обсудить свои радости и горести, пустая, холодная постель и мокрая от слез подушка. Довольно тяжело свыкнуться с мыслью, что все рухнуло в одночасье. Самое главное — не держать это в себе, выговориться, излить душу и... отпустить навсегда.

Я искренне верю в то, что мои ответы на ваши письма придают вам смелости, уверенности в себе и помогают отстаивать собственные интересы. Верьте в себя и не бойтесь принимать самостоятельные решения. Настраивайте себя на успех, и он обязательно к вам придет.

Я всегда жду ваших писем и вопросов, на которые буду отвечать в конце своих книг.

Отправляйте мне письма по адресу:
129086, Москва, абонентский ящик 30

Любящий вас автор,

Юлия Шилова.

СУДЬБЫ В ПИСЬМАХ

1. ЗДРАВСТВУЙТЕ, ЮЛЕНЬКА, СО МНОЙ ПРОИЗОШЕЛ СЛУЖЕБНЫЙ РОМАН.

ВСЕ ТАК ПРЕКРАСНО НАЧИНАЛОСЬ И ТАК ПЕЧАЛЬНО ЗАКОНЧИЛОСЬ... НА СЕРДЦЕ НЕЗАРАСТАЮЩАЯ РАНА. ВСЯ ЖИЗНЬ — СПЛОШНАЯ РАБОТА. С РАБОТЫ — ДОМОЙ. ИЗ ДОМА — ОПЯТЬ НА РАБОТУ. ПОЗНАКОМИТЬСЯ С МУЖЧИНОЙ ПОЛУЧАЕТСЯ ТОЛЬКО НА РАБОТЕ, А ЭТО ОПЯТЬ БУДЕТ БОЛЕЗНЕННЫЙ СЛУЖЕБНЫЙ РОМАН...

А КАК ВЫ ОТНОСИТЕСЬ К СЛУЖЕБНЫМ РОМАНАМ?

Надежда. Город Львов.

Наденька, спасибо за ваше письмо.

Каждая из нас когда-нибудь симпатизировала сотруднику, и все мы знаем, что на работе флиртуют сплошь и рядом. Я ничего не имею против такого флирта, скорее наоборот. Он хорош и полезен, а самое главное — он никак не сказывается на производительности труда, иногда он ее даже повышает. Потому что хочется лететь на работу, как на крыльях. Хочется лучше выглядеть. Хочется жить, творить и ловить на себе влюбленные взгляды симпатичного коллеги. Мнс всегда нравился ни к чему не обязывающий легкий флирт, который может длиться до бесконечности. Переступать границу не хочется, зато купаешься в наслаждении. Флирт необходим в любом коллективе. Сотрудники даже не идут, а с удовольствием бегут на работу, прихорашиваются и всегда хотят выглядеть лучше, чем они есть. Говорят, влюбленность в коллегу — штука неизбежная, а вот доводить ли дело до служебного романа, каждый решает для себя сам.

Далеко не всегда служебные романы ограничиваются легким флиртом, наступает момент, когда оказываешься перед выбором: остановиться или закрыть глаза, перешагнуть грань и отдаться нахлынувшей страсти. Вот здесь нужно сказать себе СТОП и хорошенько подумать: зачем вам это нужно и какие цели вы преследуете, вступая в определенные отношения. Есть хороший тезис: «не спи с тем, с кем работаешь». Полностью с ним согласна. Я получаю немало писем от девушек, которые сначала идут на работу, как на праздник, а затем... ищут новое место работы. Служебные романы не так безобидны, как кажется на первый взгляд, они таят много ловушек. Да, походы на работу приобретают совсем другой смысл, и ты живешь жаркими взглядами понравившегося коллеги, но есть три варианта развития сюжета. В первом случае легкий флирт будет длиться годами. Во втором — флирт сменится быстрым сексом в обеденный перерыв, тщательно скрываемым от посторонних глаз, а следующим шагом, как правило, становится поиск нового места работы. Третий вариант — поход в ЗАГС и создание самой настоящей семьи.

Увы, не каждый роман между сотрудниками приводит к браку. Довольно распространенный финал служебного романа — увольнение. Значит, бросаясь в омут с головой, мы рискуем служебным положением и карьерой.

Разрывая отношения с некогда близким нам человеком, как правило, мы хотим начать новую жизнь, навсегда вычеркнуть из своей жизни того, с кем пришлось расстаться. Конечно же, мы мечтаем разойтись красиво, но это целое искусство, и мало кто им владеет. Не все люди после болезненного расставания способны остаться добрыми друзьями или хорошими знакомыми. Если вы работаете с этим человеком, то вам просто некуда деться, вы вынуждены видеть его каждый день. Научитесь ли вы жить с негативными эмоциями, отводить взгляд и спокойно проходить мимо того, на кого совсем недавно строили серьезные планы? Для этого нужно иметь крепкую нервную систему. Многие предпочитают уволиться. Трудно целыми днями смотреть на бывшего возлюбленного, а еще труднее, если он на ваших глазах начинает строить свои отношения с другой. Это крайне неприятно, даже если мужчина уже вам безразличен. Если все же вы не устояли и в вашей жизни случился служебный роман, то постарайтесь отделить личные отношения от деловых. В противном случае можно поплатиться карьерой.

Никаких законов служебного романа нет. Никто не знает, чем закончится только что вспыхнувшая интрижка: свадьбой или горьким разочарованием. Правило только одно: понравившийся сотрудник не должен быть женат. У служебного романа столько же шансов на успех и счастье, сколько у неслужебного. Хорошо, когда такая связь заканчивается свадьбой или разрывом без взаимных обид. По большому счету, перспектива есть у любых отношений. Ведь любые отношения нормальны, если они основаны на любви.

2. ЗДРАВСТВУЙТЕ, ЮЛИЯ!

ЧЕРЕЗ НЕСКОЛЬКО МЕСЯЦЕВ ПОСЛЕ РОЖДЕНИЯ РЕБЕНКА Я ЗАМЕТИЛА, ЧТО МОЕ ОТНОШЕНИЕ К МУЖУ РЕЗКО ИЗМЕНИЛОСЬ. ТО, ЧТО РАНЬШЕ МНЕ НРАВИЛОСЬ (ЕГО НАДЕЖНОСТЬ, ТО, ЧТО ОН ЗНАЧИТЕЛЬНО СТАРШЕ МЕНЯ, ЧТО ОН СТРЕМИТСЯ ЗАРАБАТЫВАТЬ БОЛЬШЕ ДЕНЕГ), ТЕПЕРЬ УЖАСНО РАЗДРАЖАЕТ. МЫ ПОЧТИ НЕ ВИДИМСЯ. СЕЙЧАС МНЕ КАЖЕТСЯ, ЧТО ЖИЗНЬ ПРОХОДИТ МИМО, А У МЕНЯ, КРОМЕ ЛЮБИМОЙ ДОЧКИ, НИЧЕГО НЕТ. МУЖ ТОЖЕ ЧТО-ТО ПОЧУВСТВОВАЛ, СТАЛ ОТДАЛЯТЬСЯ. ЕЩЕ СОВСЕМ ЧУТЬ-ЧУТЬ, И МЫ ОДНОВРЕМЕННО ЗАГОВОРИМ О РАЗВОДЕ...

ЮЛЯ, СКАЖИТЕ, ЧТО ЖЕ ПРОИЗОШЛО?..

Рита, 24 года. Город Керчь.

Дорогая Рита, у вас слишком поздняя послеродовая депрессия. Это состояние знакомо многим родившим женщинам. Первые месяцы после рождения ребенка требуют от нас

410

огромных сил. Нервозность, страх, апатия и постоянное беспокойство мешают восстановить силы после тяжелого дня. Нарастают капризность, слезливость, страх одиночества... и в то же время — стремление к уединению. Появляется негативное отношение к мужу и самой себе.

Послеродовая депрессия — это сигнал того, что женщина исчерпала свои физические и эмоциональные возможности.

Необходимо что-то менять! Всю свою любовь вы переключили на ребенка и фактически обокрали своего мужа. Поверьте, пополнить армию матерей-одиночек вы всегда успеете, а вот вернуть то, что утрачено, еще можно. Надежные мужчины, пытающиеся заработать больше денег, сейчас настоящая редкость. Попробуйте посмотреть на вашего мужа глазами той девушки, которая выходила за него замуж, и не поленитесь подкинуть в тлеющий костер угасающей любви хоть немного дровишек. Потерять всегда просто, а вот сохранить или возвратить гораздо сложнее.

Любящий вас автор,
Юлия Шилова.

СОДЕРЖАНИЕ

РЕГИОНЫ:

- Архангельск, 103-й квартал, ул. Садовая, 18, т. (8182) 65-44-26
- Белгород, пр. Хмельницкого, 132а, т. (0722) 31-48-39
- Волгоград, ул. Мира, 11, т. (8442) 33-13-19
- Екатеринбург, ул. Малышева, 42, т. (3433) 76-68-39
- Калининград, пл. Калинина, 17/21, т. (0112) 65-60-95
- Киев, ул. Льва Толстого, 11/61, т. (8-10-38-044) 230-25-74
- Красноярск, «ТК», ул. Телевизорная, 1, стр. 4, т. (3912) 45-87-22
- Курган, ул. Гоголя, 55, т. (3522) 43-39-29
- Курск, ул. Ленина, 11, т. (07122) 2-42-34
- Курск, ул. Радищева, 86, т. (07122) 56-70-74
- Липецк, ул. Первомайская, 57, т. (0742) 22-27-16
- Н. Новгород, ТЦ «Шоколад», ул. Белинского, 124, т. (8312) 78-77-93
- Ростов-на-Дону, пр. Космонавтов, 15, т. (8632) 35-95-99
- Рязань, ул. Почтовая, 62, т. (0912) 20-55-81
- Самара, пр. Ленина, 2, т. (8462) 37-06-79
- Санкт-Петербург, Невский пр., 140
- Санкт-Петербург, ул. Савушкина, 141, ТЦ «Меркурий», т. (812) 333-32-64
- Тверь, ул. Советская, 7, т. (0822) 34-53-11
- Тула, пр. Ленина, 18, т. (0872) 36-29-22
- Тула, ул. Первомайская, 12, т. (0872) 31-09-55
- Челябинск, пр. Ленина, 52, т. (3512) 63-46-43, 63-00-82
- Челябинск, ул. Кирова, 7, т. (3512) 91-84-86
- Череповец, Советский пр., 88а, т. (8202) 53-61-22
- Новороссийск, сквер им. Чайковского, т. (8617) 67-61-52
- Краснодар, ул. Красная, 29, т. (8612) 62-75-38
- Пенза, ул. Б. Московская, 64
- Ярославль, ул. Свободы, 12, т. (0862) 72-86-61

Литературно-художественное издание

Шилова Юлия Витальевна

**В ворохе чувств,
или Разведена и очень опасна**

Роман

Ответственный редактор *М.С. Сергеева*
Редактор *Н.Н. Борисова*
Художественный редактор *О.Н. Адаскина*
Компьютерная верстка: *Н.Г. Суворова*
Технический редактор *О.В. Панкрашина*

Общероссийский классификатор продукции
ОК-005-93, том 2; 953000 — книги, брошюры

Санитарно-эпидемиологическое заключение
№ 77.99.60.953.Д.007027.06.07 от 20.06.07 г.

ООО «Издательство АСТ»
141100, Россия, Московская обл., г. Щелково, ул. Заречная. д. 96
Наши электронные адреса: WWW.AST.RU E-mail: astpub@aha.ru

ООО Издательство «АСТ МОСКВА»
129085, г. Москва, Звездный б-р, д. 21, стр. 1

Издано при участии ООО «Харвест». ЛИ № 02330/0150205 от 30.04.2004.
Республика Беларусь, 220013, Минск, ул. Кульман, д. 1, корп. 3, эт. 4, к. 42.
E-mail редакции: harvest@anitex.by

ОАО «Полиграфкомбинат им. Я. Коласа». ЛП № 02330/0056617 от 27.03.2004.
Республика Беларусь, 220600, Минск, ул. Красная, 23.